Récits d'adoption

CINQ AVENTURES FAMILIALES

Louise Noël

Récits d'adoption

CINQ AVENTURES FAMILIALES

BÉLIVEAU
★
éditeur

Montréal, Canada

Conception et réalisation de la couverture: Morin Communication • Design
Photo de la couverture: *Bird's Nest with Eggs*, Brand X Pictures

Dépôt légal: 1er trimestre 2008
Bibliothèque et Archives nationales du Québec
Bibliothèque nationale du Canada

ISBN 978-2-89092-399-7

BÉLIVEAU   5090, rue de Bellechasse
— ★ —   Montréal (Québec) Canada H1T 2A2
é d i t e u r **514-253-0403** Télécopieur: 514-256-5078

www.beliveauediteur.com
admin@beliveauediteur.com

Gouvernement du Québec — Programme de crédit d'impôt pour l'édition de livres — Gestion SODEC — www.sodec.gouv.qc.ca

Nous reconnaissons l'aide financière du gouvernement du Canada par l'entremise du Programme d'Aide au Développement de l'Industrie de l'Édition pour nos activités d'édition.

IMPRIMÉ AU CANADA

À Jacqueline et Louis-Philippe

À tous les enfants, parents et intervenants
impliqués dans un projet de type Banque-mixte

« *Chaque rencontre est un virage.*
Ce qui ne veut pas dire
qu'on peut se tricoter en tout sens, puisque,
au moment de la rencontre,
nous sommes déjà constitués par nos acquis
et que le milieu avec lequel nous nous tricotons
est lui-même constitué par ses récits,
ses institutions, ses traditions et ses techniques. »

Boris Cyrulnik
Un merveilleux malheur, 1999, p. 109

Table des matières

Liste des tableaux
et des figures

Liste des abréviations

ARH	Agent de ressources humaines
B-M	Banque-mixte
CHU	Centre hospitalier universitaire
CHUS	Centre hospitalier universitaire de Sherbrooke
CJ	Centre jeunesse
CJM–IU	Centre jeunesse de Montréal–Institut universitaire
CLSC	Centre local de services communautaires
CRJDA	Centre de réadaptation pour jeunes en difficulté d'adaptation
CRMDA	Centre de réadaptation pour mères en difficulté d'adaptation
CSSMM	Centre de services sociaux du Montréal métropolitain
CSSS	Centre de santé et de services sociaux
DPJ	Directeur de la protection de la jeunesse ou Direction de la protection de la jeunesse
ETCAF	Ensemble des troubles causés par l'alcoolisation fœtale
FA	Famille d'accueil
FAR	Famille d'accueil de réadaptation
GED	Grille d'évaluation du développement
IVAC	Indemnisation aux victimes d'actes criminels
LPJ	*Loi sur la protection de la jeunesse*
LSJPA	*Loi sur le système de justice pénale pour les adolescents*

LSSSS	*Loi sur les services de santé et les services sociaux*
MSSS	Ministère de la Santé et des Services sociaux
PAE	Programme d'aide aux employés
PC	Périmètre crânien
PI	Plan d'intervention
QI	Quotient intellectuel
SAF/EAF	Syndrome d'alcoolisation fœtale/Effets de l'alcoolisation fœtale
SSPT	Syndrome de stress post-traumatique
TAS	Technicien ou technicienne en assistance sociale
TS	Travailleur social ou travailleuse sociale
UQAM	Université du Québec à Montréal
VIH	Virus de l'immunodéficience humaine

Préface

Chaque personne a son histoire.
Chaque histoire est unique.
Chaque personne a un besoin d'appartenance.
L'appartenance n'est pas toujours un choix.
C'est souvent l'histoire qui décide.

Un jour, dans ma vie de femme ordinaire, j'ai voulu ce que presque toute femme désire. Être mère!

Mon parcours n'est pas unique, mais bien historique. Grâce au programme Banque-mixte du Centre de services sociaux du Montréal métropolitain[1], j'ai eu la chance inouïe de faire la rencontre d'un être qui allait transformer ma vie. J'ai été mère d'accueil, puis je suis devenue mère adoptive.

Le chemin vers Charlotte a été, je l'avoue, quasi miraculeux, et notre histoire se conjugue pratiquement sans embûches: je l'ai accueillie dans ma vie, elle avait à peine une semaine; je l'ai adoptée deux ans plus tard et nous nous aimons depuis d'un amour inconditionnel.

Je ne l'ai pas portée dans mon ventre, mais je l'avais longtemps portée dans mon cœur! Aujourd'hui, je la guide, je me questionne, nous évoluons ensemble. Constamment, je m'ajuste, je grandis, grâce à elle. Elle est mon phare, ma lumière, mon port d'attache.

La courbe des événements n'est pas toujours aussi fluide, aussi facile pour tous. Certaines histoires, relatées ici, le prouvent. Elles sont touchantes, bouleversantes. Mais toutes sont empreintes de courage, d'amour et de lumière.

---

1. En 1993, le Centre de services sociaux du Montréal métropolitain (CSSMM) a été intégré à l'actuel Centre jeunesse de Montréal–Institut universitaire (CJM–IU).

Je salue la grandeur d'âme des parents d'adoption qui se soumet-tent aux contraintes qu'une telle démarche peut imposer. Je salue l'immense amour des parents naturels qui acceptent de faire face à leurs limites, de faire abstraction du jugement des autres, et de lâcher prise afin d'assurer le bonheur et l'avenir de leurs enfants. Je salue l'efficacité et la droiture des intervenants sans qui chaque his-toire n'aurait pas le dénouement souhaitable.

J'espère que ce livre apportera une lumière à tous ceux et celles qui ont le même désir légitime de fonder une famille.

Si mettre un enfant au monde est un acte social, que la prise en charge ou l'adoption d'un enfant devienne un geste politique, soit en investissant dans nos « richesses naturelles » et en accueillant des enfants bien de chez nous.

Le personnage de Grace dans la pièce *Grace et Gloria*[2] résume bien notre raison d'être sur terre. Elle est à la fin de sa vie, elle tri-cote un chandail et elle dit:

« Toutes les choses dans le monde sont tricotées ensemble, comme les mailles d'un chandail. Une par une, y valent pas grand'chose, mais t'en brise juste une pis toute le chandail est ruiné.

Chus sûre que le bon dieu m'a mis sur la terre pour une raison. Même si c'était juste comme une maille dans le grand chandail, pour tenir la maille qui venait avant moé, pis celle qui venait après. »

Chaque personne a son histoire.
Chaque histoire est unique, nécessaire.
Je souhaite que la vôtre soit *tricotée serrée*!

Linda Sorgini[3]
Septembre 2007

---

2. *Grace et Gloria,* pièce de Tom Ziegler, adaptée par Michel Tremblay.
3. Madame Linda Sorgini est une comédienne québécoise réputée qui évolue sur la scène théâtrale, à la télévision et au cinéma.

Avant-propos

Je désire remercier tous les protagonistes de ce livre, parents d'origine, parents adoptifs et intervenants[4]. Tous ont participé à sa création par leur disponibilité, leur engagement et leur patience. Ils ont accepté de répondre à mes questions et ont partagé leur expérience avec une grande générosité.

Le message qu'ils m'ont transmis est beaucoup plus large que ce qui est rapporté ici. L'histoire de chacun est riche d'événements et d'enseignement. Pour la clarté des récits, j'ai dû faire des coupures et renoncer, non sans regret, à certaines parties de leurs touchants témoignages relatives, entre autres, à la vie personnelle des parents adoptifs et des intervenants. Il y aurait dans ces témoignages le germe d'autres livres.

Durant les années où j'ai écrit ce livre, ont œuvré au Service adoption du Centre jeunesse de Montréal–Institut universitaire: Andrée Doucet, André Rousseau, Céline Roch, Claudette Jules, Daniel Gélinas, Diane Vallières, Esther De Blois, Francine Daigneault, Francine St-Cyr, François Lafaille, Françoise Hébert, Gilles Lanthier, Gisèle Rochon, Hélène Quesnel, Huguette Loiselle, Immacula Dieudonné, Julien Pelletier, Liette Lampron, Lise Dionne, Lise Gratton, Léonard Lavoie, Louise Bastien, Louise Lévesque, Louise Pellerin, Louise Simard, Marie Bélanger, Michel Carignan, Monique Marchand, Patricia Whalen, Pierre Cinq-Mars, Pierrette Iavicoli, Suzanne Rivard et Yves Baril. Tous ces intervenants, et ceux qui les ont précédés, ont contribué au développement du programme dont il est question ici: l'adoption de type Banque-mixte. Sans eux, ce livre n'aurait pas été écrit.

---

4. Afin de protéger leur anonymat, aucune des personnes concernées ne sera identifiée.

Quelques remerciements particuliers:

Michel Carignan, chef du Service adoption, a accepté et encouragé mon projet, et Francine Daigneault a assumé le suivi de mes dossiers durant mon absence.

Mon employeur, le Centre jeunesse de Montréal–Institut universitaire (CJM–IU), par son programme de soutien à l'écriture, m'a libérée en partie de ma charge de travail habituelle pour écrire.

Suzanne Payeur, Jeanne Bazinet, Hélène Neilson et Paule Asselin de la bibliothèque du CJM–IU m'ont apporté une aide précieuse.

Les membres du comité de lecture, Michel Carignan, Léonard Lavoie, Stephan Larouche, Michelle St-Antoine et Gisèle Rochon, ont lu, corrigé et commenté la première version de ce livre. Sonia Boisclair, avocate au Service du contentieux du CJM–IU, a révisé l'aspect juridique du texte. Toute erreur est cependant ma responsabilité.

Danielle Coutlée a corrigé le manuscrit.

Linda Sorgini, mère adoptive dans le cadre du programme Banque-mixte, a rédigé la préface.

Le CJM–IU et Béliveau Éditeur ont réalisé la publication.

Les membres de ma famille, Jacqueline, Laurence, Fanny, François, Jean-Claude, Liliane, Diane et Frances, et mes amis, Aline, Ginette, Gloria, Lucrèce, Marie-Josée, Pascale-Aymée, Jean, Jean-Maurice et Marc, m'ont accompagnée et ont prêté leur prénom à certains des protagonistes de ce livre.

À tous, merci.

LOUISE NOËL, M.S.S., T.S.
Montréal, 7 août 2007

Introduction

Adopter un enfant est une grande aventure. Une aventure pour les parents adoptifs, qui ont différentes raisons de s'y engager (stérilité, désir d'aider un enfant en difficulté, ...), une aventure pour l'enfant qui entre dans une famille à laquelle il n'appartenait pas initialement, une aventure aussi pour les intervenants qui sont les intermédiaires entre cet enfant et les parents adoptifs. Pour plusieurs parents d'origine de ces enfants, malheureusement, il s'agit d'une mésaventure...

Ces derniers portent souvent sur leurs épaules le poids d'une enfance difficile, de maltraitance, de négligence et d'abandons. Leur jeunesse et leur vie adulte peuvent être marquées par un déficit ou une absence d'attachement, un déficit de développement ou un déficit intellectuel, de l'instabilité, des assuétudes, de la violence conjugale, de la prostitution, de la criminalité, une maladie mentale. Leur désir d'enfant est réel et porteur d'espérance, mais leur manière de vivre est nocive pour eux-mêmes, car certains sont à peine capables de répondre à leurs propres besoins de manière adéquate et constante, et elle devient nocive aussi, par le fait même, pour leurs enfants.

Comme les parents d'origine, les parents adoptifs du programme Banque-mixte sont eux aussi portés par leur désir d'enfant, un désir souvent frustré par leur infertilité. S'ils prennent généralement la décision d'adopter en connaissance de cause, s'ils ont la chance d'être plus outillés que les parents d'origine pour mener leur vie et pour élever un enfant, ils ne sont pas nécessairement conscients, au début, de toutes les implications que comporte une adoption.

Les intervenants sont plus lucides. Ils connaissent les difficultés, les risques et les responsabilités rattachés à l'adoption. Ils sont témoins à la fois de la détresse des parents d'origine, de celle des enfants et de l'espoir des parents adoptifs.

Quant aux enfants, ce sont les premiers concernés par le système québécois de protection de la jeunesse. Lorsque les intervenants de la Direction de la protection de la jeunesse (DPJ[5]) réalisent une adoption, ils ont pour objectif de trouver une famille pour un enfant, et non pas un enfant pour une famille.

Le titre initial de ce livre était *Tricoté serré: quelques récits d'adoption*. Pour raison de clarté, cependant, seuls les deux derniers mots ont été retenus dans le titre définitif. Il reste que l'expression québécoise « tricoté serré »[6], reprise par madame Sorgini dans la préface de cet ouvrage, décrit très bien la forme d'adoption nationale la plus courante au Québec actuellement: l'adoption dans le cadre du programme Banque-mixte.

En effet, dans ce programme, chacun des protagonistes participe directement, tant sur le plan social que sur le plan légal ou affectif, et tous sont, encore plus étroitement que dans les autres types[7] d'adoption, liés les uns aux autres par l'enfant, au cœur de leurs préoccupations. Le cercle de l'adoption (figure 1), et particulièrement de l'adoption de type Banque-mixte, ne peut être complet sans l'une de ces personnes.

Le terme « Banque-mixte[8] » est un néologisme créé en 1988 par des membres du Service adoption du Centre jeunesse de Montréal–Institut universitaire (CJM–IU[9]) afin de nommer une nouvelle forme d'adoption qui venait alors d'être mise en place. Le mot « banque » représente le bassin de postulants à l'adoption dans lequel les intervenants peuvent puiser afin de trouver une famille pour un enfant. Le mot « mixte » traduit le double rôle que ces postulants devront jouer: celui de parents d'accueil, au début du processus, et celui de parents adoptifs par la suite, si l'enfant devient admissible à l'adoption.

---

5. L'abréviation DPJ sera généralement utilisée dans ce livre.
6. « *Tricoté serré*: traduction littérale de l'expression anglaise *closely knit*. En français, on utilise généralement l'adjectif "uni" pour rendre cette idée. Par exemple, au lieu de parler d'une communauté "tricotée serrée", on parlera plutôt d'une communauté très unie. » Guy Bertrand, Radio-Canada. Date de consultation: 2005-02-24.
7. Types d'adoption nationale au Québec: deuxième série de fiches techniques.
8. Les expressions *famille de type Banque-mixte* ou *famille du programme Banque-mixte* seront souvent remplacées dans ce livre par le terme *Banque-mixte*.
9. Le Centre jeunesse de Montréal–Institut universitaire sera généralement mentionné dans ce livre sous l'abréviation CJM–IU.

FIGURE 1

LE CERCLE DE L'ADOPTION

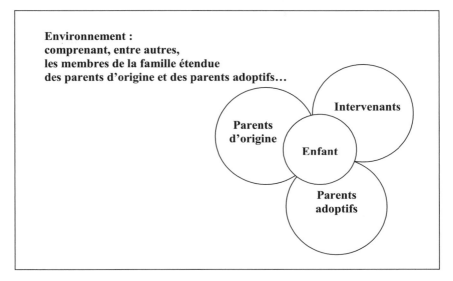

Ce programme a été conçu afin d'offrir rapidement à un groupe d'enfants ciblés des parents stables, capables et désireux de répondre à leurs besoins à court, moyen et long termes. Ces enfants ne sont pas légalement admissibles à l'adoption au moment de leur arrivée chez les parents du programme Banque-mixte, c'est pourquoi ceux-ci jouent au départ le rôle de parents d'accueil. Cependant, parce que leurs parents d'origine connaissent de très grandes difficultés, ont un potentiel réduit de reprise en main et peu de chances de redevenir capables de les assumer ou parce qu'ils se désintéressent d'eux, ces enfants sont très susceptibles de devenir admissibles à l'adoption.

Dans ce contexte, le programme Banque-mixte fournit un filet de sécurité à ces enfants, un « plan B »: durant la période où les intervenants de la Direction de la protection de la jeunesse travaillent intensivement avec leurs parents et mettent tout en œuvre pour les aider à développer ou retrouver leurs capacités parentales ou pour les motiver à le faire, les enfants sont placés dans des familles qui sont prêtes non seulement à leur offrir un foyer temporaire, mais aussi à les adopter si cela devient possible, si le « plan A »[10] ne se réalise pas.

---

10. Du point de vue de l'enfant, un retour dans sa famille d'origine est ce qui est le plus souhaitable si ses parents ou des membres de la famille sont en mesure de l'assumer adéquatement. En ce sens, l'adoption est une alternative, un plan B.

En ce sens, l'objectif premier d'un projet de type Banque-mixte n'est pas l'adoption, mais l'adoption est souvent un résultat de ce type de projet. Comment cela s'explique-t-il?

Puisque les postulants qui s'engagent dans un projet de ce type doivent avoir non seulement le désir d'aider un enfant, mais aussi celui de l'adopter si cela s'avère possible, les enfants orientés vers ce type de projet doivent être très soigneusement sélectionnés. Sont orientés vers le programme seulement ceux dont les parents vivent de très nombreuses difficultés ou des difficultés très importantes ou, encore, se désintéressent clairement de l'enfant. Le réseau familial ou social de ces enfants n'est pas en mesure de pallier les difficultés des parents et de prendre la relève de ces derniers[11].

Le travail qui doit être fait par ces parents pour renforcer leurs capacités parentales et reprendre la garde de leur enfant pourrait être comparé à l'escalade d'une haute montagne, abrupte, escarpée et semée de nombreuses embûches. Les parents ne sont pas des alpinistes aguerris, mais des individus grièvement blessés et fourbus qui s'engagent dans ce travail avec un équipement tout à fait inadéquat. Malgré le soutien intensif des intervenants, ces parents réussissent rarement à atteindre leur objectif et, de ce fait, les enfants sont souvent adoptés par les familles du programme qui les ont accueillis.

En ce sens, le taux élevé d'adoption du programme peut être relié aux habiletés de dépistage des intervenants, qui réussissent très souvent à reconnaître avec justesse quels enfants peuvent être orientés vers ce type de ressource. Mais cela ne veut pas dire que les parents de ces enfants ne reçoivent pas toute l'aide dont ils ont besoin ou que les intervenants lâchent prise à partir du moment où l'enfant est orienté vers ce programme.

Au contraire, ces personnes, qui vivent de grandes difficultés, se voient offrir une aide intensive, et les intervenants sont continuellement à l'affût de nouvelles pratiques d'intervention pour les appuyer. En conséquence, les postulants qui s'engagent dans un projet de type Banque-mixte doivent accepter de collaborer au plan d'intervention mis en place par l'intervenant pour l'enfant et ses parents. Cela peut comprendre, entre autres, des visites entre l'enfant et ses parents dans une ressource qui fournit un local pour de tels contacts avec la

---

11. Lorsque le réseau familial ou social est en mesure de pallier les difficultés des parents, les enfants concernés ne sont pas orientés vers une ressource de type Banque-mixte mais plutôt confiés à une personne significative de leur entourage ou à une famille d'accueil régulière, le temps que le réseau de l'enfant se réorganise.

médiation ou la supervision[12] de ces contacts, des appels téléphoniques entre l'enfant et ses parents, des échanges de lettres, de photographies, de cadeaux..., la présence des parents d'origine aux visites médicales et toute autre activité jugée pertinente à la réalisation du plan d'intervention.

Tous les parents d'origine cependant n'acceptent pas l'aide proposée et beaucoup sont incapables d'en profiter à cause de leurs grandes difficultés. Dans l'état actuel des connaissances, il est encore impossible de tous les aider. En fait, il est réaliste de penser qu'il y aura toujours, malheureusement, des parents inatteignables. Ce programme a été mis sur pied afin d'offrir un ultime recours aux enfants de ces parents, et il est heureux que de plus en plus de couples ou d'individus acceptent de s'engager dans cette belle mais difficile aventure.

La première partie du livre regroupe cinq récits. Chacun raconte l'histoire de parents adoptifs qui ont accueilli un ou plusieurs enfants dans le cadre du programme Banque-mixte. C'est ce qui constitue le cœur, l'essentiel de ce livre.

Les deux premiers récits sont les plus élaborés et décrivent des projets Banque-mixte typiques. Ils partent du point de vue de l'intervenant social au dossier, mais intègrent aussi le point de vue d'autres personnes: parents d'origine, parents du programme Banque-mixte, famille d'accueil régulière, intervenants juridiques... Ils permettent ainsi de décrire la manière dont le Québec gère la protection de la jeunesse en lien avec l'adoption ainsi que le rôle des intervenants.

Les trois récits suivants visent à compléter l'éventail des types de projets d'adoption Banque-mixte; c'est pourquoi ils offrent des exemples de parcours moins typiques. Ainsi, le troisième récit concerne un projet qui échoue à cause des problèmes sévères de l'enfant. Le quatrième récit illustre les trois issues possibles pour un projet de ce genre. Si l'issue la plus courante est l'adoption, étant donné le dépistage soigné des enfants orientés vers le programme, le placement de l'enfant dans la famille Banque-mixte jusqu'à ses dix-huit ans et le retour de l'enfant dans sa famille d'origine sont aussi des éventualités à considérer. Enfin, le dernier récit est celui d'un couple qui accueille des enfants pour lesquels il y a des risques importants con-

___

12. Contacts entre l'enfant et ses parents d'origine durant la période de suivi: médiation versus supervision: fiche technique 4.11.

cernant leur développement futur tant sur le plan physique que sur le plan psychologique ou émotif. Ces trois récits exposent uniquement le point de vue des parents adoptifs.

La deuxième partie a été incluse pour faciliter la compréhension des différents aspects techniques des projets de type Banque-mixte. Elle comporte plusieurs séries de fiches: la première série explique le contexte et l'historique du programme Banque-mixte, les fondements théoriques venus enrichir ce programme et ses aspects légaux; la deuxième décrit les différents types d'adoption nationale au Québec, les compare entre eux et avec l'adoption internationale; les fiches de la troisième série décrivent en détail le fonctionnement et l'évolution du programme Banque-mixte; enfin, la quatrième série de fiches relève certains défis d'intervention propres à un projet de type Banque-mixte.

Le livre se termine par trois annexes. La première traite de la responsabilité, souvent perçue comme délicate par les parents adoptifs, de parler d'adoption avec leur enfant. Cette annexe comprend un court texte et des suggestions de livres et de jeux sur plusieurs sujets reliés à l'adoption.

La deuxième annexe décrit quelques problèmes pouvant parfois toucher un enfant confié en adoption: le déficit intellectuel, la transmission mère-enfant des hépatites B et C et du VIH, les maladies mentales avec connotation héréditaire, les substances tératogènes absorbées par la mère et leurs effets sur le fœtus, le syndrome du bébé secoué. Elle vise à donner des renseignements de base aux futurs parents adoptifs.

Enfin, la troisième annexe détaille les renseignements recueillis durant le processus d'évaluation des postulants à l'adoption.

Les adoptions racontées dans ce livre sont toutes réelles. Il ne s'agit pas de récits rassemblant différents éléments de plusieurs histoires en une seule. Le matériel a été recueilli lors d'entrevues avec les personnes concernées. Les dossiers ont été consultés avec l'autorisation du CJM–IU.

Tout a été mis en œuvre pour protéger l'intimité et la confidentialité des individus et des familles. Tous les noms sont des pseudonymes. Plusieurs éléments ont aussi été omis ou changés: âges, professions, lieux de résidence et autres détails trop précis ou trop particuliers. Le nom des intervenants a été modifié, car certains confient des détails personnels de leur vie, et parce qu'en identifiant les intervenants, il aurait été facile de retracer les enfants ou les familles. Il pourrait arriver qu'un lecteur pense reconnaître un individu: il doit se rappeler qu'en maquillant une personne pour assurer son anonymat, celle-ci peut alors ressembler à une autre, et ce, tout à fait fortuitement.

Bien que ces adoptions aient été réalisées avec l'aide des intervenants du CJM–IU, les parents adoptifs n'habitent cependant pas nécessairement Montréal. En effet, pour le programme Banque-mixte et à cause de difficultés de recrutement, il arrive que des postulants à l'adoption de l'extérieur de Montréal soient retenus avec l'accord des autres centres jeunesse concernés[13].

Ce livre a initialement été conçu pour décrire les parents qui s'engagent dans un projet de type Banque-mixte, les enfants qu'ils accueillent et les modalités du programme. En cours de préparation cependant est venue l'idée de profiter de l'occasion pour présenter les intervenants qui participent à ces projets et leur travail.

Si les enfants, leurs parents d'origine et les postulants au programme sont les premières personnes concernées, celles dont l'avenir est directement déterminé par une éventuelle adoption, les intervenants jouent un rôle essentiel. Contrairement aux intervenants du réseau de la santé, le rôle des intervenants du réseau de la protection de la jeunesse[14] est moins connu et moins compris. Lorsque l'on parle d'eux dans les médias, c'est généralement pour remettre en question leurs décisions. Ils peuvent difficilement se défendre: il leur est impossible de briser la confidentialité, de révéler les éléments de l'histoire et de la situation de leurs clients souvent indispensables pour la compréhension de ces décisions. C'est pourquoi les deux premiers récits saisissent l'occasion d'illustrer leur travail.

---

13. Au Québec, il existe 17 centres jeunesse et 2 centres à vocations multiples ayant pour mission de fournir des services psychosociaux ou de réadaptation aux jeunes en difficulté, aux mères en difficulté et à leur famille dans le cadre de la *Loi sur la protection de la jeunesse* (LPJ) et de la *Loi sur le système de justice pénale pour adolescents* (LSJPA). [http://www.acjq.qc.ca]. (Date de consultation: 2007-08-07.)

14. Liste non exhaustive des intervenants du réseau de la protection de la jeunesse: travailleurs sociaux et techniciens en travail social, éducateurs et psychoéducateurs, directeurs de la protection de la jeunesse et réviseurs, chefs de service et adjoints cliniques, juges et avocats, médecins et infirmières, parents d'accueil, psychologues, conseillers, chercheurs…

Le premier objectif de ce livre cependant est de montrer que l'adoption d'enfants québécois s'avère non seulement possible mais aussi essentielle pour certains enfants qui viennent au monde dans des familles connaissant de grandes difficultés.

Le programme Banque-mixte est le fruit de la créativité d'intervenants engagés et sensibles. Les postulants qui choisissent cette voie consentent à mettre en veilleuse leur désir d'être légalement parents à part entière dès l'arrivée de l'enfant. Ils acceptent de prendre le risque que l'adoption ne se réalise pas, que l'enfant reste chez eux en famille d'accueil jusqu'à l'âge de dix-huit ans[15] ou qu'il retourne dans sa famille d'origine[16]. Enfin, ils collaborent avec les intervenants dans le meilleur intérêt de l'enfant.

Les enfants référés au programme Banque-mixte sont en grande partie de très jeunes enfants[17]. Comme tous les enfants, ils ne sont pas à l'abri de maladies et de déficits physiques, intellectuels ou émotifs. À l'instar des enfants adoptés à l'international, ils peuvent avoir été exposés à des conditions (malnutrition de la mère, stress excessif, violence conjugale...) ou substances tératogènes durant la gestation, à de la négligence, à des sévices, à des abandons... Leur représentation d'eux-mêmes, des adultes et de la vie peut avoir été déformée temporairement ou, parfois même, de façon permanente.

Si ces enfants, tôt dans leur vie, sont intégrés dans une famille stable, chaleureuse et pouvant répondre à leurs besoins, ils ont plus de chances de redevenir capables de se développer de manière harmonieuse, d'entrer en relation, d'aimer et d'être aimés. Le jumelage avec une famille Banque-mixte est généralement un point tournant dans leur vie. Ce programme a permis jusqu'à maintenant d'intervenir auprès d'eux plus rapidement, de réduire les dommages et séquelles auxquels ils sont exposés et de les projeter vers l'avenir avant même que l'adoption légale soit possible.

---

15. Depuis 1988, début du programme, sur 680 enfants placés en Banque-mixte au CJM–IU, 8 sont les sujets d'une ordonnance de placement jusqu'à dix-huit ans.
16. Depuis 1988, sur 680 enfants placés en Banque-mixte au CJM–IU, 22 sont retournés dans leur famille d'origine.
17. Depuis 1988, le placement des enfants de moins de un an a toujours représenté 50 % des enfants placés. De ce nombre, au moins la moitié des enfants ont moins de 6 mois (voir le tableau 3 à la page 221). Le nombre des enfants placés à la naissance ou dans les six premiers mois tend toutefois à augmenter depuis les dernières années, principalement à cause du dépistage précoce des enfants à haut risque.

Au moment de l'entrée en vigueur des modifications apportées à la *Loi sur la protection de la jeunesse,* le 9 juillet 2007, ce livre permet de mesurer le chemin parcouru depuis la création du programme Banque-mixte en 1988 et d'évoquer la suite de cette aventure.

PREMIÈRE PARTIE

RÉCITS

Les cinq récits qui suivent constituent le cœur de cet ouvrage. Chacun forme un tout et peut se lire individuellement. Les acteurs de ces récits, parents d'origine, parents Banque-mixte, enfants, intervenants..., sont des personnes qui existent vraiment et qui vivent encore cette aventure.

Les deux premiers récits sont plus élaborés que les trois derniers. S'ils sont principalement racontés par les intervenants qui ont réalisé les projets, ils montrent aussi les points de vue des autres personnes concernées: parents d'origine, parents d'accueil, parents Banque-mixte, autres intervenants sociaux ou juridiques. Ils permettent ainsi de donner une idée la plus complète possible des enjeux, défis et émotions d'un projet de type Banque-mixte et de décrire ce qu'il représente pour toutes les personnes qui y participent.

Le premier récit illustre le déroulement d'un projet Banque-mixte typique à partir du signalement de François, l'enfant concerné, jusqu'à l'adoption proprement dite, en passant par le suivi de la famille d'origine et le jumelage avec une famille du programme Banque-mixte. C'est l'intervenante de prise en charge[18] responsable de François et de sa famille qui en révèle les différentes étapes et les difficultés. Le rôle essentiel joué par cet intervenant dans les projets Banque-mixte est ainsi expliqué.

Un aspect particulier de cette histoire est que le père d'origine de l'enfant, lui-même adopté, a été victime de négligence sévère et de déplacements multiples avant d'être intégré tardivement dans sa

---

18. On appelle *intervenant de prise en charge* l'intervenant de la DPJ chargé d'assurer le suivi de l'enfant et de sa famille d'origine.

famille adoptive. Ainsi, tout en décrivant un cas relativement simple de projet Banque-mixte, ce récit illustre aussi la transmission intergénérationnelle de la négligence et du déficit d'attachement, ainsi que les conséquences des lacunes dans l'intervention dont le père a fait l'objet.

Le deuxième récit vise à montrer le rôle des nombreux intervenants pouvant participer à la réalisation d'un projet Banque-mixte. Il est principalement raconté par l'intervenante du Service adoption responsable de la famille Banque-mixte. Cependant, l'éducatrice, la psychologue, l'intervenant de prise en charge, l'avocat et la mère d'accueil qui a accueilli les enfants sur une base temporaire décrivent aussi leur intervention.

Cette adoption est celle d'une jeune fratrie composée de deux sœurs, Rosie et Clara. Les parents d'origine de ces enfants ont des limites émotionnelles qui perturbent de manière importante leurs capacités parentales et limitent leur pronostic de récupération, mais ne présentent pas d'assuétudes et n'ont pas un mode de vie instable. Ce récit permet donc à la fois d'illustrer l'apport essentiel des divers intervenants, les enjeux que comporte le jumelage de fratries et le défi de la problématique particulière des parents d'origine.

Les trois derniers récits sont moins élaborés que les précédents et sont racontés uniquement du point de vue des parents du programme Banque-mixte. Ils visent à donner un éventail de situations possibles, mais plus rares, dans le cadre de ce type de projet.

Le premier de ces récits est celui de parents qui ont accueilli un enfant dit « plus âgé ». Bruno a connu de grandes difficultés avant d'arriver chez eux à l'âge de trois ans. Il est né d'une mère alcoolique qui a consommé durant sa grossesse et est victime d'un syndrome d'alcoolisation fœtale. Après sa naissance, il a vécu de multiples déplacements, des abus physiques et sexuels, et des carences affectives sévères. Les problèmes de Bruno sont si importants que ses parents Banque-mixte n'ont pu continuer à assumer sa garde et qu'il a dû être placé en centre de réadaptation. Ce récit illustre l'échec d'un projet Banque-mixte avec toutes ses conséquences pour l'enfant et pour les parents du programme.

Le quatrième récit est celui d'une famille qui a accueilli quatre enfants: trois dans le cadre du programme Banque-mixte et un dans le cadre de l'adoption québécoise régulière[19]. Si l'adoption de Kevin s'est réalisée facilement, celle de Frédéric et celle de Mariesol, par contre, sont en suspens depuis plusieurs années. Tous deux bénéficient d'une ordonnance de placement en famille d'accueil jusqu'à l'âge de dix-huit ans. Après un séjour d'un an et demi dans la famille Banque-mixte, Mariesol est retournée dans sa famille d'origine. Cette réinsertion a cependant été un échec et elle est revenue dans cette même famille Banque-mixte où elle vit encore actuellement. Ce récit illustre donc les trois issues possibles d'un projet de type Banque-mixte: une adoption, un placement en famille d'accueil jusqu'à l'âge de dix-huit ans et un retour dans la famille d'origine.

Le dernier récit est celui de parents qui ont choisi de prendre un risque supplémentaire dans le cadre de leurs projets Banque-mixte: celui d'accueillir des enfants pour lesquels il est plus difficile de trouver une famille à cause de leurs antécédents. Ainsi Steven, l'aîné de leurs trois enfants, est victime du syndrome du bébé secoué. Il risque de conserver des séquelles des traumatismes dont il a été victime. Anthony, pour sa part, est né de parents tous deux porteurs d'un déficit intellectuel et Marion est née prématurément. Ce récit permet donc de voir les défis et difficultés, mais aussi les grandes joies et satisfactions des parents qui accueillent ce type d'enfants.

---

19. Adoption québécoise régulière: fiche technique 2.2.

FRANÇOIS

PERSONNES MENTIONNÉES DANS CE RÉCIT

Enfant et membres de sa famille d'origine
- **François,** l'enfant concerné par ce récit
- **Hélène,** sa mère
- **Michel,** son père
- **Pierrette,** mère adoptive de Michel et grand-mère de François
- **Frank,** père adoptif de Michel et grand-père de François
- **Denis,** frère adoptif de Michel

Membres de la famille adoptive
- **Isabelle,** mère
- **Vincent,** père
- **Nadia,** fille d'Isabelle et de Vincent

Intervenants du CJM–IU
- **Sylvie,** intervenante de prise en charge (DPJ), responsable du dossier de François, d'Hélène et de Michel
- **Marcel,** intervenant du Service adoption (DPJ), responsable du dossier d'Isabelle et de Vincent (son témoignage est utilisé dans le bilan du récit)

François

Ce récit[20] est celui du projet Banque-mixte de François à partir du point de vue de Sylvie, l'intervenante de l'enfant et de ses parents d'origine. Il s'agit d'un projet caractéristique du programme Banque-mixte. Il s'est réalisé graduellement, avec la collaboration de la majorité des protagonistes. François est cependant entré dans la famille Banque-mixte assez tardivement, à l'âge de vingt-deux mois. Le jugement d'adoption a été prononcé deux ans plus tard.

La première partie décrit François, ses parents d'origine et l'intervention de Sylvie. En général, dans les dossiers de ce type, les mères sont présentes plus souvent et sur une plus longue période que les pères. Mais dans ce récit, la mère s'est retirée rapidement et c'est l'intervention auprès du père, Michel, qui sera décrite.

Michel a lui-même été adopté à l'âge de neuf ans. Son parcours, semé de rejets successifs et de négligence avant son arrivée dans sa famille adoptive, illustre bien les séquelles que peut porter un individu qui n'a pas eu la chance de créer un lien stable et chaleureux avec des parents responsables durant sa petite enfance. Bien qu'il ait reçu beaucoup d'amour de ses parents adoptifs, il n'a pas réussi à surmonter les difficultés de son passé.

Dans la seconde partie, Pierrette et Frank, les parents de Michel, racontent leur expérience d'adoption, puis Michel lui-même explique ce qu'il a vécu, et vit encore, en tant que parent de François. Il n'a pas été possible de retrouver Hélène, la mère de François. Seule une lettre écrite par elle à l'enfant et déposée au dossier permet de connaître, superficiellement, ce qu'elle a vécu. Enfin, les parents Banque-mixte de François, Isabelle et Vincent, décrivent leur rôle.

---

20. Une version abrégée de ce récit a été publiée dans *PRISME,* la revue scientifique du CHU Sainte-Justine, numéro 46, 2007.

POINT DE VUE DE SYLVIE, INTERVENANTE SOCIALE

En juin 2000, au moment où elle prend en charge le dossier de François et de ses parents, Sylvie est âgée de 21 ans. Elle possède un diplôme collégial de technicienne en assistance sociale (TAS). Plus tard, elle fera les études pour obtenir un diplôme universitaire en travail social. Ce dossier est son premier dans le cadre du programme Banque-mixte; il fait sur elle une profonde impression et exerce encore une influence déterminante sur sa pratique professionnelle.

Contexte légal de la situation de François et de ses parents d'origine

Au moment de la prise en charge du dossier par Sylvie, le contexte légal est le suivant: un signalement à la DPJ[21] a été fait six mois[22] auparavant par des policiers qui interviennent au domicile pour un incident de violence conjugale. La mère de l'enfant est alors en état d'ébriété et le père est présent malgré un interdit de contacts[23] avec la mère. Compte tenu de cet interdit et de la condition de la mère, le père et l'enfant, François, sont conduits chez les grands-parents paternels.

L'évaluation du signalement débute aussitôt, et le père signe une convention intérimaire permettant l'hébergement de l'enfant en famille d'accueil. Dès le lendemain, un juge ordonne un hébergement obligatoire provisoire en famille d'accueil, car on estime qu'il y a risque de tort sérieux si l'enfant devait être maintenu auprès de ses parents. Cet hébergement étant ordonné par le juge, le père ne peut y mettre fin de son propre chef, ce qui aurait été le cas si on s'était contenté de la convention intérimaire signée antérieurement.

---

21. Faire un « signalement », c'est communiquer avec le Directeur de la protection de la jeunesse pour l'informer que l'on a des raisons de croire que la sécurité ou le développement d'un enfant est compromis. [http://www.cdpdj.qc.ca/fr/protection-droits-jeunesse/]. (Date de consultation: 2007-08-07.)

22. Les six mois entre le signalement et la prise en charge ont été consacrés à l'évaluation de la situation de l'enfant par des intervenants spécialisés dans cette tâche et à l'orientation du dossier. À cette époque (fin des années 1990), la période d'évaluation et d'orientation pouvait se prolonger sur plusieurs mois.

23. Mesure judiciaire visant à empêcher les contacts entre deux personnes lorsque l'une fait l'objet d'une accusation criminelle ou d'une condamnation.

À l'enquête au fond[24], la sécurité et le développement de l'enfant sont déclarés compromis en raison des comportements et du mode de vie inadéquats des parents[25, 26]. L'hébergement obligatoire de l'enfant en famille d'accueil est donc confirmé pour quatre mois et ensuite pour une période additionnelle de huit mois. À ce moment-là, les parents montrent encore un potentiel de reprise en main, et on pense à une réintégration progressive de l'enfant chez ses parents. On encourage des contacts fréquents entre eux.

François

Au début de sa prise en charge par Sylvie, François est âgé de neuf mois. Il est né à trente-sept semaines de gestation. Sa mère a consommé du tabac, de l'alcool, des médicaments et de la cocaïne durant sa grossesse. Le suivi médical a commencé quinze semaines après la conception. L'accouchement est normal et l'APGAR[27] de François excellent. Il n'y a pas de présence de cocaïne dans l'urine du bébé à la

---

24. Une mesure d'hébergement obligatoire provisoire doit toujours être suivie d'une enquête au fond, audition au cours de laquelle le tribunal entend toute la preuve et rend son jugement ou prend le dossier en délibéré. Le délai entre ces deux étapes est de trente jours, renouvelable une seule fois, à nouveau pour trente jours.

25. Article 38.1.c de la *Loi sur la protection de la jeunesse* (avant les modifications de 2007).

26. Par mode de vie inapproprié, on entend entre autres des assuétudes sévères et sur une longue durée, de l'instabilité résidentielle importante, des problèmes de comportement qui peuvent amener les parents à commettre des abus physiques ou sexuels sur leurs enfants.

27. Le test APGAR a été mis au point en 1952 par Virginia Apgar, une anesthésiste états-unienne qui exerce dans un service d'obstétrique. Il permet d'évaluer l'état d'un nouveau-né au moment de la naissance, cinq minutes et dix minutes après la naissance. Il mesure la fréquence cardiaque, les mouvements respiratoires, le tonus musculaire, la réactivité à la stimulation plantaire et la coloration des téguments (peau et ongles). Chacun de ces cinq points est coté ainsi: le chiffre zéro indique un déficit complet, le chiffre un est attribué pour un déficit partiel et le chiffre deux dénote l'absence complète de déficit. Le total possible de points est dix. On obtient trois résultats, selon les trois moments d'observation (certains hôpitaux ne cotent que deux moments). Par exemple, la cote 7-9-10 indique que l'enfant connaît de petites difficultés au moment de la naissance. Son état s'améliore déjà cinq minutes après la naissance et toutes les fonctions notées sont excellentes dix minutes après la naissance. Les difficultés légères sont souvent dues au processus de naissance lui-même. Ce test rapide permet aux médecins de déterminer la condition du nouveau-né et le niveau d'intervention, s'il y a lieu. Voir: [http://www.medecine-et-sante.com/sexualitereproduction/apgar.html]. (Date de consultation: 2007-08-07.)

naissance. Son poids, sa taille et son périmètre crânien[28] sont dans la basse moyenne à cause d'un retard de croissance intra-utérine[29].

Les parents de François sont tous deux des Québécois francophones de race blanche. François a vécu les trois premiers mois de sa vie avec eux puis a été placé dans une première famille d'accueil après l'intervention des policiers. Un mois plus tard, il est déplacé vers une deuxième famille, car la première mère d'accueil, se sentant incapable de composer avec ses problèmes de santé, demande son départ. À son arrivée dans la deuxième famille, il est irritable et pleure beaucoup. Il a une légère fièvre, tousse et refuse de boire. Par contre, dès le lendemain, la mère d'accueil remarque qu'il a dormi toute la nuit et qu'il boit bien. Il a encore une légère toux. Un diagnostic d'asthme est posé et il reçoit une médication.

Situation des parents d'origine

En lisant le dossier pour prendre connaissance de la situation, Sylvie constate de nombreuses tensions dans le couple et même de la violence. Elle note aussi que les deux parents, Hélène et Michel, ont de graves problèmes de polytoxicomanie depuis déjà plusieurs années. Enfin, elle retient que la mère a eu un premier enfant pour lequel elle a consenti à l'adoption quelques mois après sa naissance. Cet enfant a été adopté.

Prise de contact

Sylvie rencontre Hélène en premier. Elle est frappée par son visage, extrêmement ravagé. C'est une jeune femme de trente ans qui en paraît quarante. Elle est à ce moment-là en cure de désintoxication pour consommation abusive de médicaments, d'alcool et de cocaïne.

---

28. Le périmètre crânien (PC) des nouveau-nés est mesuré: un PC trop petit ou trop grand pourrait être le symptôme d'un problème lié, entre autres, au développement du cerveau durant la gestation. Pour les bébés nord-américains nés à terme, un périmètre crânien à la naissance se situant entre 34 et 35 cm pour les garçons et entre 33 et 34 cm pour les filles est considéré normal.

29. Une légère prématurité et un retard de croissance intra-utérine sont souvent des conséquences de l'exposition à l'alcool, aux drogues ou à d'autres tératogènes durant la gestation. Tératogène: « Du grec *teras, teratos* signifiant "monstre". C'est un qualificatif s'adressant aux substances, éléments et conditions (situations de grand stress, violence conjugale...) qui, par leur action sur l'embryon, peuvent l'endommager. On pense aux substances telles l'alcool et les drogues, des virus ou des bactéries, pouvant endommager des structures du cerveau ou perturber son développement. » (Noël, 2003, p. 114.)

Les traits tirés, Hélène exprime son intention de reprendre son enfant d'ici deux ou trois mois. Elle n'a cependant pas de moyens concrets pour atteindre cet objectif: elle parle de ses meubles, qui sont en entreposage, et semble croire qu'il lui suffit de terminer sa cure pour redevenir capable de s'occuper de François. Elle ne semble pas consciente des difficultés qu'elle aura à surmonter pour éviter de recommencer à consommer. Elle est surtout centrée sur elle-même et peu préoccupée, ni même consciente, des besoins de son enfant et des perturbations qu'il a vécues depuis sa naissance.

En écoutant Hélène, Sylvie observe qu'elle parle de François comme d'une chose et non comme d'un individu ayant une existence réelle, des besoins et des désirs, des peurs et des espoirs qui lui sont propres. Hélène semble aussi se mettre au défi de récupérer François pour réparer la perte de son premier enfant, comme si les deux enfants étaient interchangeables.

Par la suite, Sylvie apprendra qu'Hélène a été adoptée à l'âge de un an. Issue d'une famille à revenu moyen, elle a eu des relations très peu affectueuses avec sa mère et a connu des abus. Elle a terminé sa cinquième secondaire en commerce et a travaillé comme préposée aux bénéficiaires. Elle a aussi été secrétaire et réceptionniste. Elle aime la natation, la musique, l'artisanat, le contact avec la nature et les animaux. Elle consomme de la cocaïne, des médicaments, de l'alcool et du tabac depuis plusieurs années. Elle a de grands besoins affectifs et un réseau de soutien très pauvre.

Lorsque Sylvie voit le père, Michel, pour la première fois, elle a devant elle un bel homme de trente-deux ans, fier de sa personne, intelligent et qui s'exprime bien. Il la déconcerte: vêtu différemment, il pourrait passer pour un homme stable et équilibré. Sylvie se rend compte avec le temps qu'il est habile à cacher sa consommation. Elle doit exercer une extrême rigueur dans son intervention pour en venir à cerner ses contradictions. Son instabilité, son mode de vie perturbé, ses conflits avec ses propriétaires successifs sont autant d'exemples qui permettront à Sylvie de comprendre graduellement l'important problème d'adaptation sociale de Michel.

Sylvie apprend que Michel est lui aussi adopté et qu'il est arrivé très tard dans sa famille adoptive, à l'âge de neuf ans, après être passé de famille d'accueil en famille d'accueil et avoir vécu des abus et des rejets autant de ses parents d'origine que de certains parents substituts. Elle perçoit chez lui des carences considérables et des difficultés à se stabiliser et à se prendre en main. Elle note que malgré cela Michel s'implique auprès de François dès sa naissance. Il était présent à l'accouchement et a coupé le cordon ombilical. Durant les trois premiers mois de vie de François, Michel s'en est beaucoup occupé en assumant, entre autres, une grande partie des soins quotidiens.

Hélène et Michel se connaissent depuis plusieurs années, mais vivent une relation de couple depuis trois ans. Il s'agit d'une relation tumultueuse durant laquelle il y a eu au moins deux séparations, mais aussi de bons moments. La grossesse est accidentelle. Comme l'avortement va à l'encontre de leurs valeurs, ils ont décidé de mener la grossesse à terme et d'assumer leurs responsabilités envers l'enfant.

Suivi[30]

Sylvie commence à suivre l'enfant et sa famille: elle organise les contacts entre ceux-ci, s'assure que les besoins de l'enfant sont satisfaits par les parents d'accueil et tente d'aider les parents d'origine à se reprendre en main. L'objectif est que ces derniers redeviennent capables d'assumer de fait le soin, l'entretien et l'éducation[31] de leur enfant afin qu'il retourne habiter avec eux.

À cette époque, François ne voit pas son père, qui est en cure fermée de désintoxication. Par contre, il a des contacts avec sa mère deux fois par semaine[32]. Un bénévole va chercher François dans sa famille d'accueil et l'amène au centre de thérapie où réside sa mère. Les contacts sont supervisés par un intervenant qui évalue, entre autres, la manière dont cette dernière entre en relation avec l'enfant.

Pour l'enfant, il est très astreignant d'être ainsi déplacé plusieurs fois par semaine par une personne qu'il ne connaît pas et pour aller visiter un parent qu'il connaît peu. La mère d'accueil ne peut assumer le transport: son conjoint travaille et elle a d'autres enfants à la maison.

---

30. Le mot *suivi* est le terme utilisé pour décrire les démarches d'un intervenant auprès d'une personne ou d'une famille durant la période où il est chargé du dossier.

31. « Assume de fait le soin, l'entretien et l'éducation », expression utilisée dans le *Code civil du Québec* (article 559) et dans la *Loi sur la protection de la jeunesse* (articles 2.2, 38. et autres).

32. À cet âge, si un retour de l'enfant dans sa famille d'origine est envisagé, il est essentiel qu'il y ait des contacts fréquents, plusieurs fois par semaine, entre les parents d'origine et l'enfant afin que ce dernier, avec les capacités limitées des enfants de cet âge, les identifie et les reconnaisse comme ses parents et pour éviter qu'ils deviennent pour lui des étrangers. Idéalement, des contacts quotidiens devraient être favorisés.

La fréquence des contacts entre François et sa mère ne peut cependant être maintenue, car Hélène quitte le centre de thérapie un mois plus tard. Elle rappelle l'intervenante sociale après quelques semaines pour l'informer qu'elle vit à nouveau avec le père et qu'ils habitent un appartement dans une petite ville située à soixante kilomètres de Montréal. Elle justifie la fin de sa cure par une absence de progrès, mais dit vouloir poursuivre un traitement sur une base externe. Elle n'a pas vu son fils depuis un mois; le père ne l'a pas vu depuis six semaines. La raison qu'ils donnent est la distance qui les sépare de l'endroit où habite François. Centrés sur le rétablissement de leur relation, ils ne semblent pas avoir pris cet élément en considération lorsqu'ils se sont installés. Ils acceptent d'être suivis par une intervenante de leur nouvelle région[33] et reprennent les contacts avec François une fois par semaine.

Encore une fois, il faut mettre fin à ce plan, car une nouvelle dispute éclate dans le couple et ils se séparent, cette fois-ci, définitivement. À partir de ce moment, la mère donne très peu de nouvelles. L'intervenante tente de la contacter, sans succès. Elle déménage fréquemment et dans l'année qui suit, l'intervenante ne la rencontre qu'une fois. À cette occasion, la mère se présente accompagnée d'une travailleuse de rue, arrive avec un retard d'une heure, refuse d'entrer dans les bureaux du centre et l'entrevue doit se faire dans le stationnement. Elle est en état d'ébriété. Il est impossible d'avoir une conversation avec elle, car elle saute d'un sujet à l'autre et est centrée sur ses besoins personnels. Par la suite, elle téléphone à quelques reprises à la mère d'accueil pour demander des nouvelles de l'enfant. Celle-ci lui conseille de parler à l'intervenante, mais Hélène ne donne pas suite à cette suggestion. À partir de ce moment-là, il ne sera plus possible de la joindre.

Michel s'avère beaucoup plus constant. Après la séparation d'avec sa conjointe et malgré ses déménagements successifs, cette fois-ci sur l'île de Montréal, il s'assure de rester en lien avec l'intervenante et demande des contacts réguliers avec son enfant, à raison d'une fois par semaine. Intelligent, il fait montre d'un bon jugement et de belles qualités. Lors de ses rencontres avec François, il est capable d'être sensible à ses besoins, de le stimuler pour favoriser son développement et de lui apporter du réconfort lorsque c'est nécessaire.

---

33. Lorsqu'un membre d'une famille suivie par un centre jeunesse quitte la région, une collaboration avec un intervenant du centre jeunesse de la région où s'installe cette personne peut être demandée.

Dans sa vie personnelle par contre, il a encore de nombreuses difficultés et fait souvent appel à des ressources d'hébergement temporaire. Un des endroits où il trouve refuge se spécialise dans l'intervention auprès d'hommes en difficulté qui désirent se reprendre en main en vue d'assumer leur rôle de père. Son objectif est de récupérer la garde de François et d'assumer son éducation. Les écueils personnels qu'il lui faut surmonter sont sa toxicomanie et sa dépendance affective. Il doit aussi apprendre à maîtriser son impulsivité et son agressivité, améliorer ses capacités parentales en participant à des ateliers père-enfant et rétablir sa situation financière afin de parvenir à une stabilité résidentielle.

François le visite à plusieurs reprises à cet endroit. Malheureusement, après trois mois de ce programme, Michel se désorganise et pose des gestes agressifs dans son milieu de vie. Les responsables de la ressource décident alors de mettre fin à son séjour. Au début, lorsque Sylvie lui demande les raisons de cette désorganisation, Michel dit avoir fait une rechute de consommation. Un peu plus tard, il avoue en fait n'avoir jamais cessé de consommer. Il entre le jour même dans un centre de désintoxication.

Pendant ce temps, Sylvie rencontre aussi régulièrement Pierrette et Frank, les grands-parents paternels de François. Elle les décrit comme des gens informés, de bons parents qui ont tenté d'aider Michel du mieux qu'ils ont pu à partir du moment où ils l'ont accueilli chez eux. Ils lui apportent encore un soutien régulier et constant, l'accompagnent dans ses nombreuses tentatives de désintoxication et ses thérapies, et demeurent un port d'attache où il peut se réfugier au besoin. Ils s'impliquent aussi étroitement auprès de leur petit-fils. Ils sont consciencieux, ont un bon jugement et sont conscients des besoins de François.

Confrontée pour la première fois à une situation où elle se verra peut-être obligée de séparer un père de son enfant, Sylvie sent le besoin d'un soutien professionnel. À l'époque, le protocole *Projet de vie*[34] n'existait pas. En conséquence, l'encadrement de ce type de dossiers se fait surtout par les consultations que l'intervenant demande à son entourage professionnel. Sylvie parle souvent avec un collègue plus âgé, qui lui fait part de son expérience, et elle discute avec son chef de service. Tous deux lui conseillent de solliciter l'avis du

---

34. *À chaque enfant son projet de vie permanent: un programme d'intervention – 0 à 5 ans*: fiche technique 1.6.

Comité aviseur clinique[35, 36]. Les membres de ce comité multidisciplinaire ont pour rôle de déterminer le pronostic de retour de l'enfant
dans sa famille d'origine et de faire les recommandations relatives à
l'établissement d'un plan de vie pour l'enfant.

Plusieurs aspects sont considérés. Du côté du ou des parents,
selon le cas, sont pris en compte: leur désir et leur motivation; leur
capacité à reprendre leur vie en main et la durée[37] nécessaire pour ce
faire; la qualité de leurs capacités parentales et, si ces capacités sont
déficientes ou inexistantes, leurs aptitudes à améliorer ou à développer leurs capacités à assumer le soin, l'entretien et l'éducation de
leur enfant ainsi que le temps nécessaire pour améliorer ou développer ces capacités.

Du côté de l'enfant, son âge, son développement, la qualité des
liens qu'il a avec ses parents d'origine et la qualité des liens qu'il
peut avoir développés avec d'autres personnes significatives pour lui,
tels des parents d'accueil, sont certains des éléments appréciés. Si le
pronostic de retour s'avère incertain ou sombre, le Comité aviseur
propose un type de ressource correspondant aux besoins de l'enfant.
Il peut s'agir, entre autres, de postulants au programme Banque-
mixte, c'est-à-dire des parents qui désirent adopter un enfant, mais
qui acceptent de jouer le rôle de famille d'accueil[38].

En ce qui concerne François, les membres du comité sont d'avis
que même si son père possède de bonnes capacités parentales, ses
problèmes de consommation et son mode de vie instable risquent de
l'empêcher de réaliser son objectif de reprendre l'enfant. On prend
aussi en considération le fait que François est âgé de 16 mois et que,
depuis sa naissance, il a été déplacé trois fois. Son développement
physique et affectif est déjà perturbé, et il est urgent qu'il soit placé
dans une famille désireuse et capable de s'engager à long terme. En
conséquence, le comité recommande que François soit placé dans une

---

35. L'expression « comité aviseur » est un calque de l'expression *advisory committee*,
    qui devrait être traduite par « comité consultatif ». Dans cet ouvrage, l'expression
    « comité aviseur clinique » sera cependant utilisée, puisque c'est le nom qui a été
    attribué à ce comité du CJM–IU.
36. Fonctionnement du programme Banque-mixte et étapes de réalisation: fiche tech-
    nique 3.5.
37. Temps des adultes versus temps de l'enfant: fiche technique 4.4.
38. Il peut aussi être décidé de maintenir l'enfant dans la famille d'accueil régulière où
    il est déjà s'il a développé des liens significatifs avec ses parents d'accueil et si
    ceux-ci désirent lui offrir un projet de vie permanent: ce projet de vie peut être le
    maintien de l'enfant dans cette famille jusqu'à sa majorité (dix-huit ans) ou l'adop-
    tion.

famille de type Banque-mixte: si Michel ne réussissait pas sa reprise en main et que l'enfant devait être adopté, il serait déjà dans une famille adoptive et n'aurait pas à être encore déplacé avec les conséquences que cela implique.

À la suite de cette réunion, Sylvie se présente à nouveau devant un juge de la Chambre de la jeunesse. L'information qu'elle a rassemblée est claire, et la démarche judiciaire s'en trouve facilitée. Le juge prend la recommandation du comité en considération: il renouvelle l'hébergement en famille d'accueil en recommandant cette fois-ci que la ressource désignée soit en mesure de prendre charge de l'enfant à long terme.

Le jumelage de François avec la famille Banque-mixte se fait de façon graduelle avec l'aide de la mère d'accueil chez qui il habite depuis un an et demi. Cette dernière collabore de façon active au jumelage. Elle prépare François en lui parlant de ses futurs parents d'accueil, Vincent et Isabelle, et de leur fille, Nadia. Elle lui montre les photographies qu'ils ont apportées et lui explique qu'ils deviendront ses nouveaux parents d'accueil. Ceux-ci le visitent régulièrement, font des sorties avec lui et l'amènent voir leur maison. Après plusieurs contacts de cette nature, François emménage chez eux définitivement.

À ce moment-là, Michel s'oppose totalement à l'adoption. Il n'imagine pas vivre séparé de son fils. De leur côté, les grands-parents de François sont tristes de l'éventualité d'une adoption, car ils savent que cela mettra fin à leur relation avec leur petit-fils. Par contre, ils sont aussi très préoccupés de son avenir et désirent que sa situation soit stabilisée le plus tôt possible. Afin d'aider Michel et ses parents à cheminer, il est décidé de leur faire visiter la famille ciblée.

Depuis 1999 environ, dans la très grande majorité des situations, il n'y a plus de visites des parents ou des autres membres[39] de la famille d'origine chez la famille Banque-mixte. En effet, il a été jugé préférable de protéger au maximum l'intimité des familles Banque-mixte[40]. Dans ce cas-ci par contre, Isabelle et Vincent se sentaient capables d'ouvrir leur porte au père et aux grands-parents. En ce sens, ils ont joué un grand rôle dans l'évolution de Michel et de ses parents.

---

39. Lorsque ces visites existaient, il s'agissait surtout des parents d'origine de l'enfant, très rarement des grands-parents.

40. Aujourd'hui, les visites des parents d'origine se font dans un milieu neutre et non au domicile des familles Banque-mixte. Plusieurs raisons motivent cette nouvelle manière de faire. Évolution du programme Banque-mixte: fiche technique 3.7.

Cette rencontre s'avère salutaire, car elle permet à Michel de voir le nouveau milieu de vie de son fils et d'apprécier sa qualité. Sylvie peut ainsi lui demander de suspendre quelque temps ses contacts avec François lorsque cela devient nécessaire pour aider l'enfant à s'adapter à son nouveau milieu de vie[41]. En effet, François a vingt mois au moment de son arrivée chez Isabelle et Vincent. Il doit faire le deuil de la mère d'accueil chez qui il a habité durant dix-huit mois. Il doit aussi apprivoiser ses nouveaux parents d'accueil et Nadia, leur fille de quatre ans. Il s'agit d'une énorme adaptation. Michel le comprend: sensible aux besoins de son enfant, il accepte que les contacts soient suspendus durant quelques semaines. Les grands-parents sont eux aussi rassurés et acceptent également une suspension des contacts entre eux et François durant cette période.

Après quelques mois difficiles et grâce à l'attention constante et chaleureuse d'Isabelle et de Vincent, on observe un attachement réciproque entre François et ses nouveaux parents. Ceux-ci se sentent de plus en plus sûrs d'eux-mêmes dans leurs interventions. Lorsque les visites avec Michel sont reprises et bien que François en soit encore affecté, ils comprennent qu'elles sont nécessaires pour aider Michel à cheminer. Ils soutiennent François au retour de ces visites et l'aident à se remettre des émotions, quelques fois perturbatrices, qu'il éprouve à ces occasions. Ils démontrent un grand respect des origines de François et entretiennent aussi des liens avec ses grands-parents d'origine qui restent très significatifs et positifs pour lui.

Durant cette période, Michel réussit à rester sobre. Il commence à réaliser combien son mode de vie jusqu'ici a été corrosif pour lui-même et pour son entourage. Il souhaite mener une vie plus enrichissante. Sa motivation se maintient, il trouve un travail régulier et cesse d'être bénéficiaire de la sécurité du revenu. Progressivement, il arrête de parler d'un retour de François avec lui. Il devient de plus en plus préoccupé du bien-être de l'enfant et cherche à agir dans son intérêt. Il réalise que François a besoin d'un milieu de vie stable et que, malgré les progrès qu'il fait depuis quelques mois, il est peu probable qu'il réussisse à offrir à son fils cette stabilité à long terme.

Michel est très conscient de ce qu'il a lui-même vécu avant son arrivée chez ses parents adoptifs et il veut éviter à son enfant un parcours similaire. Selon lui, l'intérêt de François est de demeurer avec ceux qu'il appelle déjà « les parents adoptifs de François ». Il annonce

---

41. Ceci n'est pas toujours nécessaire. Dans cette situation précise, la suspension des contacts a été jugée préférable étant donné la condition de l'enfant. Voir plus loin le témoignage d'Isabelle et Vincent.

à l'intervenante qu'il accepte de signer un consentement à l'adoption[42], ce qui est fait à l'automne 2001.

Au moment de cette signature, Michel précise prendre cette décision pour le bien de François. Il explique qu'il a peu d'espoir d'être capable de reprendre un jour l'enfant, qu'il a « trop de barrages », trop de problèmes personnels. Il désire aussi faciliter l'adoption, car il estime que François est dans une bonne famille. Il mentionne l'importance d'être adopté jeune et de ne pas attendre.

Michel signe aussi le consentement pour lui-même, car, selon ses propres dires, la situation actuelle le rend « malade et malheureux ». Il veut passer à autre chose. Par contre, Michel souhaiterait conserver des contacts avec François. Il comprend cependant que ce souhait ne peut être une condition[43] au consentement et que la décision d'autoriser des contacts entre lui et François reviendra, après l'adoption, aux nouveaux parents.

Comme le consentement à l'adoption des deux parents est nécessaire et qu'Hélène, la mère de François, n'est pas présente et disponible pour signer un consentement, il faut obtenir une déclaration d'admissibilité à l'adoption[44] en s'adressant à un juge de la Cour du Québec, division de la Chambre de la jeunesse. Sylvie prépare son rapport, le présente au juge et le jugement est prononcé en mai 2002. Les démarches sont longues, car il faut aviser la mère par la voie des journaux[45] puisqu'elle ne donne plus signe de vie et qu'aucune adresse connue n'est disponible pour lui signifier personnellement la procédure. Par la suite, Sylvie transfère le dossier de l'enfant au

---

42. Dispositions du *Code civil du Québec* en matière d'adoption: fiche technique 1.4.
43. Selon les dispositions du Code civil du Québec en matière d'adoption, un consentement général à l'adoption doit être librement consenti: cela signifie, entre autres, qu'il n'est pas possible de mettre des conditions à la signature du consentement comme, dans ce cas-ci, celle de maintenir des contacts entre le père et l'enfant après l'adoption.
44. Dispositions du *Code civil du Québec* en matière d'adoption: fiche technique 1.4.
45. Selon les dispositions du Code civil du Québec en matière d'adoption, les parents d'origine de l'enfant concerné doivent être informés des procédures d'admissibilité à l'adoption. Un huissier est donc envoyé à leur domicile et une preuve de signification est demandée. Lorsqu'il est impossible de joindre les parents, un avis doit être publié dans un quotidien du lieu de résidence des parents d'origine. Si trente jours après la date de parution la personne concernée n'a pas comparu, il est alors possible de procéder par défaut, c'est-à-dire en son absence, à l'audition de la requête en déclaration d'admissibilité à l'adoption à la Chambre de la jeunesse.

Service adoption où les démarches d'adoption[46] seront complétées. L'intervention de Sylvie est maintenant terminée.

Défis d'intervention

Lorsque le dossier de François et de ses parents lui est confié, Sylvie constate les grandes difficultés que les parents devront surmonter pour se reprendre en main, surtout dans un temps convenant au rythme de développement[47] de l'enfant. Sa priorité devient alors de lui assurer le plus tôt possible la stabilité dans une famille d'accueil pouvant répondre à ses besoins tout en travaillant très étroitement avec Michel, puisqu'il n'est plus possible de joindre Hélène. Elle dit même qu'elle le talonne, car elle met continuellement l'accent sur l'intérêt de François et elle place en second seulement l'intérêt du père. Par contre, cette conviction ne l'empêche pas de ressentir de la compassion pour Michel, qui a vécu tant d'événements difficiles dans sa vie. Elle se remet régulièrement en question et trouve souvent sa tâche difficile.

De même, lorsqu'elle annonce à Pierrette et à Frank qu'ils ne seront plus les grands-parents de François, elle se sent odieuse d'avoir à porter cette décision. Par contre, lorsqu'elle voit l'enfant dans sa nouvelle famille, lorsqu'elle constate ses progrès, surtout au plan affectif, cela la rassure et l'encourage à donner suite au projet. Elle réalise rapidement qu'elle fait, par son intervention, une différence significative dans la vie d'un enfant.

L'entrevue durant laquelle le consentement est signé touche beaucoup Sylvie. Les raisons pour lesquelles le père en vient à accepter l'adoption et son désir d'offrir à son fils une famille « pour la vie » l'émeuvent profondément.

Un élément qui aide Sylvie est sa démarche de réflexion dans le cadre de son cours de déontologie sociale à l'université. Voici certains extraits de son travail[48] de fin de session:

---

46. Fonctionnement du programme Banque-mixte et étapes de réalisation: fiche technique 3.5.
47. Temps des adultes versus temps de l'enfant: fiche technique 4.4.
48. Afin de respecter la confidentialité de l'intervenante, la référence de ce travail n'est pas donnée dans ce livre. C'est avec sa permission que des extraits de son texte sont reproduits ici.

« L'outil principal [...] du travailleur social est sa personne. Il intervient avec son propre cadre de référence en se basant sur ses connaissances professionnelles, ses valeurs, ses expériences personnelles, etc.

« [...] En tant que travailleur social, [...] celui-ci doit se conformer à son code de déontologie et au code d'éthique de l'établissement pour lequel il travaille. Dans ce sens, selon le code de déontologie, le travailleur social doit poser des actions cohérentes avec les demandes de son client (article 3.01.04) et il doit éviter de poser des gestes qui iraient à l'encontre des besoins de ce dernier (article 3.02.11). Mais en ayant ces principes en tête, il est crucial de se demander qui est le client aux yeux de son employeur. Selon le guide de conduite éthique de l'établissement, l'usager est l'enfant. Dans ce sens, nous pouvons lire que "le développement personnel du jeune usager constitue l'ultime critère pour juger des choix à faire et des gestes à poser dans notre établissement: il devient par le fait même la première inspiration du guide de conduite éthique" (CJM–IU, 1996, p. 5).

« [...] Dans mon cas, j'étais très mal à l'aise d'opter pour une orientation projet de vie dans la situation d'un enfant en considérant que la volonté du parent était plus ou moins entendue. Toutefois, je fus rapidement rassurée au niveau de mes interventions en réalisant que même si le parent s'oppose à une solution alors que l'intervenant croit que [cette solution] répond à l'intérêt premier de l'enfant, sa priorité est donnée aux droits de l'enfant. Il n'en demeure pas moins que je suis extrêmement empathique au vécu du parent. Je suis touchée par son sort, car même si je crois que c'est la meilleure solution pour l'enfant, je sais que cette décision ne stimulera pas [le parent] à s'en sortir. Je m'appuie sur le fait que c'est mon mandat et que c'est important que certains établissements œuvrent pour faire valoir les droits fondamentaux des enfants. Sinon, on risquerait de retrouver davantage d'abus. Par contre, si je me retrouvais intervenante pour un centre de désintoxication, mon type d'intervention serait certainement différent. Probablement que j'accompagnerais le parent jusqu'au bout de sa démarche en l'encourageant vers la reprise de ses responsabilités parentales.

« [...] Ce travail fut révélateur pour moi, car ce type de situation fait partie de mon quotidien. Malgré la certitude de bien respecter les droits fondamentaux de l'enfant, j'éprouvais un malaise face aux parents. Maintenant, j'ai la certitude que je suis cohérente avec toutes les normes guidant ma profession. Mon client est l'enfant et dans ce sens, je dois déployer toutes mes énergies à sauvegarder sa dignité et son intégrité. J'ai la responsabilité légale et morale de veiller à son bien-être en respectant ses besoins et ses droits. »

Depuis que le programme *Projet de vie*[49] a été implanté au CJM–IU, Sylvie trouve sa tâche plus simple. Le travail reste difficile, mais à partir du moment où l'orientation est claire, le plan d'intervention devient évident. Actuellement, Sylvie se sent à l'aise avec ce type de projet et en a même fait sa spécialité. Sa compétence est de plus en plus reconnue et, à son tour, elle devient un mentor pour ses collègues. Elle estime cependant que des améliorations pourraient être apportées à la *Loi sur la protection de la jeunesse*: certains enfants attendent encore trop longtemps et vivent encore trop d'expériences difficiles avant de voir leur situation stabilisée.

 POINT DE VUE DES AUTRES PERSONNES IMPLIQUÉES DANS CE RÉCIT

Pierrette et Frank, parents adoptifs de Michel, et grands-parents d'origine de François

Pierrette et Frank sont les parents adoptifs de Michel et les grands-parents de François. Lorsqu'ils se marient, tous deux désirent fonder une famille; malheureusement, ils éprouvent des difficultés et doivent consulter en clinique de procréation assistée. Devant l'échec, ils décident de se tourner vers l'adoption.

En 1977, le programme Banque-mixte n'existe pas. Les seules possibilités d'adoption sont l'adoption québécoise régulière ou l'adoption internationale[50]. Pierrette et Frank ne souhaitent pas s'orienter vers cette dernière, car ils craignent les difficultés d'adaptation que pourrait vivre un enfant de race ou d'ethnie différente, et la liste d'attente pour un nouveau-né en adoption québécoise régulière est très longue. Les intervenants du centre où ils s'adressent les invitent alors à assister à une réunion d'information concernant l'adoption d'enfants plus âgés et à des rencontres pour se préparer à accueillir

---

49. *À chaque enfant son projet de vie permanent: un programme d'intervention – 0 à 5 ans*: fiche technique 1.6.
50. Types d'adoption nationale au Québec: deuxième série de fiches techniques.

un enfant de ce type. Quelques mois plus tard, Michel, neuf ans, arrive chez eux après une intégration graduelle.

Un des éléments importants qu'ils apprennent à son sujet est que Michel habite dans une famille d'accueil où il n'est pas apprécié : les parents d'accueil ont un fils et Michel lui est continuellement comparé. Il porte les vêtements usés de cet enfant bien que ce dernier soit plus jeune et plus petit que lui. Tant sur le plan des marques d'affection que sur le plan des biens matériels, les parents d'accueil lui font sentir qu'il n'appartient pas à leur famille. Bien qu'il habite depuis plusieurs années avec eux, ils ne souhaitent pas le garder et encore moins l'adopter. Il est clair que Michel n'a pas de lien d'attachement avec ces gens dont il perçoit du rejet. Plus tard il dira à ses parents adoptifs qu'il se sentait injustement traité. Ce sentiment d'injustice reste présent pour lui et il en parle encore aujourd'hui.

Les intervenants expliquent à Pierrette et à Frank que les parents de Michel avaient un problème d'alcoolisme et que sa mère est décédée. Les premiers enfants de cette mère, issus d'un père différent, ont été placés en famille d'accueil. À la naissance de Michel, par contre, sa mère montre des signes de reprise en main et les intervenants impliqués décident de lui laisser l'enfant. Il habite avec elle plusieurs années, mais avec de nombreuses coupures : lorsqu'elle rechute, il est placé en famille d'accueil, puis lorsqu'elle est sobre durant un certain temps, il revient chez elle. Ces multiples allers-retours ne sont pas sans laisser des traces chez l'enfant[51].

Pierrette et Frank n'ont pas d'expérience parentale : Michel est leur premier enfant. Ils ont été préparés à son arrivée par des rencontres de groupe pour futurs parents adoptifs organisées par le Service adoption de leur région et ils bénéficient d'un suivi social jusqu'au moment où l'adoption légale sera prononcée[52], c'est-à-dire durant un peu moins de un an.

---

51. Cette situation correspond à un des exemples de dérive de projet de vie décrits par Steinhauer : « Une autre forme de dérive se produit lorsqu'une agence permet qu'un enfant placé soit sans cesse entraîné — "rebondisse" serait un meilleur terme — dans des allers et retours correspondant à autant d'essais infructueux de le réinsérer dans sa famille, laquelle se montre ambivalente ou même franchement rejetante et dont l'incapacité à répondre à ses besoins aurait pu être reconnue beaucoup plus tôt. » (1996, p. 257.)

52. Les services d'adoption des différents centres jeunesse du Québec ne disposent pas du budget nécessaire pour assurer un suivi postadoption. Une fois le jugement d'adoption prononcé, les parents adoptifs qui sentent le besoin d'un suivi doivent s'adresser aux CLSC et aux autres organismes gouvernementaux ou à un thérapeute de pratique privée.

À son arrivée dans sa famille adoptive, Michel est introverti et parle très peu. L'adaptation mutuelle est difficile. Un enfant de neuf ans a déjà une personnalité, des goûts et des intérêts qu'il a développés à partir d'expériences vécues ailleurs. Pierrette et Frank lisent des livres sur l'éducation des enfants dont, entre autres, *Parents efficaces* de l'auteur Thomas Gordon (1976). Frank, de tempérament extraverti, a de la facilité à apprivoiser Michel. Pierrette, plutôt réservée, rencontre plus de difficultés: Michel met deux ans avant de l'appeler « maman »[53]. Mais tous deux s'attachent à lui et cette première expérience positive les amène, trois ans plus tard, à adopter Denis, un enfant de cinq ans.

Pierrette et Frank décrivent Michel comme un enfant intelligent qui s'exprime bien. Il s'entend avec ses pairs et est accueilli avec plaisir par les membres de la famille étendue. Il a des habiletés en français, aime la lecture et réussit à l'école, mais manque de motivation et est très secret. Son sentiment d'injustice reste toujours présent, mais il semble relativement heureux, et les années qui suivent son arrivée dans la famille et celles du début de l'adolescence se passent agréablement. Il a des amis, participe positivement à la vie familiale et s'entend bien avec son frère. Ce dernier est hyperactif et extraverti. Toujours joyeux, il est complètement différent de Michel. Il a une personnalité forte et ne se laisse pas influencer. Durant sa jeunesse, il admire Michel et a une belle relation avec lui. Par la suite, trop souvent déçu, il prendra ses distances.

À l'adolescence, Michel commence à fréquenter des jeunes qui consomment de la drogue. Lorsqu'il atteint l'âge de seize ans, Pierrette et Frank se rendent compte que ses comportements se détériorent: retours tardifs à la maison, sommes d'argent qui disparaissent, résultats scolaires moins bons, conflits plus fréquents avec son frère... Ils consultent alors un psychologue. Le problème de drogue est mis sur la table et certains événements du passé sont révélés

---

53. Les mères adoptives éprouvent souvent plus de difficultés à apprivoiser l'enfant qui leur est confié, surtout lorsque celui-ci arrive chez elles à un âge avancé (plus de dix-huit mois). Ces enfants ont généralement été blessés au plan affectif par leur mère d'origine alors que leur père d'origine est souvent absent. Si plusieurs mères d'accueil se sont succédé dans leur vie, comme dans la situation de Michel, l'enfant est justifié de se sentir rejeté par les femmes. La figure de la mère est ainsi chargée d'affects négatifs et celle du père est une page blanche. Les pères adoptifs peuvent alors avoir une longueur d'avance sur les mères adoptives, et il leur est parfois plus facile de créer un lien positif avec l'enfant. En ce sens, le rôle des pères adoptifs auprès de ce type d'enfants est crucial: ils peuvent servir de médiateur entre l'enfant et la mère adoptive et soulager cette dernière lorsque la tension devient trop difficile à soutenir.

par Michel. C'est ainsi que Pierrette et Frank apprennent qu'il a été victime d'abus sexuels par un oncle de sa famille d'origine avant son arrivée chez eux. C'est la première fois qu'il révèle ce traumatisme.

Vers l'âge de dix-sept ans, Michel fait des démarches de retrouvailles[54] afin de tenter de rencontrer ses parents d'origine. Pierrette et Frank soutiennent ses recherches. Pour eux, il est légitime pour un enfant adopté de vouloir connaître ses racines. Michel retrouve effectivement son père d'origine et d'autres membres de la famille. Le contact est bon, mais Michel n'entretient pas de relations étroites avec eux.

Durant une longue période, Pierrette et Frank réussissent à tolérer ses difficultés: ils se complètent et lorsque l'un devient intolérant, l'autre reste encore patient. Mais vient un moment où tous deux sont épuisés. Ils se rendent compte de plus que Michel n'assume pas la responsabilité de ses actes: il remet toujours la faute sur les autres, l'école, le système, ses amis... Lorsqu'il atteint l'âge de dix-huit ans, un psychologue leur conseille de lui demander de quitter la maison et de se prendre en main de façon autonome. Cela dure quelques mois puis il revient et tente de reprendre ses études. C'est encore un échec. Il se dirige alors vers une ressource pour personnes toxicomanes, mais quitte l'endroit quelques semaines avant la fin du séjour prescrit.

À partir de ce moment-là, sa condition se détériore de plus en plus. Si, à certaines occasions, Michel semble se reprendre en main, ce n'est jamais pour bien longtemps. Il alterne entre des périodes durant lesquelles il occupe des emplois intéressants, qu'il ne conserve pas à cause de sa consommation de cocaïne, et des périodes où il reçoit de l'assurance-emploi ou des prestations de l'aide sociale. Ses parents ne comptent plus les thérapies et les stages qu'il amorce, toujours sans succès. Durant toutes ces années, l'engagement de Pierrette et de Frank auprès de lui reste constant: ils sont toujours disponibles pour lui, mais apprennent aussi à se protéger et deviennent méfiants, car ils ont été déçus à de nombreuses reprises.

Alors que Michel est âgé de trente et un ans, Pierrette et Frank apprennent qu'il fréquente Hélène qu'il connaît depuis l'adolescence. Ils savent qu'elle a un problème d'alcoolisme et craignent qu'elle devienne enceinte, ce qui se produit une première fois, mais cette grossesse se termine par une fausse couche. Tous deux tentent de sensibiliser Michel au fait qu'il n'a pas un mode de vie lui permettant

54. Recherche d'antécédents et retrouvailles: fiche technique 2.6.

d'élever un enfant. Celui-ci semble comprendre, mais, plusieurs mois plus tard, il les informe qu'Hélène est à nouveau enceinte, cette fois-ci de huit mois.

C'est leur premier petit-enfant et le premier bébé de la famille puisque leurs deux fils sont arrivés chez eux à neuf et cinq ans. Pierrette et Frank sont heureux de la naissance de François, mais très inquiets de la situation de ses parents. Ils aident le couple, visitent la mère à l'hôpital, s'impliquent auprès de l'enfant... Les membres de la famille étendue donnent de nombreux cadeaux. Cette situation dure jusqu'à ce que les policiers se présentent chez eux à l'improviste pour leur demander d'héberger Michel et le bébé. Le lendemain, ils rencontrent l'intervenante sociale chargée d'évaluer la situation et apprennent alors l'ampleur des problèmes du couple.

Pierrette et Frank travaillent et ne peuvent assumer à temps plein la charge du bébé. Il est placé en famille d'accueil avec l'entente qu'ils pourront maintenir des contacts avec lui. Lors de l'audition au tribunal, Frank se présente et offre, encore une fois, d'aider son fils. Il espère que François sera une motivation suffisante pour que Michel se reprenne en main. Ce dernier retourne en thérapie. Durant ce temps, Pierrette et Frank reçoivent François chez eux deux fins de semaine par mois: ils s'attachent de plus en plus à lui. Frank amène François visiter son père, il aide Hélène à déménager, achète des meubles... mais ni Michel ni Hélène ne stabilise sa situation.

Pierrette et Frank sont de plus en plus inquiets quant à l'avenir de François. Michel leur demande de l'adopter. Ils hésitent, mais se rendent compte qu'à leur âge ils n'ont pas suffisamment d'énergie pour se réengager auprès d'un aussi jeune enfant. Par contre, ils sont très préoccupés de l'impact des décisions sociales et légales sur François. Ils veulent que ces décisions soient prises rapidement et dans son intérêt. Ils sont conscients des dommages déjà présents chez lui, entre autres à cause de l'instabilité qu'il a vécue.

Lorsqu'ils rencontrent Isabelle et Vincent, c'est alors, selon leur expression, le « bonheur total » ! Ils sont très rapidement convaincus que ces deux parents sauront répondre aux besoins de l'enfant, tant sur le plan affectif que sur le plan matériel. Ils croient que François pourra être heureux. Ils sont certains que Michel ne se reprendra pas rapidement en main et que, dans les circonstances, l'adoption est la meilleure alternative possible pour assurer le bien-être de l'enfant.

Lorsque Vincent et Isabelle leur offrent de maintenir les contacts avec François, ils sont comblés: jamais ils n'en auraient espéré autant! Depuis ce moment, ils jouent leur rôle de grands-parents avec sérénité. François, pour sa part, reste très attaché à eux, il est toujours heureux de les revoir. Encore aujourd'hui, les grands-parents le visitent régulièrement.

Ils sont d'accord avec la décision prise par les parents adoptifs d'éviter les contacts entre Michel et François: ce dernier est encore trop vulnérable. Il a besoin de stabilité dans sa vie et Michel, de son côté, n'a pas réglé ses problèmes. Selon ses parents, il a commencé à prendre de la drogue à cause des blessures anciennes, mais aussi parce qu'il est très influençable. Ces blessures sont loin d'être guéries et il continue, encore à trente-six ans, d'avoir un mode de vie précaire. Il conserve d'importantes fragilités.

Pierrette et Frank ont vécu l'adoption de deux manières différentes: ils ont eux-mêmes adopté deux enfants et, plusieurs années plus tard, ils ont vu leur petit-fils se faire adopter à l'extérieur de leur famille. Ils sont très conscients des dommages que peut subir un enfant lorsqu'il ne vit pas de façon stable avec des parents matures, chaleureux et capables de répondre à ses besoins. Ils trouvent dommage que Michel soit resté aussi longtemps avec sa mère et qu'il ait vécu d'aussi nombreux déplacements. Si c'était à refaire, ils souhaiteraient avoir plus d'information sur ses antécédents et pouvoir bénéficier d'un suivi postadoption. Ils ne regrettent pas cependant leur expérience, car ils sont convaincus d'avoir eu une importance positive dans la vie de Michel. Malgré tous ses problèmes, leur famille reste un lieu d'appartenance pour Michel: Pierrette et Frank le voient régulièrement, célèbrent son anniversaire et restent un point de référence pour lui.

En ce qui concerne leur deuxième fils, Denis: ils sont convaincus que leur implication dans sa vie a été déterminante pour son développement et que s'il est aujourd'hui un homme bien intégré dans la société, productif et relativement heureux, c'est en grande partie à cause de l'aide qu'ils ont été capables de lui apporter.

Pour ce qui est de François, ils auraient souhaité que Michel soit en mesure de l'élever, mais ont la certitude que ni ce dernier ni son ex-conjointe Hélène n'auront jamais cette capacité. Ils sont heureux que François ait été adopté assez jeune, avant que de trop grands dommages aient été faits, mais Pierrette trouve que François aurait pu être placé dans un milieu stable encore plus tôt dans sa vie.

Tous deux trouvent que le programme Banque-mixte permet d'assurer à certains enfants un milieu de vie favorable à leur développement. Frank estime que ce programme permet d'équilibrer le droit des enfants et celui des parents. Pierrette trouve que l'accent

devrait être mis davantage sur le droit des enfants. Tous deux souhaitent que les interventions se fassent le plus tôt possible dans la
vie de l'enfant afin que celui-ci ne soit pas trop handicapé par ses
expériences négatives. Selon eux, si certaines chances sont données
aux parents, les enfants devraient être rapidement « mis en lieu
sûr ».

Michel, père d'origine de François

Rejoint au téléphone, Michel accepte facilement d'être rencontré.
C'est un homme très mince et de taille moyenne. Son teint est pâle et
ses mains tremblent. Durant l'entrevue, il avoue consommer encore,
surtout de l'alcool, mais aussi de la cocaïne à l'occasion. Il s'exprime
bien mais répond aux questions avec réserve. Il a très peu de souvenirs de sa petite enfance, quelques bribes seulement. Les premières
images qu'il retient sont celles de son séjour de cinq ans dans la
famille d'accueil qui a immédiatement précédé sa famille adoptive. Il
n'a pas été heureux à cet endroit. Il parle de froideur, de violence ver-
bale et physique.

Lorsqu'il décrit son arrivée chez Pierrette et Frank, par contre,
il s'anime. Pour lui, c'est un passage « de l'enfer au paradis ». Il
mentionne cependant que sa période d'adaptation a été assez longue. Avoir sa chambre, se promener librement dans la maison, se
sentir chez lui sont des choses simples auxquelles il a pourtant dû
s'adapter.

Il apprécie ses parents adoptifs qu'il décrit comme de bons
parents qui l'ont gâté. Il craint d'avoir déçu sa mère cependant, car il
a été un garçon « traumatisé », peu démonstratif et mal à l'aise avec
les gestes d'affection. Il pense que celle-ci aurait souhaité autre
chose. Lorsque, trois ans après son arrivée, ses parents adoptent un
autre enfant, il a peur de perdre sa place.

Son adolescence est difficile. Il ressent beaucoup de révolte et
commence à consommer de la drogue vers l'âge de dix-sept ans. Graduellement, il se détache de ses parents. Il a un grand désir de
liberté. Ses intérêts évoluent vers les activités avec les amis, les sorties et les soirées dans les bars. Ici encore, il est conscient qu'il ne
répond pas aux attentes de ses parents.

Malgré des tentatives de reprendre sa vie en main, il s'engage de
plus en plus dans une existence qui se déroule au jour le jour, sans
projet précis ni planification. À ce moment-là, il ne pense pas fonder
une famille ni reprendre ses études, que pourtant il valorise. Il
n'habite plus avec ses parents. Il vivote, occupant à l'occasion de

petits emplois qu'il perd à cause de sa consommation. Il s'engage dans plusieurs démarches de thérapie ou de désintoxication, sans succès, et s'il termine certaines d'entre elles, il ne maintient pas ses acquis.

Sa relation avec Hélène dure cinq ans. Il la connaît depuis longtemps et sait qu'elle a une première enfant qui a été adoptée. Il est conscient que leur relation n'est pas saine: tous deux consomment régulièrement et ont des limites affectives graves. La grossesse qui mène à la naissance de François est un accident. Michel est assez réaliste à l'époque pour savoir que ni lui ni sa conjointe ne sont capables de s'occuper d'un enfant, mais l'avortement est contre ses principes et tous deux décident de mener la grossesse à terme.

Michel décrit son expérience de père comme « la plus belle chose de sa vie ». Il est présent à l'accouchement et coupe le cordon. François est un beau bébé en bonne santé dont il tombe amoureux au premier regard. Hélène, après l'accouchement, vit une période de dépression où elle manque d'énergie, et c'est avec beaucoup de bonheur que Michel s'occupe du bébé, lui donnant ses boires et tous les soins nécessaires. Il lui consacre toute son énergie et constate que François semble plus confortable dans ses bras que dans ceux d'Hélène, où il pleure souvent. Il est émerveillé de ses premiers sourires et, plus tard, de constater la rapidité de ses apprentissages.

C'est Michel qui, le premier, fait la demande de placement pour François. Il ne peut plus habiter avec Hélène à cause de problèmes conjugaux et il ne veut pas que François reste avec elle, car il sait que celle-ci est tout à fait incapable de s'occuper d'un enfant.

Il aurait souhaité habiter chez ses parents, qui résident dans une grande maison. Ceux-ci ont refusé pour des raisons, dit-il, qu'il respecte. Il est cependant très déçu et triste de cette décision. Michel a le sentiment que peu de gens l'ont encouragé à être tenace et à se battre pour conserver la garde de François. Ses parents, tout comme les intervenants du CJM–IU, semblent penser que ce n'est pas réaliste. Il décrit cette période comme « deux ans de batailles juridiques entre moi et la DPJ » durant lesquelles il a tout essayé pour reprendre son fils: déménagement, thérapie, désintoxication… Au bout de deux ans, il est épuisé et se sent de moins en moins capable de rattraper le temps perdu avec François.

Durant cette période, Michel visite François régulièrement dans sa famille d'accueil et joue avec lui. Il va aussi le voir lorsque ce dernier est en visite chez Pierrette et Frank. Après le jumelage avec Isabelle et Vincent, les visites se font au bureau de l'intervenante et deviennent supervisées. Michel se sent moins à l'aise dans ce contexte. Il trouve humiliant d'être surveillé. Par contre, il est conscient que ses habitudes de consommation n'incitent pas les intervenants à avoir confiance en lui. Il se souvient d'au moins un épisode où l'intervenante l'a joint au téléphone alors qu'il était en état d'ébriété. Il décrit ce moment comme « une gaffe ».

Michel a été très soulagé lorsqu'il a vu François chez Isabelle et Vincent. Il a senti que ceux-ci, qu'il décrit comme des gens « super », ouverts et modernes, pourraient être de bons parents pour François. Il sent aussi qu'ils ont du respect à son égard. C'est à ce moment-là qu'il commence à penser à l'adoption. La signature du consentement est « la pire signature » de sa vie. Il est tout à fait conscient à ce moment-là qu'il renonce à ses droits parentaux. Mais c'est aussi pour lui un geste de générosité : il accepte de penser à François plutôt qu'à lui-même, il ne s'agit pas d'un abandon[55]. Il espère que les nouveaux parents de l'enfant le lui diront. Il leur fait confiance.

Michel a écrit deux fois aux parents adoptifs de François, qui lui ont répondu. Il demande des contacts avec son fils qui sont refusés. Il trouve cela difficile, mais comprend les raisons des parents. Il reçoit régulièrement des nouvelles par l'entremise de ses propres parents, qui visitent encore François et lui donnent des photographies. Il sait qu'il peut aussi s'adresser au Service adoption pour avoir des nouvelles[56] bien qu'il ne sente pas le besoin d'utiliser cette ressource actuellement. Il demande des renseignements sur les démarches de retrouvailles et il espère qu'un jour il pourra revoir François, comme lui-même a pu reprendre contact avec son père biologique et avoir quelques liens avec lui.

Après l'adoption, Michel a été très déprimé. Il s'est « défoncé dans la drogue » et a été un long moment sans pouvoir travailler. Il

---

55. Dans le cadre du programme Banque-mixte, il est rare qu'un parent d'origine en vienne à signer un consentement à l'adoption : certains sont incapables de penser au bien-être de l'enfant, d'autres se disent qu'un « enfant, ça ne se donne pas » et d'autres encore préfèrent que le juge de la Chambre de la jeunesse prenne la décision. Le fait que Michel ait été capable de penser au bien-être de son enfant témoigne, entre autres, de ce qu'il a reçu de la part de ses parents adoptifs. Cette période de sa vie lui a permis de développer une certaine empathie envers son enfant : il est capable de se mettre à sa place, de comprendre ce qu'il vit, de prendre sa décision en fonction de l'intérêt de l'enfant et de concrétiser cette décision.

56. Une des tâches du Service adoption est de transmettre après l'adoption de l'information, des nouvelles, des photographies, des lettres… entre les parents d'origine et l'enfant ou ses parents adoptifs en autant qu'une entente préalable ait été prise entre les parties.

envisage maintenant sa vie future positivement, mais n'a pas de plan précis. Il sait qu'il ne veut pas avoir d'autres enfants, en tout cas, tant qu'il n'aura pas une vie plus stable. Il est capable d'une certaine introspection quant à son expérience de père. Il est conscient qu'il a une responsabilité dans ce qui est arrivé: « on récolte ce qu'on a semé ».

Hélène, mère d'origine de François

Au moment de l'écriture de ce livre, il n'a pas été possible de retrouver Hélène. Elle ne donne plus de nouvelles, et Michel ne sait pas comment la joindre. Voici une lettre qu'elle a écrite à son fils:

> « *Voilà, j'écris une lettre à mon fils, je tiens à ce qu'il puisse la lire à l'âge où il pourra.*
>
> *Maman s'est battue pour pouvoir avoir la chance de pouvoir t'aimer, prendre soin de toi, te chérir. « Mon petit chou » [...] Maman t'a toujours appelé comme ça depuis ta naissance. Je te demande pardon, mon bébé. Je comprends ta douleur aujourd'hui. Je ne t'ai jamais abandonné !*
>
> *C'est la DPJ qui t'a enlevé de mes bras alors que je te donnais ton biberon [...] Tu es le plus beau bébé au monde. Je t'aime du plus fort amour que je connaisse. Je dois aussi t'apprendre que tu as une grande demi-sœur [...] Elle était très prématurée. Elle a survécu et va très bien. Elle a été adoptée car j'ai dû faire un choix. J'étais enceinte de toi et j'avais la DPJ sur le dos. J'ai choisi de te garder, j'étais avec ton père et je ne voulais pas perdre deux enfants. Maman n'a plus la force de continuer à se battre ainsi. Ma santé en a pris un coup. J'ai eu la pire peine de toute ma vie, soit t'avoir perdu. Si ça avait été plus facile, Maman serait là avec toi aujourd'hui. Je t'aime, [François], mon petit chou ! »*
>
> *Maman, xxxxxx*

« Je t'aime du plus fort amour que je connaisse »: voici les mots importants de cette lettre. Hélène aime son fils. Elle l'aime comme elle a appris à aimer, avec les moyens qu'elle a développés à travers les années et les événements qui ont fait sa vie. La capacité d'aimer n'est pas innée. Elle se développe par le contact entre le jeune enfant et la personne qui lui dispense les soins dans le quotidien. Michel et Hélène n'ont pas eu la chance d'avoir auprès d'eux, dans les trois premières années de leur vie, une personne stable et chaleureuse auprès de laquelle ils auraient pu apprendre à aimer de manière à favoriser le développement d'un enfant.

Tous deux aiment François à leur manière, beaucoup plus pour ce qu'il peut leur apporter à eux que pour lui-même. Malheureusement, cette manière ne convient pas aux besoins d'un enfant. Il leur est difficile de le voir en tant que sujet, de mettre en attente leurs propres besoins pour répondre aux siens, et ce, tous les jours et pour tout le temps nécessaire. Aussi déchirant que cela puisse être, il est essentiel de reconnaître les lacunes de ce type d'amour afin de prendre rapidement les décisions qui s'imposent dans l'intérêt des enfants.

Isabelle et Vincent, parents Banque-mixte de François

Isabelle et Vincent se rencontrent par l'entremise du travail. Ils deviennent amis puis, graduellement, leur relation se transforme. Ils sont conjoints depuis 1991. Ils partagent des intérêts communs comme les voyages, sac au dos, dans des pays lointains et très différents de ce qu'ils connaissent. Ce qui les caractérise comme couple est leur esprit d'équipe et leur complicité. Ils ont une grande capacité à faire face à l'imprévu, à prendre des décisions rapidement et à s'organiser. Ces dernières années, ils ont été confrontés à des changements majeurs, ont vécu des inquiétudes importantes et des pertes difficiles. Leur relation de couple est le pivot sur lequel ils s'appuient. Ils se complètent et se soutiennent.

Vincent ne désire pas d'enfant biologique, car il est porteur d'une maladie génétiquement transmissible. Il y a quelques années, Isabelle et Vincent ont commencé à penser à l'adoption. Les responsabilités professionnelles à ce moment-là leur font reporter ce projet. À l'époque du décès de la mère de Vincent, ils ont l'occasion de voir une émission de télévision où le programme Banque-mixte est décrit: c'est l'élément déclencheur. La perte qu'ils viennent de vivre les amène à se questionner sur le sens de leur vie. Ils s'inscrivent au Service adoption, assistent à une réunion d'information et, à peine quelques jours plus tard[57], sont appelés: une enfant malade a besoin

---

57. Il est exceptionnel que des postulants au programme Banque-mixte soient appelés si rapidement pour un jumelage. Les placements d'urgence sont le plus souvent évités: l'objectif d'un placement du type Banque-mixte est de créer entre l'enfant et les parents un lien « pour toute la vie », c'est-à-dire que l'enfant ne sera plus déplacé et qu'il sera adopté par ces parents s'il devient admissible à l'adoption. Dans ce contexte, il est crucial d'apporter une grande attention au jumelage qui doit être personnalisé, c'est-à-dire qu'il doit convenir le plus possible à la fois aux besoins de l'enfant et à ceux des postulants. Dans la situation dont il est question ici, c'est la condition physique de l'enfant qui impose un placement aussi rapide et c'est une chance qu'une famille compétente et désireuse de s'engager ait été disponible au bon moment. Ce n'est pas toujours le cas.

d'une famille. Elle vient de subir une intervention chirurgicale majeure et doit être placée dans un environnement stable le plus tôt possible. Ils s'organisent rapidement, et Nadia entre dans leur vie.

Trois ans plus tard, Isabelle et Vincent reçoivent une lettre du Service adoption adressée à tous les parents qui ont déjà réalisé un projet Banque-mixte. Cette lettre mentionne qu'il y a à ce moment-là plusieurs enfants pour lesquels une famille est recherchée; rapidement, ils décident de s'inscrire pour un deuxième projet.

Lorsqu'ils entendent parler de François pour la première fois, ils sont touchés par son histoire déjà si perturbée et une photographie de lui les interpelle. Sylvie les informe que la mère d'accueil actuelle est inquiète de son développement: elle a plusieurs enfants[58] à la maison et n'a pas suffisamment de temps pour s'occuper de lui de manière individuelle et pour le stimuler. De plus, les autres enfants sont de jeunes bébés, et François a tendance à les imiter plutôt que de développer des comportements de son âge. Il a peu de tonus musculaire et un retard de la parole.

Isabelle et Vincent décident d'aller rencontrer François dans sa famille d'accueil. Dès la première rencontre, François est attiré par Vincent. Il a peu de contact avec des figures masculines et la personnalité taquine et ludique de Vincent l'attire. Il va facilement vers lui, mais moins spontanément vers Isabelle. Dans les semaines qui suivent, le couple rencontre François régulièrement. Ils l'amènent au parc, au restaurant, puis il vient coucher à la maison une première fois. Un mois après la première rencontre, il arrive chez eux définitivement.

Les premiers jours, les premières semaines se passent bien. François découvre un monde nouveau et explore. Après quelque temps cependant, il réalise qu'il ne retourne pas dans son ancienne famille. Il devient anxieux, et son désarroi est évident. Il fait des crises, lance des objets et frappe. Nadia, la fille du couple, a aussi de la difficulté à accepter l'arrivée de François. Elle perd sa place de fille

---

58. Le CJM–IU éprouve souvent des difficultés de recrutement de familles d'accueil dites régulières (fiche technique 3.8). En conséquence, celles-ci se voient souvent confier plusieurs enfants à la fois: elles manquent de temps et d'énergie. Leur travail n'est pas toujours reconnu. Au Québec, le système de familles d'accueil gagnerait à être révisé: celles-ci devraient être considérées comme des professionnelles, des membres à part entière de l'équipe d'intervention, avec des exigences au plan du recrutement, une reconnaissance financière et sociale, un fond de retraite, un programme de formation continue...

unique et doit apprendre à partager. Les premiers temps, elle surveille constamment François de peur qu'il s'approprie ses jouets ou qu'il reçoive trop d'attention de la part des parents.

Isabelle et Vincent savent se montrer sensibles au vécu des deux enfants et les aident à surmonter ces difficultés. Ils prévoient des moments privilégiés avec Nadia afin de lui montrer qu'elle reste très importante pour eux. Ils font montre de beaucoup d'affection envers François et sont capables de répondre à ses besoins de sécurité et de stabilité. Ils respectent son rythme et savent attendre qu'il vienne vers eux plutôt que de s'imposer auprès de lui. Graduellement, François s'intègre à sa nouvelle famille. Il engage spontanément des contacts avec ses nouveaux parents d'accueil et, imitant Nadia, les appelle « papa » et « maman »[59]. Nadia l'accepte mieux et apprend à partager l'attention de ses parents et ses jouets avec lui.

Isabelle et Vincent trouvent que la visite du père et des grands-parents chez eux se passe bien: Michel et ses parents se comportent de façon agréable. Ils ressentent une sympathie rapide pour les grands-parents et sont touchés par Michel.

Si François est très heureux de revoir son père et ses grands-parents, les reconnaît et va vers eux facilement, il devient rapidement surexcité et vomit après le repas. De même, après les contacts avec son père qui ont lieu au bureau de l'intervenante sociale, François est perturbé. Il a des comportements agressifs au retour dans la famille, frappe les objets, a des gestes d'automutilation, refuse de manger... En général, il ne sourit pas et a l'air triste. Certaines émissions pour enfants à la télévision semblent lui faire peur et il se met alors à crier. Il s'isole. Il a aussi des tremblements incoercibles au point où les parents craignent un problème neurologique et consultent un médecin. Il s'avère que ce sont des tremblements d'origine émotive qui expriment la grande insécurité de François.

À cette époque, Isabelle a le sentiment que François n'accepte pas de leur faire confiance, qu'il ne sait plus quelles personnes peuvent répondre à ses besoins. Sur le conseil des intervenants, elle et Vincent décident de réduire les liens avec les gens qui ne sont pas de leur famille immédiate. Ils demandent aux grands-parents de

---

59. Il est courant qu'un enfant placé en famille d'accueil appelle les parents « papa » et « maman », surtout lorsqu'il y a d'autres enfants dans la famille: le nouveau venu imite les aînés.

François de s'abstenir de venir durant un certain temps, les contacts avec le père sont arrêtés de même que les visites avec l'ancienne famille d'accueil, avec laquelle ils avaient conservé une relation, et ils s'installent au chalet. Ce séjour s'avère très salutaire. Les quatre membres de la famille Banque-mixte se retrouvent ensemble dans l'intimité. Ils partagent des activités et apprennent à mieux se connaître.

Concernant les comportements agressifs, encore sur les conseils des intervenants, Isabelle et Vincent prennent l'habitude d'intervenir systématiquement et de la même manière à chaque épisode. Le geste qu'ils posent est de mettre François immédiatement et avec douceur dans son lit, puis de rester auprès de lui. Après quelques jours, les comportements agressifs diminuent et apparaît alors une grande tristesse. François vient plus souvent se coller contre eux, il pleure beaucoup, demande des caresses. Selon Isabelle, c'est « comme si un mur était tombé »: il devient plus capable de compter sur ses nouveaux parents pour se faire consoler, se permet de vivre sa peine, commence à se laisser aimer et, graduellement, devient plus joyeux.

Aujourd'hui, François est épanoui et enjoué. Il est en bonne santé et se développe normalement. Il s'est bien intégré à sa famille. On peut observer des liens d'attachement étroits entre eux et des échanges affectifs sincères et spontanés. Comme beaucoup de petits garçons de son âge, actuellement il est amoureux de sa maman, et Isabelle trouve cette période bien agréable. Les relations avec Nadia se sont améliorées et les périodes de partage et d'amour succèdent aux conflits habituels entre enfants. Les tremblements qu'il avait à l'arrivée dans la famille ont disparu sauf lorsqu'il se réveille au milieu d'un cauchemar. Il conserve encore des vulnérabilités et est facilement inquiet surtout dans des situations où il est confronté à l'inconnu.

À quatre ans, il est entré en prématernelle[60]. Il fréquentait déjà la garderie avec bonheur. Il avait là des amis et des activités qu'il aimait. L'intégration à la prématernelle a été difficile, les heures étant plus longues et l'apprentissage plus formel. François est un enfant dont le développement affectif accuse du retard. Il est facilement perturbé par les changements et insécurisé par les nouvelles personnes. Il venait tout juste d'avoir quatre ans au moment de

---

60. Au Québec, la prématernelle et la maternelle sont des années de scolarité préparatoires à la première année du cours primaire.

l'entrée à la prématernelle, et ses parents pensent maintenant qu'ils auraient dû attendre encore un an. Ses premières années avaient été si difficiles et son intégration chez eux si récente qu'il aurait été préférable de le laisser mûrir et développer une meilleure autonomie avant de l'exposer à une nouvelle transition aussi importante.

Son anxiété à cette occasion s'est exprimée par une régression dans l'acquisition de la propreté, par des pleurs au moment du départ pour l'école et par de la distraction durant les activités. Il regrette l'atmosphère de la garderie et trouve les matières enseignées ennuyantes. Il est probable que ses parents lui feront reprendre sa classe de prématernelle l'année prochaine afin de lui permettre de repartir sur une base plus solide. Si jamais il persiste dans ses réticences concernant l'apprentissage scolaire, ses parents ont l'intention de le soutenir là où résident ses intérêts. Ils voient déjà qu'il a des facilités sur les plans physique et technique et l'encourageront en ce sens. Ils veulent l'aider à se réaliser dans un domaine où il se sentira heureux.

Isabelle et Vincent ont senti le besoin de demander l'aide d'une psychologue afin de soutenir François. Celle-ci mentionne que le décès du père d'Isabelle l'an dernier est encore très présent à son esprit. Pour François, qui a déjà vécu de nombreuses ruptures, cette coupure supplémentaire est difficile. De même, le départ quotidien pour l'école est exigeant. Il s'ennuie de ses parents durant le jour et craint qu'ils ne soient plus là au retour. La psychologue leur suggère certaines interventions qu'ils mettent en pratique pour aider François à surmonter ces moments difficiles: parler du grand-père en famille, regarder des photographies; faire un dessin sur le dos de sa main, une forme d'objet transitionnel[61], avant de partir le matin afin qu'il puisse le regarder durant le jour pour se souvenir que ses parents sont toujours là...

Les parents de François conservent encore quelques inquiétudes. Ils craignent entre autres que le fait d'être né de parents toxicomanes rende ce dernier plus vulnérable à la drogue au moment de l'adolescence. Ils se sont renseignés à ce sujet et comprennent que les

---

61. Objet transitionnel: dans ce contexte, il s'agit d'un objet (jouet, couverture, vêtement, dessin...) appartenant à ses parents, que l'enfant peut apporter avec lui et qui lui permet de se souvenir que ceux-ci existent encore même s'il ne les voit pas.

études sont encore fragmentaires. À l'heure actuelle, aucune recherche n'indique que la tendance à consommer des drogues soit héréditaire[62].

Un autre aspect de la consommation de drogues par les parents d'origine est leur effet tératogène sur le fœtus lorsqu'elles sont utilisées durant la gestation. Il existe plusieurs études sur ces effets qui semblent surtout se manifester au moment de la scolarisation quand certains enfants, mais pas tous, présentent un déficit d'attention. Ce déficit peut être accompagné, mais pas toujours, d'hyperactivité (Lecompte et coll., 2002). Dans son cas, François semble avoir un certain déficit d'attention. Les parents remarquent cependant que, lorsqu'il est intéressé par un sujet, il est tout à fait capable de se concentrer.

Une autre des difficultés de François est le fait que les visites au père ont été très perturbatrices pour lui. À un certain moment aussi, Michel, frustré de ne pouvoir voir son fils plus souvent, a menacé de prendre un avocat. C'est à cette période qu'Isabelle lui écrit pour lui expliquer leur position et les raisons pour lesquelles ils préfèrent cesser les contacts entre lui et François. Voici ce qu'elle lui dit:

« [...] Pour ce qui est de la rencontre avec François, je ne crois pas que ce soit une bonne idée. Je voudrais trouver les bons mots pour exprimer adéquatement la raison. On ne doit pas se cacher que François est émotivement fragile. Même s'il ne pouvait s'exprimer avec des mots [lors de vos rencontres], il le faisait par son comportement. Toi et moi, nous sommes les grandes personnes et c'est à nous de comprendre. Lui, il ne peut pas le faire. Je trouve ma partie de compréhension difficile à assumer car ça me crève le cœur

---

62. Par contre, il existe des rapports soutenant que les enfants nés de parents toxicomanes et élevés par eux semblent plus à risque que ceux nés de parents toxicomanes mais élevés par des parents qui ne consomment pas. En effet, les parents qui consomment ont généralement des problèmes sous-jacents qui les amènent à ce comportement, souvent symptôme d'un mal de vivre important. De plus, ils ont généralement un mode de vie instable et désorganisé et sont inconstants dans leurs attitudes auprès de l'enfant: lorsqu'ils sont en manque, ils peuvent être très impatients, à d'autres moments, ils semblent absents, distraits et, enfin, ils sont parfois tout à fait adéquats. L'enfant se trouve alors confronté à plusieurs personnalités dans le même parent et ne sait plus à quoi s'attendre. Cela peut le conduire à développer un style d'attachement désorganisé (fiche technique 1.5) qui amène très souvent des difficultés importantes ou même des problèmes de santé mentale quelquefois accompagnés d'assuétudes (Lecompte, Perreaut, Venne et Lavandier, 2002).

de te demander d'attendre qu'il soit assez grand pour prendre sa propre décision. Si je te fais cette demande, c'est évidemment pour François. Au début, je croyais que l'on pourrait vivre avec la présence de tout le monde, mais j'ai vite réalisé que les choses ne se passent pas toujours comme on l'aurait imaginé dans le meilleur des mondes. J'aurais volontiers vécu de cette façon, mais j'analysais la situation avec mes yeux d'adulte. Un enfant, ça ne comprend pas et ça se sent toujours responsable, un peu comme tu le mentionnes dans ta lettre. Tu te sentais responsable de ce qu'on ne t'aimait pas. Les services sociaux m'ont expliqué que les enfants qui vivaient entre leurs parents d'origine et leurs parents adoptifs vivaient un conflit de loyauté. Ils se sentent coupables d'aimer l'un et d'aimer l'autre. En ce qui me concerne, l'amour est infini et il n'en manque jamais pour personne. [...] Pour un enfant, sa vision est bien limitée et il en souffrira. Je ne veux pas que François souffre de culpabilité à son âge, les déboires de la vie viendront bien assez vite. Tu es et tu resteras toujours le père de François et nous ne le lui cacherons jamais. Nadia sait déjà qu'elle a un autre papa et une autre maman, et nous en parlons ouvertement. Ne forçons rien et laissons la vie suivre son cours. Quand ils manifesteront le désir de connaître leurs parents, je les encouragerai dans cette démarche, mais je ne veux pas forcer la nature, laissons-la faire son œuvre.

Je te fais parvenir ces photos et j'espère qu'elles te plairont.

Merci sincèrement pour ta lettre Michel, je la garderai dans la boîte à souvenirs de François. Je te souhaite un bon retour à la vie et je te promets qu'ici nous ne t'oublions pas. »

Isabelle, Vincent, François et Nadia

Depuis ce temps, Michel ne tente plus d'avoir de contact avec François. Les grands-parents se chargent d'agir comme intermédiaires: ils donnent à Michel des nouvelles de François et aux parents adoptifs des nouvelles de Michel. Ils visitent la famille adoptive deux ou trois fois par année et communiquent par téléphone. Ils ont remis aux parents un album de photographies de François, alors qu'il était bébé, de son père et d'eux-mêmes et ils donnent régulièrement à Michel des photographies de son fils, qu'ils prennent lors des visites.

Vincent et Isabelle s'attendent à ce qu'un processus de retrouvailles soit entrepris un jour par François. Ils sont tout à fait d'accord avec ces démarches pour leurs deux enfants en autant qu'elles se fassent à un moment où les enfants eux-mêmes sont prêts et désireux de les entreprendre. Ils ont l'intention de les soutenir et de les aider lorsque le temps sera venu.

Isabelle et Vincent sont tout à fait satisfaits de l'aide qu'ils ont reçue de la part des intervenants. À plusieurs reprises, Sylvie, l'intervenante de François et de sa famille d'origine, et Marcel, leur intervenant adoption, sont intervenus et les ont conseillés de façon constructive. Ils ont apprécié la gentillesse de Sylvie et son sérieux. Les conseils de Marcel pour faciliter l'intégration de François auprès de Nadia leur ont été très utiles. Le fait que les intervenants travaillent en concertation les a rassurés.

S'ils sont très heureux de leurs deux expériences d'adoption, ils auraient cependant des suggestions pour améliorer certaines façons de faire: en ce qui concerne François, ils considèrent qu'un an et demi a été une trop longue période d'attente avant qu'il soit intégré dans une famille du programme Banque-mixte. Il y a eu des dégâts qui auraient pu être évités et dont l'enfant conservera malheureusement des traces. De plus, ils ne peuvent que constater le manque de ressources: ainsi, Sylvie, l'intervenante qui s'est occupée de François et de ses parents d'origine, a souvent entre vingt-trois et vingt-cinq dossiers. Comment, avec une telle charge, peut-elle donner une attention personnalisée et soutenue à chacun des enfants[63]?

 ## BILAN DE CE RÉCIT[64]

Les intervenants du Service adoption qui évaluent les postulants au programme Banque-mixte craignent toujours que les compétences qu'ils ont cru percevoir chez ceux-ci ne se maintiennent pas une fois que les difficultés inhérentes à l'intégration d'un enfant se présentent. Pour leur part, Isabelle et Vincent savent composer avec ces difficultés. Le plus complexe pour eux lors de l'intégration de l'enfant dans leur famille a été la réaction de leur fille.

---

63. Récemment, des mesures ont été prises pour réduire significativement la charge de travail des intervenants.
64. Plusieurs remarques de cette section sont tirées du témoignage de Marcel, l'intervenant du Service adoption qui a soutenu Isabelle et Vincent dans leur projet Banque-mixte.

Les parents adoptifs qui ont déjà un ou des enfants doivent tenir compte de certains éléments supplémentaires. Leurs enfants peuvent réagir à l'arrivée du nouvel enfant. Eux-mêmes peuvent se sentir moins disponibles ou moins patients, surtout durant la période d'intégration. Ils peuvent craindre que le bien-être de l'enfant qu'ils ont déjà soit affecté. Leur attachement à leur premier enfant est naturel et légitime, mais il peut causer une inquiétude de plus. Et si un des enfants présente des difficultés, un problème de santé par exemple, ou si le nouvel enfant arrive tardivement dans la famille et doit vivre une période d'adaptation difficile, le niveau de stress augmente encore.

Lorsqu'un intervenant adoption évalue des postulants, il apprend à les connaître et s'attache souvent à eux. S'il s'agit d'un projet Banque-mixte, une fois l'intégration faite, il peut craindre que le projet d'adoption ne se réalise pas[65] et que les personnes à qui il a confié l'enfant vivent un deuil ou une déception. Dans la présente situation, le diagnostic posé par les membres du comité aviseur quant aux capacités des parents de se reprendre en main et de redevenir capables de prendre soin de leur enfant s'avère juste puisque Hélène se retire assez rapidement et que Michel en vient à prendre la décision de signer un consentement à l'adoption de manière libre et éclairée.

Dans leur travail au Service adoption, un des éléments qui apportent le plus de satisfaction aux intervenants, c'est lorsqu'ils réalisent qu'ils ont fait un jumelage idéal: les parents répondent tout à fait adéquatement aux besoins de l'enfant qui leur est confié et celui-ci satisfait les aspirations des parents choisis pour lui. Dans la situation de François et malgré les difficultés du début, cet enfant s'est très bien intégré à cette famille et les parents Banque-mixte sont tout à fait capables de répondre à ses besoins. L'ouverture de ces derniers face aux grands-parents d'origine, si importants dans la vie de François, leur capacité à mettre un frein aux contacts avec Michel, lorsqu'ils constatent que l'enfant en est perturbé et malgré la compassion qu'ils ressentent pour son père, montrent leur grande sensibilité aux besoins de François.

Par ailleurs, malgré des évaluations poussées, le présent n'est pas garant de l'avenir. Certains couples de postulants Banque-mixte

---

65. Dénouements possibles d'un projet de type Banque-mixte: fiche technique 3.13.

se séparent[66], d'autres sont incapables de composer avec les besoins de l'enfant qu'on leur confie, d'autres encore ont des failles, des lacunes, qui sont révélées par l'arrivée de l'enfant. Maurice Berger (1999), pédopsychiatre français, exprime bien cette idée lorsqu'il dit que l'enfant est le révélateur du parent. Certains enfants ont dû être retirés pour l'une ou l'autre de ces raisons avec des conséquences souvent dévastatrices pour l'enfant, pour les postulants et, aussi, pour les intervenants concernés.

Une autre préoccupation sérieuse est l'incertitude qui reste concernant le devenir des enfants confiés en adoption. Tous les efforts sont faits pour connaître les antécédents des parents d'origine et les conditions de grossesse et de vie de l'enfant durant le temps où il a vécu avec eux ou en famille d'accueil. Il est impossible cependant de tout savoir, et certaines conditions sont elles-mêmes porteuses d'incertitudes: les bébés nés prématurément par exemple, ou ceux porteurs d'un déficit affectif ou d'un style d'attachement insécurisant ou désorganisé[67]. Dans ces situations, il est très difficile de savoir comment les enfants vont se développer. Il y a une grande part de mystère, d'inconnu, et les parents Banque-mixte prennent des risques, souvent de façon inconsciente, mais aussi parce qu'ils ont un très grand désir d'enfant[68]. Il est à noter cependant que ce risque est encore plus important en adoption internationale, où l'information sur l'enfant et sur ses antécédents est souvent inexistante.

Le récit du projet Banque-mixte de François permet de savoir comment l'a vécu Sylvie, l'intervenante de prise en charge. C'est généralement la personne la mieux placée pour dépister les enfants pouvant bénéficier d'une ressource de type Banque-mixte et celle qui est principalement responsable de mener le dossier vers son dénouement, qu'il s'agisse d'une adoption ou d'un retour dans la famille d'origine. Il montre aussi le parcours de Michel, un homme lui-même sévèrement blessé durant sa petite enfance et qui, malgré une adoption tardive et des parents adoptifs aimants, ne réussit pas à récupérer suffisamment pour devenir capable de remplir adéquatement son

---

66. Lorsque des parents du programme Banque-mixte se séparent ou divorcent après l'arrivée de l'enfant chez eux, mais avant l'adoption, l'enfant n'est pas nécessairement retiré: avec l'accord de leur intervenant adoption, les parents peuvent décider de compléter, seuls ou conjointement, le processus légal d'adoption de l'enfant.
67. Théorie de l'attachement: fiche technique 1.5.
68. Une recherche concernant le devenir de ces enfants après l'adoption est actuellement en élaboration au CJM–IU avec la collaboration de chercheurs de l'Université de Montréal.

rôle de père. Enfin, il illustre un exemple relativement simple et caractéristique de jumelage d'un enfant et de parents dans le cadre du programme Banque-mixte qui se termine avec l'adoption de l'enfant concerné, comme dans la très grande majorité[69] des jumelages de type Banque-mixte.

---

69. Statistiques concernant les dénouements possibles des projets d'adoption de type Banque-mixte au CJM–IU: fiche technique 3.17.

ROSIE ET CLARA

PERSONNES MENTIONNÉES DANS CE RÉCIT

Enfants et membres de leur famille d'origine
- **Rosie,** aînée des enfants concernées par ce récit
- **Clara,** cadette des enfants concernées par ce récit
- **Mélanie**, leur mère
- **Paul,** leur père
- **Mélodie**, troisième enfant du couple, née après le retrait des aînées de leur famille d'origine

Membres de la famille adoptive
- **Aline,** mère
- **Jean,** père
- **Charles,** fils d'Aline et de Jean, adopté après l'arrivée de Rosie et de Clara

Intervenants du CJM–IU
- **Ginette,** intervenante du Service adoption (DPJ), responsable du dossier d'Aline et de Jean
- **Chantal,** mère d'accueil de Rosie et de Clara avant leur arrivée chez Aline et Jean
- **Gloria,** psychoéducatrice qui s'occupe de Rosie et de Clara
- **Marie-Josée,** psychologue et thérapeute de Rosie
- **Marc,** intervenant de prise en charge (DPJ), responsable du dossier de Rosie, de Clara, de Mélanie et de Paul
- **Jean-Claude,** avocat au Service du contentieux du CJM–IU
- **Jacqueline,** juge à la Cour du Québec, Chambre de la jeunesse

Rosie et Clara

Ce récit part du point de vue de Ginette, l'intervenante du Service adoption du CJM–IU qui a évalué le projet Banque-mixte du couple dont il sera question. Ginette placera chez eux trois enfants dans le cadre de ce programme: une fratrie composée de deux fillettes, Rosie et Clara, et un petit garçon, Charles. Ce récit relate surtout l'adoption des deux aînées.

Outre Ginette, plusieurs intervenants ont contribué à l'évolution du dossier: Gloria, psychoéducatrice, joue un rôle prépondérant par sa présence constante et soutenue en tentant de différentes manières d'aider les parents d'origine à développer leurs capacités parentales; Chantal, mère d'accueil, reçoit les enfants chez elle en attendant le jumelage avec la famille Banque-mixte; Marie-Josée, psychologue, suit l'aînée en thérapie. Toutes trois décrivent leur rôle auprès de ces enfants.

À cause de circonstances incontrôlables[70], il y a plusieurs intervenants de prise en charge successifs dans le dossier de ces deux enfants. Le dernier intervenant, Marc, est celui qui a eu la responsabilité de présenter la requête en déclaration d'admissibilité à l'adoption à la Chambre de la jeunesse. Il raconte son expérience. Enfin, Jean-Claude, l'avocat au Service du contentieux du CJM–IU qui a déposé et défendu cette requête, explique son mandat.

Comme il est contraire au code de déontologie pour un juge de commenter ses jugements, il n'a pas été possible de rencontrer Jacqueline, la juge de la Cour du Québec, Chambre de la jeunesse, qui a rendu le jugement en déclaration d'admissibilité à l'adoption pour les deux sœurs. Des extraits de ce jugement sont cependant cités.

---

70. Il y a eu dans ce dossier plusieurs intervenants de prise en charge qui sont successivement tombés malades ou ont changé d'affectation et qui ont dû être remplacés par des employés temporaires.

Aline et Jean, les parents Banque-mixte des enfants, racontent aussi leur expérience. Mélanie et Paul, les parents d'origine, ont été contactés, mais ont refusé la rencontre.

Cette situation a été choisie pour plusieurs raisons. Elle permet d'illustrer le travail d'une intervenante au Service adoption du CJM–IU. Elle donne aussi une bonne idée du rôle des nombreux autres intervenants pouvant être impliqués dans un dossier et qui, tous, contribuent au suivi et à la réalisation du projet d'adoption, si cela devient pertinent. Elle permet enfin de voir ce qu'implique l'intégration d'une fratrie dans la même famille[71].

Ce récit commence par un résumé de l'histoire de Rosie et de Clara alors qu'elles habitent encore avec leurs parents d'origine. Le travail des intervenants directement impliqués auprès d'elles est présenté. Dans la deuxième partie, l'évaluation du couple Banque-mixte, le jumelage des enfants et l'adaptation de celles-ci chez eux sont décrits. Les démarches d'admissibilité à l'adoption sont ensuite exposées et le récit se termine par le portrait actuel de la famille.

 ## ROSIE ET CLARA

En 1998, à son arrivée au Service adoption, après avoir travaillé durant de nombreuses années comme intervenante de prise en charge, Ginette se rend compte que si les bébés en bonne santé et avec de bons antécédents[72] trouvent rapidement des postulants Banque-mixte pour les accueillir, d'autres enfants sont sur la liste d'attente du programme depuis longtemps. Il s'agit généralement d'enfants dits « plus âgés »[73], d'enfants avec déficit physique, intellec- tuel[74] ou affectif, d'enfants dont les parents sont atteints d'une mala-

---

71. Placement d'une fratrie dans une même famille: fiche technique 3.12.

72. Description des enfants orientés vers un projet de type Banque-mixte: fiche tech- nique 3.3.

73. Plus de deux ans, quelques fois même plus de dix-huit mois. Ces enfants ont sou- vent vécu des événements traumatisants durant les mois ou les années qui précè- dent leur placement dans une famille Banque-mixte.

74. Il est souvent impossible de dire si un parent d'origine qui semble fonctionner à un niveau intellectuel limité a un déficit intellectuel inné et génétiquement transmis- sible ou un déficit intellectuel acquis par un manque de stimulation par exemple. Dans ce dernier cas, le déficit n'est pas transmissible à l'enfant, surtout si ce der- nier n'est pas élevé par ce parent: annexe 2.1.

die mentale génétiquement transmissible[75] ou qui ont consommé de l'alcool ou des drogues durant la grossesse[76] et, parfois, d'enfants d'une autre ethnie et de fratries. Leurs particularités peuvent compliquer le recrutement de parents à la fois intéressés à les prendre en charge et capables[77] de le faire. Ginette se sent interpellée par ces enfants et désire ardemment leur trouver une famille.

Elle remarque entre autres Clara et Rosie, deux petites sœurs de deux et quatre ans. Elles sont sur la liste d'attente depuis huit mois. L'intervenant qui cherche une famille Banque-mixte pour elles a de moins en moins d'espoir de trouver parce qu'il s'agit d'une fratrie d'enfants plus âgées. De plus, en lisant leur dossier, Ginette constate qu'il s'agit de fillettes sévèrement négligées. S'il n'y a pas de consommation de substances dommageables de la part de leurs parents, Mélanie et Paul, et si ceux-ci n'ont pas de diagnostic de maladie mentale ou de déficit intellectuel, ils ont cependant de graves déficits affectifs.

Le CLSC de leur quartier est intervenu à partir du moment où Rosie a eu six mois et sur une période d'environ huit mois. On observe dès ce moment-là que Mélanie et Paul ont beaucoup de difficultés à adapter leur mode de vie aux besoins de Rosie. Ils partagent leur appartement avec des gens peu fiables. Ils font garder l'enfant une semaine entière par des personnes dont ils savent qu'elles consomment de la drogue. Parce qu'elle a besoin de repos, Mélanie confie Rosie à son propre père. Pourtant, dans le passé, celui-ci a déjà eu envers Mélanie des comportements inacceptables et il n'est pas exclu qu'il agisse de même avec sa petite-fille. Paul utilise l'argent du lait pour acheter des cigarettes. Tous deux sont immatures et irresponsables. Ils ont des problèmes d'organisation au plan du budget, des repas et du reste des activités de la vie quotidienne de sorte qu'une auxiliaire familiale est fournie par le CLSC.

Sur le plan des soins donnés à l'enfant, il est clair que Rosie manque de stimulation. De plus, elle mange peu et mal, dort à des heures tardives et irrégulières. Dans les quelque trente mois qui précèdent

---

75. Surtout la schizophrénie et la maladie bipolaire (maniaco-dépression): annexe 2.3.
76. L'alcool, la drogue, certains médicaments et même le tabac peuvent avoir des effets tératogènes importants sur le fœtus: annexe 2.4.
77. C'est une minorité des postulants Banque-mixte qui s'inscrivent avec l'idée d'accueillir des enfants avec particularités. Dans cette minorité, tous ne sont pas retenus pour cette clientèle: au terme de l'évaluation, certains reconnaissent, de concert avec l'intervenant évaluateur, qu'ils n'ont pas toutes les aptitudes essentielles pour composer avec ces enfants dont certains peuvent être difficiles à aimer et à aider.

le signalement, son poids oscille de façon erratique[78]. Les parents se disputent régulièrement pour décider qui se lèvera la nuit pour donner les boires et même les médicaments lorsque ces derniers s'avèrent nécessaires. Plusieurs intervenants du CLSC tentent de donner un maximum d'outils à ce couple afin d'éviter un signalement à la Direction de la protection de la jeunesse. Des entrevues rapprochées et des visites à domicile sont organisées jusqu'à ce que la famille déménage dans un autre quartier.

La naissance d'une deuxième enfant, Clara, complique la situation. Chez elle aussi, on observe une difficulté à prendre du poids et même une chute inquiétante de celui-ci nécessitant une hospitalisation vers l'âge de trois semaines. Le CLSC du nouveau quartier est à son tour impliqué. Au cours des visites, les intervenants constatent le rejet sévère dont est victime Rosie et décident de faire un signalement. C'est à ce moment que les intervenants de la Direction de la protection de la jeunesse du CJM–IU interviennent dans le dossier.

Mélanie et Paul, parents d'origine

Mélanie et Paul sont des parents qui, à première vue, font bonne impression. Tous deux ont une allure sympathique, sont sociables et souriants. Cependant, plus les intervenants les connaissent, mieux ils sont à même de constater leurs lacunes.

---

78. Les jeunes enfants sont suivis par leur pédiatre, entre autres, pour le poids, la taille et le périmètre crânien. Chez les nourrissons et les jeunes enfants, il est souhaitable que ces paramètres progressent de manière graduelle et relativement constante. Des graphiques permettent de savoir où se situe un enfant par rapport aux autres enfants du même âge et de la même ethnie. Les résultats obtenus s'expriment en percentiles. Ainsi, lorsqu'un enfant se situe au dixième percentile quant à son poids, cela veut dire que quatre-vingt-dix pour cent des enfants de son âge et de son ethnie sont plus lourds que lui et dix pour cent plus légers. Les mensurations des parents doivent être prises en considération: des parents tous deux petits et minces ont moins de chances d'avoir un enfant grand et lourd, à moins qu'ils aient eux-mêmes souffert de malnutrition dans leur enfance. La stabilité des résultats est aussi importante. Il n'y a pas lieu de s'inquiéter lorsqu'un enfant de parents petits et minces se situe toujours dans le dixième percentile si son développement est régulier et harmonieux. Par contre, lorsqu'il y a des chutes importantes et rapides, cela peut être un signe de maladie, de malnutrition ou d'autres problèmes. Une intervention rapide est alors nécessaire. Lorsque les courbes suivent une ligne erratique, avec des hauts et des bas importants, comme dans la situation de Rosie (6 mois = 10e percentile; 9 mois = 5e percentile; 12 mois = 5e percentile; 18 mois = sous zéro: moins 5e percentile; 24 mois = 25e percentile; 29 mois = 5e percentile...), cela est encore plus préoccupant.

Mélanie, âgée de 30 ans, a une pauvre estime d'elle-même. Son enfance et sa jeunesse, durant lesquelles elle est victime d'abus sexuels, dénigrée, rejetée et frappée, parfois au point d'avoir des marques ou des blessures qui l'empêchent de fréquenter l'école, ne la préparent pas à jouer positivement ses rôles d'adulte et de mère. Parce qu'elle a aussi manqué de stimulation à ces étapes cruciales de son développement, elle n'a probablement pas atteint son plein potentiel: les résultats des tests faits lors de deux évaluations psychologiques[79] montrent qu'elle dispose de capacités intellectuelles limitées.

Ces mêmes évaluations décrivent une personne très centrée sur elle-même, sur la satisfaction de ses propres besoins. Mélanie est coupée de ses émotions et incapable d'éprouver de l'empathie pour ses enfants ou pour les gens en général, elle ne sait pas se mettre à leur place, comprendre ce qu'ils ressentent. Elle éprouve des difficultés émotionnelles et affectives très importantes et une grande anxiété. Elle tente de maintenir le contrôle de sa situation en étant extrêmement dirigeante, mais elle peut aussi être très passive et influençable, timide et solitaire. Elle est sensible à la critique et se sent facilement rejetée.

Mélanie éprouve de la difficulté à contrôler son agressivité. Son comportement peut être imprévisible: elle oscille d'une attitude de soumission à des tentatives de prise de contrôle parfois accompagnées de passages à l'acte extrêmement violents. Ses méthodes éducatives sont basées sur l'usage de punitions physiques et sur une discipline très stricte. Couplé à son manque d'empathie, cela peut facilement l'amener à faire usage de violence.

Paul, âgé de 28 ans, a lui aussi connu une enfance difficile. Seul enfant adopté d'une famille de trois, il ne s'est jamais vraiment senti accepté. Il a été élevé avec sévérité: les corrections physiques sont courantes. À l'adolescence, il fait usage de drogues et a des problèmes avec la justice. Les évaluations psychologiques indiquent que ses capacités intellectuelles se situent au niveau inférieur de l'intelligence normale.

Paul éprouve des difficultés émotionnelles et affectives importantes: il est généralement dépressif, a des moments de désespoir et des idées suicidaires. Son estime de lui-même est faible, et il se décrit comme un monstre. Il est immature, anxieux et éprouve de forts sen-

---

79. La première de ces évaluations est faite à la demande de la DPJ alors que la seconde est faite à la demande de l'avocat des parents.

timents d'incapacité et d'inaptitude. Il réagit fortement à la contrainte et prend facilement des attitudes oppositionnelles. Il est hypersensible aux réactions des autres auxquelles il peut réagir avec impulsivité et colère. Son moyen de survie est l'hostilité: il attaque avant d'être attaqué.

Malgré ses difficultés, il a une assez bonne connaissance du développement des enfants, mais son grand besoin de contrôle et sa croyance presque aveugle dans l'utilisation des punitions physiques peuvent facilement l'amener à se montrer violent. Paul valorise ce type de corrections et dit qu'il serait devenu délinquant si son père ne les avait pas utilisées. Il tient absolument à imposer son point de vue et manque d'empathie. Il a de grandes carences affectives et s'attend à recevoir des marques d'affection de ses enfants afin de se sentir compétent. Il ne comprend pas qu'avant d'être capable d'aimer, un enfant doit d'abord apprendre à aimer: pour ce faire, il a besoin de recevoir l'attention et l'amour de ses parents de manière constante et congruente; il a aussi besoin d'un modèle relationnel adéquat qu'il pourra imiter.

Dans sa relation avec Mélanie, Paul est extrêmement dépendant d'elle. Il a une attitude très infantile dans ses relations affectives et est hypersensible aux réactions des autres. Tout cela le rend extrêmement vulnérable. Il fait d'importantes concessions dans le désir de préserver sa relation avec elle. Il est incapable de lui résister et se soumet à ses volontés, entre autres en ce qui a trait à l'éducation des enfants. On ne peut compter sur lui pour les protéger ou pour prendre leur part face à leur mère.

Les deux psychologues qui évaluent ce couple sont inquiets pour les enfants: tous deux suggèrent qu'elles ne soient pas retournées avec leurs parents.

Gloria, psychoéducatrice

En protection de la jeunesse, le rôle d'un psychoéducateur est, entre autres, d'aider les parents à voir clair dans la relation qu'ils entretiennent avec leurs enfants, de leur suggérer des moyens de mieux organiser le quotidien et des façons d'exercer une discipline chaleureuse, de les outiller pour dénouer les blocages, s'il y en a, afin que la vie de famille soit plus satisfaisante pour tous. Par une série de quelques rencontres, Gloria évalue les compétences parentales de ce couple et détermine les points à travailler. Elle fait ensuite un suivi de plusieurs mois auprès d'eux afin de tenter d'améliorer leurs compétences parentales. Ce suivi implique des visites à leur domicile, deux ou trois fois par semaine.

Dans ce dossier, les lacunes des parents ne sont pas claires au premier coup d'œil. Il ne s'agit pas de problèmes graves de consommation de drogues et d'alcool, comme cela se présente souvent chez la clientèle suivie par les intervenants de la protection de la jeunesse. Par contre, les effets sur les enfants sont bien concrets. Durant son suivi, Gloria sera témoin de souffrances importantes, surtout chez Rosie, qui vit un rejet catégorique de la part de sa mère.

Mélanie a un grand besoin de reconnaissance. À cause du peu d'estime qu'elle a d'elle-même, elle ne peut trouver cette reconnaissance. Il faut comprendre que Mélanie a vécu des événements terribles avec ses propres parents et que sa mère, qui l'a élevée seule en grande partie, a été sadique avec elle et l'a rejetée brutalement.

Le moyen que Mélanie utilise aujourd'hui pour se sentir importante aux yeux des autres est de faire pitié. Elle a besoin de quelque chose d'extérieur à elle pour montrer qu'elle est intéressante. C'est ainsi qu'elle fait pitié parce qu'elle est la mère d'une enfant malade, Clara, ou encore parce qu'elle a pour fille une enfant méchante qui n'aime pas sa mère, Rosie. Son conjoint est complice de cette attitude.

Ces parents sont incapables de voir leurs enfants comme distincts, différents d'eux. Ils les considèrent plutôt comme des appendices dont ils se servent pour attirer l'attention des autres. À au moins une occasion, les parents expriment leur souhait d'avoir un enfant trisomique parce qu'ils trouvent beau ce type d'enfants. Ce désir de leur part reflète encore un besoin de faire pitié, de se démarquer, au détriment de l'enfant.

La « maladie » de Clara est provoquée par les parents qui l'alimentent mal. Clara devra être hospitalisée pour une chute de poids importante à laquelle aucune explication médicale ne sera jamais trouvée. Son manque de tonus et son incapacité à faire les gestes qu'un enfant de son âge devrait pouvoir exécuter sont causés en grande partie par un manque de stimulation: de la naissance à l'âge de quatre mois environ, elle reste continuellement dans un siège de bébé, ne dort jamais dans un lit, ne joue pas avec des hochets ou d'autres jouets qui pourraient être à sa portée, et ses parents sollicitent très peu son attention. C'est comme si ces derniers ne voulaient pas qu'elle grandisse: ils préfèrent qu'elle demeure un bébé. Déjà durant sa grossesse, Mélanie a une attitude complètement différente de celle de sa première grossesse durant laquelle elle portait Rosie:

elle aime être enceinte de Clara pour le regard que les autres jettent sur elle, comme si elle avait ainsi plus d'importance, elle se sent valorisée et elle aurait aimé que cette grossesse se prolonge.

En ce qui concerne Rosie, sa « méchanceté » est fort probablement une projection de la mère, c'est-à-dire un mécanisme de défense par lequel Mélanie voit chez Rosie des affects, des sentiments, qui lui sont propres. En effet, un enfant âgé de un, deux ou trois ans n'est pas méchant envers ses parents, il réagit plutôt à leurs comportements envers lui. Or, le comportement de Mélanie envers Rosie est gravement rejetant: Rosie n'est pas une enfant désirée. Mélanie n'a eu de suivi de grossesse qu'à partir du sixième mois et n'a accepté de mener sa grossesse à terme que parce que son conjoint ne voulait pas qu'elle se fasse avorter.

Après sa naissance, Rosie reçoit très peu d'attention de la part de ses parents et est rapidement rejetée par Mélanie. Celle-ci peut l'obliger à passer des journées entières dans sa chambre sous prétexte qu'elle est malade, ce qui n'est pas le cas. C'est Rosie, le plus souvent, qui sollicite sa mère pour être prise. Elle recherche son attention et prend l'initiative de la plupart des contacts. Il y a peu de réciprocité de la part de Mélanie, et lorsque Rosie profite de la présence d'autres personnes pour tenter d'obtenir l'attention de sa mère, celle-ci est incapable de répondre à ses demandes et la rejette ouvertement: « Tu vois bien que j'ai le chien dans les bras, je ne peux pas te prendre, va voir ton père ! ». Gloria remarque que ce chien, très aimé par Mélanie, sert souvent d'écran entre elle et Rosie, d'alibi pour ne pas s'occuper de sa fille.

Mélanie dit aimer sa fille dans son cœur mais ne pas être capable de le lui montrer. À l'occasion, elle a de courts moments de lucidité. Elle peut alors reconnaître qu'elle ne l'aime pas et qu'il serait préférable que l'enfant ne reste pas avec elle, mais cela est éphémère. Les nombreux moyens que Gloria lui propose pour tenter de lui apporter un soulagement s'avèrent inefficaces. Ainsi, lorsque Rosie est intégrée à la garderie, où elle sera décrite comme un rayon de soleil, Mélanie réagit fortement et discrédite rapidement cet endroit. Elle interdit à Rosie de boire le lait de la garderie qui, selon elle, ne serait pas bon.

Elle est fréquemment dénigrante envers l'enfant n'hésitant pas à dire devant elle des paroles blessantes ou rejetantes: « Va falloir que je fasse adopter Rosie, j'ai plus d'argent pour acheter du lait. » Alors qu'elle lui demande d'aller porter ses couches dans la poubelle, elle dit d'un air dégoûté: « Elle jette ses couches sales dans ma poubelle ! ». Mélanie reproduit ainsi en grande partie les attitudes de sa propre mère envers elle. Ce sont des comportements qu'elle a appris alors qu'elle était toute petite et qui sont ancrés dans son esprit. De la même manière qu'elle a été considérée comme une mauvaise enfant par sa mère, elle attribue le rôle de mauvaise enfant à Rosie.

Si Mélanie affirme que Rosie est la fille de son père, alors qu'elle revendiquera Clara comme sa fille à elle, si elle exige que ce soit Paul qui se lève la nuit pour lui donner les boires, en même temps, elle ne favorise pas la relation entre eux. Elle se sent extrêmement menacée dès que Paul démontre un intérêt envers Rosie. Des activités aussi banales qu'une promenade en canot du père avec sa fille ou l'achat d'une glace déclenchent chez elle une réaction complètement disproportionnée. Lorsque Rosie a des élans affectueux envers Paul, Mélanie se sent là aussi très menacée. Elle décode la relation entre le père et sa fille d'une façon tout à fait fausse. Gloria en vient à craindre qu'à force de mal interpréter cette relation, Mélanie induise chez Paul des gestes inappropriés envers sa fille, semblables à ceux qu'elle-même a subis de son propre père.

Dans son intervention auprès de cette famille, Gloria doit être attentive à ne pas montrer trop d'intérêt envers les enfants, surtout envers Rosie, devant Mélanie. Si elle rit ou joue avec elle, la mère se sent rapidement menacée. Celle-ci n'a jamais eu de relation satisfaisante avec autrui et ne peut tolérer que sa propre fille en développe. Mélanie est une personne profondément blessée et torturée qui ne peut envisager que les personnes de son entourage vivent des événements positifs ou valorisants. Elle a besoin de faire souffrir pour se sentir bien.

Gloria se demande souvent comment elle réussit à ne pas hurler durant certaines de ses visites alors qu'elle voit la folie de cette mère envers sa fille. Car si Rosie fait des crises, elles sont généralement provoquées par Mélanie: « J'ai faim », dit Rosie. — « Tu ne peux pas avoir faim, il n'est pas midi », répond la mère. « J'ai faim », répète Rosie un peu plus tard. « Tu ne peux pas avoir faim, il est midi », dit la mère… Elle lui donne aussi des ordres qui n'ont pas de sens et qui mettent l'enfant dans un état complet de désorganisation, provoquant cris et pleurs.

Un autre point important à noter est l'ampleur des responsabilités que les parents donnent à Rosie, surtout à l'égard de sa sœur. Par exemple, c'est Rosie qui est chargée de faire faire à Clara les exercices recommandés par le physiothérapeute. Rosie en viendra à développer une attitude de parent envers Clara et à assumer envers elle plusieurs autres tâches qui appartiennent au rôle de parent et non à celui de grande sœur.

Enfin, les méthodes éducatives des deux parents sont souvent excessivement punitives et dénigrantes. Un épisode qui illustre bien ce point est lorsque Rosie laisse de la nourriture lors d'un repas: Mélanie interprète ce geste comme du gaspillage. Elle diminue alors la portion du repas suivant pour punir l'enfant. Elle et Paul sont incapables de comprendre qu'à cet âge, un enfant n'est pas en mesure de préméditer ses actions et d'avoir de mauvaises intentions. Ils se sentent directement visés par les agissements des enfants qu'ils interprètent comme des comportements « organisés » en vue de leur déplaire ou de les blesser personnellement.

Pourtant, Mélanie et Paul se perçoivent comme d'excellents parents: ce n'est pas de leur faute si une de leurs enfants est méchante alors que l'autre est malade. Ils ne comprennent pas qu'ils sont en grande partie la source des problèmes et, de ce fait, ils ne peuvent se mettre en action pour tenter de les corriger. Ils sont aussi très peu outillés pour effectuer des changements dans leur vie.

Gloria poursuivra le travail avec cette famille durant presque un an, sans succès. L'ampleur des carences affectives de Mélanie et de Paul, auxquelles s'ajoute un niveau de fonctionnement intellectuel peu développé, ne leur permet pas d'avoir de l'empathie pour les autres, d'être sensibles aux besoins de leurs enfants et de développer ces aptitudes dans un temps assez rapide pour que Rosie et Clara puissent en bénéficier.

Pour Gloria, ce dossier est particulièrement difficile et doulou-reux. Elle a souvent le cœur serré et sent le besoin de se confier à ses collègues de travail. Lors des rencontres avec Mélanie et Paul, elle doit se centrer sur les tâches à accomplir pour tenter de contrôler sa tristesse et sa colère. Elle est inquiète et pense souvent à cette famille le soir. Certaines de ses nuits sont troublées. Tout en éprou-vant une profonde compassion pour ces parents terriblement blessés, elle sent l'urgence d'agir afin de retirer les enfants de ce milieu néfaste.

Mais elle est aussi confrontée à l'opinion d'un professionnel externe au CJM–IU qui recommande le maintien des enfants avec leurs parents. Elle sait que l'avocat de ces derniers présentera le rap-port de ce professionnel au juge et que celui qu'elle doit elle-même rédiger devra, en contrepartie, être particulièrement clair et étayé. Elle consulte sa collègue psychologue, Marie-Josée.

Marie-Josée, psychologue

C'est d'abord par son travail de consultante que Marie-Josée est mise au courant de la situation de Clara, de Rosie et de leurs parents. À partir d'observations détaillées recueillies lors de plusieurs rencontres entre Gloria et la famille, toutes deux préparent un portrait de la situation permettant de contrebalancer l'opinion du professionnel externe devant le juge de la Chambre de la jeunesse. Elles désirent obtenir le retrait des enfants de leur famille d'origine et leur placement chez des parents mieux en mesure de répondre à leurs besoins.

Un des problèmes est le fait que les parents donnent une image de personnes démunies, prennent une attitude de victime et attirent ainsi la pitié. C'est pourquoi il est particulièrement important de montrer le point de vue de Rosie et de Clara. Une des manières pour ce faire est de décrire la relation que leurs parents entretiennent avec elles. Dans cette situation, les parents ne cherchent pas à répondre aux besoins de leurs enfants, mais se servent de leurs enfants pour combler leurs propres besoins: besoin d'attention, de faire pitié, de bien paraître… La nature du lien entre parents et enfants est primordiale ici, car ce qui peut être vu comme de l'attachement est en fait tout le contraire: les enfants n'existent pas pour elles-mêmes, mais sont utilisées pour répondre aux besoins des parents.

Dans le rapport, Gloria et Marie-Josée montrent comment Mélanie et Paul ne sont pas du tout sensibles aux affects, aux sentiments de Clara et de Rosie. Ils attendent, surtout de cette dernière, qu'elle leur démontre de l'affection spontanément comme si c'était sa responsabilité à elle de combler leurs besoins émotionnels. L'apparence physique des enfants, le fait qu'elles se fassent percer les oreilles, les photos qu'ils prennent d'elles afin de les montrer aux membres de leur famille… semblent plus importants que les enfants elles-mêmes. Peu leur importe qu'une des enfants, par exemple, ait peur de se faire percer les oreilles: ils s'approprient le corps des enfants pour leur satisfaction personnelle, pour attirer l'attention sur eux, démontrant ainsi la nature narcissique de leur lien avec elles.

Gloria et Marie-Josée démontrent aussi qu'en ce qui concerne Rosie, les parents semblent vouloir la faire souffrir volontairement par des paroles et des actes rejetants ou blessants. Il arrive que des parents fassent involontairement souffrir leur enfant, mais, dans la situation actuelle, il y a une attitude organisée, délibérée et intentionnelle. Mélanie a probablement appris cette attitude à partir de la relation de type sadique que sa propre mère a eue avec elle. C'est, malheureusement, le seul exemple qu'elle connaît.

Il n'est pas facile pour ces deux intervenantes de recommander ce qui équivaut au démantèlement de cette famille. Si elles le pouvaient, elles retourneraient en arrière pour empêcher Mélanie et Paul d'être blessés par leurs propres parents. Cela est malheureusement impossible et l'intervention doit se centrer sur les enfants d'aujourd'hui. Tout en ayant beaucoup de compassion pour Mélanie et Paul, ces deux intervenantes refusent de laisser se perpétuer cette dynamique relationnelle néfaste pour la santé physique et émotionnelle de Rosie et de Clara.

Gloria et Marie-Josée, avec l'aide de l'intervenant de prise en charge, réussissent à obtenir le placement des enfants dans une famille d'accueil. Celles-ci sont intégrées dans une famille d'accueil régulière en attendant une orientation vers une famille du programme Banque-mixte. La balle est maintenant dans le camp de Paul et Mélanie: plusieurs services leur ont été offerts, et Gloria a fait tout ce qui est possible pour les aider à développer leurs capacités parentales. Paul et Mélanie ont une dernière chance de se reprendre en main et Gloria continuera de travailler avec eux, mais durant cette ultime tentative, leurs enfants sont mises en lieu sûr.

Chantal, mère d'une famille d'accueil régulière[80]

Lorsque Gloria téléphone à Chantal pour l'informer que deux petites sœurs seront amenées chez elle le lendemain, elle décrit alors Rosie, âgée de trois ans et demi, comme une enfant en bonne santé, très maternante envers sa sœur et qui assume de lourdes responsabilités pour son âge. Elle dit aussi être très inquiète de la condition de Clara, âgée de un an et demi. Cette dernière a été hospitalisée à cause de son très faible poids et parce que les parents disent qu'elle ne mange pas. On parle même d'anorexie, mais les examens médicaux n'ont trouvé aucune cause à ce problème jusqu'ici. Clara a aussi été vue en génétique, car elle présente des traits morphologiques qui pourraient faire penser qu'elle est porteuse d'une trisomie. Ces tests sont négatifs. Gloria mentionne que la mère est à nouveau enceinte. Elle ajoute qu'une orientation vers une famille de type Banque-mixte est envisagée.

À leur arrivée, les enfants sont accompagnées de Gloria. Chantal s'occupe tout d'abord de Clara: elle a préparé un biberon et le lui offre. L'enfant accepte de le prendre et le vide complètement.

---

80. L'expérience de Chantal en tant que mère d'accueil est très riche et pourrait être le point de départ d'un autre livre consacré aux familles d'accueil dites régulières.

Chantal constate que Clara préfère être assise sur ses genoux, mais dos à elle au lieu d'être prise comme on le fait habituellement pour donner le boire à un bébé. À partir de ce premier biberon, Clara ne démontre aucune difficulté à s'alimenter. Dès la première semaine de son séjour, elle gagne quelques kilos, et ce gain se poursuit jusqu'à ce qu'elle atteigne un poids normal pour son âge. C'est une enfant souriante, qui s'adapte bien à son nouveau milieu, et le rôle de Chantal auprès d'elle consiste surtout à l'aider à récupérer au plan physique.

Simultanément, Chantal remarque que Rosie reste près de sa sœur, qu'elle est aux aguets et qu'elle examine étroitement ce qui se passe. La tâche de Chantal auprès de Rosie est plus complexe. Elle doit tout d'abord gagner sa confiance. Rosie n'est pas habituée à ce qu'un adulte prenne soin d'elle et de sa sœur. Chantal explique à Rosie que c'est sa responsabilité de mère d'accueil de s'occuper de Clara, elle lui montre qu'elle est capable de le faire, qu'elle le fait bien et, graduellement, Rosie se tranquillise. Elle redevient une petite fille qui peut jouer et s'amuser et elle accepte aussi que Chantal prenne soin d'elle.

Chantal doit aussi rassurer Rosie quant au sort de ses parents. L'information que Gloria apporte à l'enfant concernant ces derniers est transmise à Chantal et celle-ci peut en reparler avec Rosie, la reformuler, la compléter et répondre à ses questions lorsqu'elles se présentent dans le quotidien.

Chantal aide aussi Rosie à s'ouvrir à elle, au père d'accueil et aux autres enfants de la famille. Ce n'est pas une tâche facile, car Rosie a l'impression de trahir ses parents. Chantal utilise entre autres avec la fillette des techniques de bricolage: elles dessinent un cœur dans lequel elles collent des photographies des parents d'origine, mais aussi de Chantal et des autres membres de la famille d'accueil. Chantal explique qu'il y a beaucoup de place dans un cœur et qu'il est possible d'aimer plusieurs personnes en même temps. Cette intervention se révélera particulièrement utile lors du jumelage des enfants avec la famille Banque-mixte puisqu'elle aidera Rosie à accueillir ces gens de manière positive.

Un autre travail fait par Chantal, surtout avec Rosie mais aussi avec Clara, est relié aux contacts qu'elles ont avec leurs parents d'origine. Ces contacts ont lieu dans les bureaux du centre jeunesse et sont supervisés par Gloria. Chantal prépare les enfants à ces visites et les aide au retour. Elle est mise au courant par Gloria de ce qui se passe durant ces visites et peut ainsi comprendre l'état dans lequel les filles reviennent et savoir à quoi s'attendre de leur comportement. Bien que Gloria soit présente et qu'elle supervise[81] ces rencontres, il arrive que les parents soient incapables de contrôler leurs sentiments. Ils donnent souvent beaucoup plus d'attention à Clara qu'à Rosie, et cette dernière revient attristée. La mère tente aussi de profiter de l'occasion pour réactiver chez Rosie son rôle de « petite mère » envers sa sœur et celui de « surveillante » de la famille d'accueil.

Dans son travail auprès de Rosie et de Clara, Chantal apprécie particulièrement la collaboration de Gloria. Sa grande connaissance de la dynamique particulière de la famille, sa solide expertise relativement aux comportements des jeunes enfants, sa constance et son empathie envers Rosie et Clara et son respect du travail effectué par Chantal sont très précieux. La communication entre elles est claire et ouverte, et Chantal a suffisamment de renseignements pour comprendre et intervenir adéquatement auprès des fillettes. Elle se sent soutenue par Gloria et sait pouvoir compter sur elle.

Avec le temps et grâce au soutien de Chantal et de Gloria, Rosie devient plus détendue envers sa sœur. Elle adopte graduellement une attitude un peu plus conforme à son âge. Durant son séjour chez Chantal, c'est une enfant agréable. Chantal constate toutefois qu'elle se préoccupe beaucoup des autres enfants de la famille d'accueil, ce qui est encore une manière pour Rosie de conserver son rôle de « petite mère ». Elle accueille les nouveaux arrivés, les aide à s'adapter et à faire confiance aux parents d'accueil. Elle encourage les enfants qui partent.

Rosie observe que certains de ceux-ci partent pour aller chez des parents qui désirent les adopter. Elle est présente lorsque ces gens viennent rendre visite aux enfants dans la famille d'accueil. C'est une fillette intelligente: elle comprend que ces enfants auront une famille exclusivement pour eux, une famille capable de les aimer et de leur réserver une place privilégiée, stable et sécurisante. Son désir d'avoir elle aussi une famille de ce type germe graduellement.

---

81. Contacts entre l'enfant et ses parents d'origine durant la période de suivi: médiation versus supervision: fiche technique 4.11.

PROJET DE VIE POUR ROSIE ET CLARA

Durant cette période, Ginette cherche toujours une famille capable d'offrir un projet de vie à Rosie et Clara. Sur la liste d'attente, elle remarque Aline et Jean, un couple désireux d'accueillir une fratrie.

Aline et Jean, parents d'adoption de Rosie et Clara dans le cadre du programme Banque-mixte

Jean et Aline se rencontrent dans le cadre du travail: Aline occupe déjà un poste en sciences de la santé et Jean, un emploi d'étudiant tout en poursuivant ses études en administration. Rapidement, ils se rendent compte qu'ils partagent des goûts, des intérêts et des valeurs communes. Tous deux sont des humanistes qui accordent peu d'importance aux apparences. Aline apprécie la douceur et la tendresse de Jean et ce dernier aime le sens de l'humour d'Aline. Après six mois de fréquentations, ils commencent leur vie commune.

Lorsqu'ils tentent d'avoir des enfants, des difficultés se présentent: Aline fait plusieurs fausses couches et ne réussit pas à mener une grossesse à terme. Tous deux ne désirent pas entreprendre un suivi en clinique de procréation assistée, car ils jugent le protocole trop invasif et comprennent difficilement les gens qui s'engagent dans une telle démarche. Ils ne cherchent pas non plus à connaître l'origine de leurs difficultés. Aline éprouve un certain regret: elle aurait aimé mener à terme une grossesse. Il lui arrive de voir ce regret se réactiver lorsqu'elle apprend que sa sœur est enceinte, par exemple.

Jean a déjà pensé à l'adoption. Pour lui, c'est une option aussi valable pour créer sa famille que celle d'avoir des enfants biologiques. Il croit que les liens qui se créent par la vie familiale sont au moins aussi importants que les liens du sang et les ressemblances physiques. Aline partage cette vision. Tous deux ne se sentent cependant pas à l'aise avec l'adoption internationale. Ils se disent qu'il y a sûrement des enfants québécois ayant besoin de parents.

En 1993, ils décident de venir à une réunion d'information du Service adoption concernant le programme Banque-mixte. À la suite de cette réunion, ils ressentent une crainte surtout liée à la possibilité de retour de l'enfant dans sa famille d'origine. Après une, deux ou trois années de vie familiale, comment eux et, surtout, l'enfant qui leur serait confié réagiraient-ils à une séparation? Ce sont aussi des gens qui valorisent leur intimité: la perspective de voir des intervenants les évaluer et intervenir dans leur vie les rebute. Ils ne se sentent pas prêts à s'engager et mettent le projet en veilleuse durant cinq ans.

Ils reviennent à une deuxième réunion d'information en 1998. Ils ont maintenant tous deux trente-quatre ans, ils ont entendu parler du programme Banque-mixte dans les médias et par des amis. Ils ont mûri et le programme a évolué: les risques de retour de l'enfant dans sa famille d'origine ont diminué[82] et l'expertise des intervenants s'est enrichie. Ils se sentent alors rassurés et capables de s'engager.

Leur décision étant arrêtée, ils prennent le projet à bras le corps et réalisent rapidement les démarches d'inscription. Ils sont proactifs et entreprennent le processus d'évaluation en rédigeant leur biographie respective et en montant un dossier le plus complet possible. Selon eux, s'ils désirent vraiment des enfants, c'est leur responsabilité de se prendre en main et de se présenter.

Ils ont bien réfléchi au type d'enfant avec lequel ils se sentent à l'aise de s'engager. Ils préfèrent passer inaperçus et ne veulent pas que leurs enfants soient facilement identifiés comme des enfants adoptés. En ce sens, ils désirent des enfants de race blanche. Une fratrie les intéresse, car cela leur permet d'accélérer la formation de leur famille. Par contre, ils ne tiennent pas à avoir un tout jeune enfant: ils se disent qu'il est probablement plus facile de trouver des parents pour un bébé et se sentent capables de s'occuper d'enfants plus âgés qui ont vraisemblablement connu des difficultés.

Au cours de l'évaluation, Ginette constate que ces deux conjoints s'aiment beaucoup. Ils démontrent de l'affection l'un pour l'autre, rient ensemble, discutent avec vigueur et se taquinent. Ce sont deux personnes matures, chaleureuses, stables et solides. Financièrement à l'aise, ils sont propriétaires d'une résidence en banlieue, ont un chien et un chat. Ils sont impliqués socialement et s'occupent de leurs neveux et nièces.

Ginette rédige l'évaluation et accepte leur projet dans le cadre du programme Banque-mixte, puis elle leur parle de Rosie et de Clara[83]. Ces enfants correspondent à leur demande. Ils se sentent à l'aise avec la description qu'elle en fait et acceptent d'aller les rencontrer

---

82. Statistiques concernant les dénouements possibles des projets d'adoption de type Banque-mixte au CJM–IU: fiche technique 3.17.
83. Ginette souligne qu'aujourd'hui elle hésiterait beaucoup à placer deux enfants simultanément, même s'il s'agit de deux sœurs. Mais à l'époque, nouvelle venue au Service adoption, elle ne mesure pas tous les risques inhérents à ce type de jumelage. Placement d'une fratrie dans une même famille: fiche technique 3.12.

dans leur famille d'accueil. Ils sont rassurés de voir que Ginette prévoit une intégration progressive et qu'elle désire respecter leur
rythme autant que celui des enfants.

Jumelage de Rosie et Clara avec Aline et Jean

Jean décrit sa nervosité lors du premier contact: il dit qu'il a
l'impression d'être « décérébré »! Il arrive dans une maison pleine
d'enfants, ne se souvient plus du prénom de celles qui lui sont proposées et oublie laquelle est l'aînée. Il doit prendre le temps de se cal-
mer. Aline aussi est émue: elle se souvient encore de la première
image de Rosie dans sa robe bleue, de Clara qui s'avance en rampant
et de tous ces premiers instants si émouvants! Cette première visite
dure environ une heure en présence de Ginette et de Gloria.

Après quelques minutes, Clara, deux ans, se laisse approcher.
Elle n'est pas belle. Toute menue, elle donne l'impression d'avoir un
retard intellectuel. Ginette a expliqué précédemment au couple que
des tests ont été faits et, qu'à ce jour, aucun diagnostic particulier n'a
été posé. Ses retards sont attribués au grand manque de stimulation
dont elle a été victime. Jean et Aline sont facilement séduits, car elle
est rapidement capable de se faire prendre et de se lover dans leurs
bras. Son grand besoin d'affection les touche, et ils se disent que s'ils
avaient donné naissance à des enfants, un de ceux-ci pourrait avoir
des limites du même genre. Ils posent des questions et se renseignent
sur sa condition, mais n'hésitent pas à s'engager auprès d'elle.

Rosie, quatre ans, est méfiante et réservée. Cette dernière désire
beaucoup avoir une famille, mais elle se sent bien chez Chantal et
n'est pas prête à aller n'importe où. De plus, sa mère d'origine ne lui
donne pas la permission de s'attacher à d'autres personnes. Il faut
que Jean et Aline la courtisent. Rosie prend le temps d'évaluer la
situation, les risques. Elle est prête à donner une chance, mais pas à
n'importe qui.

Chaque rencontre est préparée avec le couple et avec les enfants.
Une réflexion est faite après la rencontre avec chacune des fillettes:
Gloria et Chantal vérifient leur compréhension, ce qu'elles aiment et
ce qu'elles n'aiment pas... De son côté, Ginette est en contact continu
avec Aline et Jean: elle s'assure qu'ils se sentent à l'aise avec les
enfants, avec le processus de jumelage et avec les intervenants
impliqués; elle répond à leurs questions et propose des solutions à
certaines difficultés.

Graduellement, Rosie se laisse plus facilement approcher par
Aline, mais elle reste très réservée avec Jean. Comme elle aime beau-

coup les fleurs, il lui apporte des bouquets et l'amène ensuite visiter son jardin. Les enfants explorent aussi la maison et ce qui sera leurs chambres. La transition se déroule sur plusieurs semaines, ce qui est assez long pour des enfants de cet âge. Il faut beaucoup de finesse, mais, petit à petit et pas à pas, la confiance s'établit et le jumelage s'effectue.

Un élément qui aide particulièrement au changement est l'attention exclusive dont les filles bénéficient chez Aline et Jean. Contrairement à Chantal qui doit s'occuper de nombreux enfants, tous deux consacrent, durant les visites, tout leur temps et toute leur attention à Rosie et à Clara. C'est une période durant laquelle, un peu comme ce que vivent les amoureux, il n'y a qu'elles au monde aux yeux de Jean et d'Aline. Rosie constate aussi qu'on ne lui demande pas d'être responsable de sa sœur. Elle conserve son rôle de petite fille et elle est aussi importante que Clara: il est agréable d'être vue et regardée, de se sentir unique.

Période d'acclimatation

Une fois l'intégration faite, le premier élément que Jean et Aline doivent prendre en considération est l'attitude de protection de Rosie envers Clara. C'est probablement le changement de famille qui réveille les inquiétudes de Rosie. Celle-ci redevient très préoccupée par le bien-être de sa sœur alors que, chez Chantal, cela s'était atténué. C'est le principal défi qu'ils doivent affronter. Ils sont étonnés de voir à quel point elle prend son rôle à cœur. Gloria leur en avait parlé, mais observer ce comportement dans la vie quotidienne est autre chose. Rosie se sent investie de la responsabilité de sa sœur, aussi elle s'offusque lorsqu'ils leur arrivent de gronder Clara: « Tu n'as pas le droit de chicaner ma sœur! » Graduellement, ils lui font comprendre que c'est leur rôle en tant que parents de s'occuper de Clara, ils lui montrent qu'ils sont capables de le faire et qu'ils le font bien. Ils en viennent à gagner sa confiance. Ils l'aident aussi à reprendre son rôle d'enfant, à jouer et à devenir un peu plus insouciante.

Aline prend deux ans de congé parental[84]. Elle passe toutes ses journées avec les filles, joue avec elles et partage leurs activités. Au

---

84. Dans le cadre du programme Banque-mixte, même s'il est clair que l'adoption n'est pas encore réalisable et qu'elle ne se réalisera peut-être pas, le congé parental commence au moment du jumelage de l'enfant avec la famille. Il s'agit d'une entente visant à favoriser l'intégration des enfants dans une famille. [http://www.rqap.gouv.qc.ca/prestations/index.asp#adoption]. (Date de consultation: 2007-08-07.)

retour du travail, Jean se joint à elles. Ils apprivoisent les enfants petit à petit, par des actions simples, chaleureuses et constantes. Dès le début, ils les considèrent comme leurs enfants et se voient comme formant avec elles une famille, même s'ils ont encore le statut de famille d'accueil et si les enfants ne portent pas leur nom.

Les visites aux parents d'origine se poursuivent environ une fois par mois. Clara n'est pas trop perturbée; il lui arrive à l'occasion de faire des cauchemars après les visites, mais sans plus. Rosie, par contre, revient souvent en larmes. Aline s'assoit avec elle, la prend dans ses bras et la berce. Elle attend qu'elle se calme et qu'elle redevienne capable de passer à autre chose. Aline réalise que les mots sont peu utiles dans ces occasions. Les câlins et un accompagnement calme réussissent plus rapidement à réconforter Rosie.

Devant la détresse des enfants, Aline et Jean aimeraient bien que les visites soient suspendues mais, en même temps, ils tiennent à respecter les conditions de l'ordonnance. Aline est plus émotive et Jean plus rationnel. Ce dernier tient beaucoup à ce que le processus soit respecté. Il accepte de vivre des difficultés pour réaliser son plus grand désir: obtenir l'autorisation du juge d'adopter les enfants[85]. Il estime de plus qu'il est important pour Rosie, et aussi pour Clara, « d'évacuer et de démystifier » leurs relations avec leurs parents[86].

Aline et Jean démontrent toujours beaucoup de respect envers les parents d'origine. Ils ne ressentent pas de haine envers eux, ne posent jamais de jugement et expliquent aux enfants les difficultés de Mélanie et de Paul d'une manière qui démontre beaucoup de compréhension à leur égard.

---

85. Il est essentiel de respecter les conditions de l'ordonnance prononcée par le juge. Il faut se rappeler qu'à cette étape l'enfant concerné n'est pas admissible à l'adoption et que le DPJ doit travailler avec les parents dans la perspective prévue par l'ordonnance: agir autrement compromettrait un éventuel projet d'adoption puisque les droits de l'enfant et de ses parents n'auraient pas été respectés.

86. Le pédopsychiatre Maurice Berger fait remarquer « [...], c'est au contact de ses parents qu'un enfant développe une ambivalence normale à leur égard. Il constate qu'ils ne sont ni tout-puissants, ni parfaits. Ils sont au mieux d'assez bons parents et, sur ce fond satisfaisant, ils peuvent se montrer peu compréhensifs ou inadéquats dans d'autres domaines. De plus, ils sont l'objet de sentiments mêlés d'amour et d'agressivité. Les parents sont donc à la fois aimés et critiqués, attaqués (en pensée tout au moins). Lorsque l'enfant n'est pas en contact avec ses parents, il ne peut élaborer ce mouvement d'ambivalence: sa mère et parfois son père sont aimés d'une manière idéalisée ou rejetés, haïs, sans que ces deux représentations opposées puissent entrer en conflit d'une manière fructueuse, et aboutir à un compromis » (1992, p. 76-77).

Tout au long de la réalisation du projet, ils restent attentifs et circonspects: ils sont conscients qu'aucun système n'est parfait, que les intervenants sont surchargés de dossiers et que des erreurs sont vraisemblables. Ils posent des questions, se renseignent et s'assurent de comprendre le mieux possible le fonctionnement du processus dans lequel ils sont engagés. Tous deux ont des moments d'insécurité, surtout lors des visites des filles à leurs parents d'origine, mais ils persévèrent et traversent les étapes une par une.

Gloria et Ginette continuent de leur apporter du soutien. Ensemble ou séparément, elles les visitent, les écoutent et leur donnent des conseils. Gloria, par sa formation d'éducatrice, est particulièrement bien outillée pour les aider à résoudre les problèmes liés à la vie quotidienne. De son côté, Ginette connaît bien la réalité des familles de type Banque-mixte. Elle connaît les angoisses et inquiétudes qu'ils peuvent vivre et a de bonnes qualités d'écoute.

Aline et Jean sont heureux d'avoir ce soutien, car ils constatent que leurs proches ne comprennent pas toujours les modalités du programme Banque-mixte, les contraintes légales et le fonctionnement de la Direction de la protection de la jeunesse et du centre jeunesse. Dans ce contexte, il leur est difficile de se confier à eux. Ils se sentent souvent obligés d'expliquer, de défendre et de motiver les actions posées par les intervenants, ce qui n'est pas toujours facile.

Ils n'aiment pas non plus la curiosité un peu malsaine manifestée par quelques personnes de leur entourage qui leur posent des questions indiscrètes sur les filles et leurs parents et qui expriment des inquiétudes quant à l'hérédité et même « l'atavisme » dont elles pourraient être porteuses. Aline et Jean sont convaincus que les comportements inadéquats manifestés par Mélanie et Paul ne se transmettent pas génétiquement. Ils estiment que l'amour et l'éducation reçus dans leur famille seront plus importants et ils sont très discrets quant à ce qu'ils disent aux membres de leur entourage.

Aline et Jean décrivent la période d'acclimatation comme « un fleuve qui coule », un processus long, mais sans heurts ni surprises. Ils ont pris le temps de s'adapter aux filles et ne les ont pas bousculées. Apprivoiser Rosie a nécessité plus de délicatesse. Elle est secrète, et ils ont eu plus de difficulté à la saisir. Ils se sont parfois posé des questions sur la qualité de l'attachement qu'elle était en train de développer avec eux. Par contre, comme elle pouvait parler au moment du jumelage, ils ont eu un instrument de plus pour communiquer avec elle.

Ils auraient aimé pouvoir accueillir Mélodie, la petite sœur des filles qui est née juste au moment du jumelage dans leur famille. Ils pensent qu'ils auraient été capables de répondre aux besoins des trois enfants. Les intervenants ont jugé préférable de la placer dans une autre famille, et aujourd'hui Aline et Jean réalisent que cela est probablement une bonne décision. Ils n'ont pas de contacts avec la famille qui l'a accueillie. Étant donné le tempérament de Rosie, ils pensent qu'il vaut mieux avoir fait une coupure franche. Si les contacts avaient été maintenus, elle aurait ressentie une responsabilité aussi envers cette enfant. Aline et Jean savent qu'il est possible que Mélanie et Paul aient d'autres enfants et qu'ils ne peuvent tous les accueillir.

Marie-Josée: travail thérapeutique avec Rosie

Quelques mois après le jumelage avec la famille Banque-mixte, Gloria demande à Marie-Josée d'intervenir directement auprès de Rosie. Cette dernière éprouve des difficultés: elle est en deuil de sa mère naturelle tout en se sentant rejetée d'elle; elle éprouve aussi un conflit de loyauté, car elle est partagée entre l'allégeance naissante qu'elle ressent envers ses parents Banque-mixte et celle qu'elle ressent encore envers ses parents d'origine.

Marie-Josée rencontre Rosie dans le cadre d'une thérapie par le jeu[87] pour une première période de treize rencontres et, à l'occasion de l'adoption de son jeune frère deux ans plus tard, pour une seconde période de trois rencontres. En préparation de ces rencontres, elle a aussi des entrevues avec les parents adoptifs, Aline et Jean. Ceux-ci ressentent la souffrance de leur fille et sont heureux qu'elle puisse bénéficier de l'aide d'une psychologue.

Le travail que Marie-Josée réalise avec Rosie est centré sur sa vie intérieure, sa vie psychique, car la fillette apporte en thérapie un matériel riche, contrairement à la majorité des enfants suivis à la DPJ. Ces derniers ont souvent une vie intérieure pauvre, n'ayant pas bénéficié de relations précoces favorables au développement de cette vie intérieure.

---

87. Dans la thérapie par le jeu, l'enfant choisit pour s'exprimer le médium qui l'intéresse: dessin, maison de poupée, jeu de rôle avec l'intervenant, marionnette, pâte à modeler… Par ces moyens, il met en scène ce qui le préoccupe. Le thérapeute donne un sens au matériel apporté par l'enfant, l'aidant ainsi à faire des liens avec ce qu'il vit au plan psychique.

Rosie, pour sa part, fait partie de ces enfants dits « parentifiés », c'est-à-dire des enfants qui ont eu, avec au moins un de leurs parents, une relation significative, mais inversée, où ils maternent leur parent plutôt que d'être maternés par lui. Ainsi, Rosie se préoccupe de sa mère, elle est sensible à son vécu et au fait que ses parents soient très démunis.

Durant les années passées à se préoccuper de ses parents d'origine, Rosie a développé une fausse maturité. Marie-Josée remarque que ces enfants s'en sortent souvent mieux que les autres: ils sont mieux construits sur le plan émotif, sont souvent plus intelligents et réussissent mieux à l'école. Il y a cependant un prix à payer, car ils nient leur besoin infantile de dépendance, complètement tournés qu'ils sont vers la satisfaction des besoins émotifs de leurs parents. Avec les années, ils risquent de développer un « faux *self* », une façade fabriquée de toutes pièces, qui entrave le développement de leur identité.

Un des thèmes abordés dans la thérapie est le deuil: Rosie a peur de perdre l'image, la trace de ses parents et surtout celle de sa mère. Elle apporte la métaphore de ballons où sont imprimés les visages de ses parents et qui s'envolent vers le ciel, exprimant ainsi sa crainte de les oublier. Un autre thème est la culpabilité ressentie par Rosie: elle se sent responsable du démantèlement de sa famille. Elle apporte souvent des images de familles détruites, elle parle de retourner chez eux dans l'idée, peut-être, de réparer. Elle est inquiète d'eux, se sent responsable de l'abandon et vit en même temps son intégration dans une famille aimante comme une punition qu'elle infligerait à ses parents. L'éventuelle adoption est donc ressentie comme conflictuelle par Rosie et cela l'empêche de l'envisager positivement et de s'y investir avec sérénité.

Rosie a aussi des souvenirs de traitements inadéquats infligés par sa mère qui entraînent chez elle un sentiment d'être rejetée par celle-ci. Elle dit que sa mère ne veut pas l'aimer et, en même temps, elle la protège en prenant sur elle, en assumant, les causes de ce rejet. Elle donne ainsi raison à sa mère de la rejeter et conserve, par le fait même, une image idéalisée de sa mère. Elle a de la difficulté à se centrer sur ses propres affects et à exprimer ouvertement la colère qu'elle éprouve. Cette colère non extériorisée entrave son processus de deuil: il est ardu de se réconcilier avec une perte lorsqu'on éprouve de la colère envers la personne perdue, lorsqu'il y a des choses non réglées. Un deuil est plus facile à entreprendre lorsqu'on est en paix... Tant que la colère n'est pas reconnue, il est laborieux de passer à autre chose et, dans le cas de Rosie, de se tourner vers de nouveaux parents.

Graduellement, par le travail qu'elle fait avec Marie-Josée, Rosie devient capable de parler de ses craintes, de ses émotions et aussi de ses espoirs. Car, durant cette période, elle démontre aussi de différentes manières qu'elle est très bien dans sa nouvelle famille. Elle réussit petit à petit à se détacher de sa famille d'origine et à affirmer son attachement à ses nouveaux parents en demandant, entre autres, à porter leur nom.

Elle reste vulnérable et certains événements, comme la fête des Mères, réactivent son deuil. Un autre événement perturbateur est l'adoption d'un petit frère, Charles, le troisième enfant de la famille. À cette occasion, Rosie se sent très angoissée, et ses parents jugent nécessaire d'organiser de nouvelles rencontres avec Marie-Josée.

L'arrivée de Charles rappelle à Rosie la naissance de Clara. Après cette naissance, Rosie a eu le sentiment de perdre sa place, car ses parents d'origine mettaient beaucoup d'énergie à s'occuper de la nouvelle enfant au détriment de Rosie. Le type d'attention que les parents manifestaient alors envers Clara n'était pas favorable à son développement, mais aux yeux de Rosie, qui à ce moment-là avait vingt mois, cette attention, combinée à l'attitude rejetante de ses parents envers elle, lui avait fait croire qu'elle n'avait plus de raison d'être dans sa famille d'origine. Elle craint que cela ne se reproduise dans sa nouvelle famille, avec l'arrivée de Charles.

Elle questionne Marie-Josée sur ses enfants et dit l'imaginer mère d'un garçon et d'une fille: elle demande s'il y a une différence pour une maman d'avoir un garçon plutôt qu'une fille et si la maman peut préférer avoir un garçon. Enfin, elle se préoccupe du rang qu'elle occupe dans la famille: elle a l'impression que Charles a pris la place de Clara, comme cette dernière a pris sa place à elle dans la famille d'origine. Elle constate que Clara s'occupe beaucoup du petit frère, comme elle-même, Rosie, a fait avec Clara lorsqu'elle était bébé. Elle a l'impression de n'avoir plus de rôle à jouer dans la nouvelle famille et, de là, de n'avoir plus de place. Elle craint d'être rejetée à nouveau.

Avec l'aide de Marie-Josée et le soutien de ses parents adoptifs, Rosie est rapidement apaisée et rassurée. Étant donné la vulnérabilité de Rosie, on pourrait penser qu'il aurait été préférable que les parents n'adoptent pas de troisième enfant. Mais, en fait, cela lui permet de vivre une expérience concrète où, justement, elle ne perd pas sa place.

Marie-Josée remarque l'intelligence de cette fillette qui est capable de faire des associations avec son vécu antérieur, de répondre aux interprétations qui lui sont faites en apportant un matériel riche. Elle considère comme un privilège de travailler avec ce type d'enfant. Elle apprécie aussi beaucoup Aline et Jean. Elle les décrit comme des parents qui acceptent inconditionnellement leurs enfants. Ils savent donner à chacun sa place, en acceptant leurs différences et en démontrant une belle sensibilité à leur vécu émotif.

Les personnes qui décident d'adopter à cause d'un problème relié à leur fertilité doivent avoir surmonté une partie de leur peine, se questionner sur leurs attentes face à l'enfant qu'ils accueillent et avoir assez de maturité pour ne pas exiger de lui qu'il assouvisse leurs aspirations parentales. De plus, ils doivent accepter le fait que l'enfant qu'ils auraient eu s'ils avaient été fertiles serait très différent de celui qu'ils adoptent, autant par l'hérédité que par le tempérament. Enfin, s'ils choisissent d'adopter un enfant plus âgé, ils doivent être capables de reconnaître que celui-ci a un vécu dont ils ne font pas partie et des parents d'origine présents autant dans son imaginaire que dans sa réalité.

Aline et Jean sont des gens à l'aise avec l'expression des sentiments : ils savent reconnaître ceux de Rosie, qui n'a pas appris à être à l'écoute de ses propres émotions. Ils l'aident à reconnaître ce qu'elle ressent et à développer ainsi sa propre identité, son vrai Moi. Ils sont capables de l'aider à donner un sens à ce qu'elle éprouve, favorisant ainsi le processus de mentalisation[88] et donc, le contrôle de ses émotions : pour être capable de se contrôler, il faut comprendre ce qui se passe en soi, la nature et l'origine des émotions qui nous habitent.

Ces parents sont très sensibles à la souffrance de leurs enfants et à leurs besoins particuliers. Ils démontrent une grande finesse de décodage étant capables, entre autres, de comprendre ce qui soutient leurs comportements : ils savent qu'un geste pouvant être qualifié de négatif ou même d'agressif est généralement un symptôme de détresse et ils cherchent à comprendre cette détresse. Cette compréhension les aide à se sentir moins directement visés par une parole ou un geste déplaisant. Cela leur permet aussi de prendre de la distance, de départager ce qui appartient au passé de Rosie et ce qui origine de leur propre relation avec elle. Ils peuvent ainsi comprendre

---

88. Processus de mentalisation : « Une fonction réflective permettant la compréhension de ses propres comportements et des comportements des autres en termes d'états mentaux » (Fonagy, 1999).

qu'un excès de colère de Rosie, par exemple, peut trouver sa source dans un souvenir douloureux du passé réactivé par un événement du présent. Cette compréhension leur évite d'être trop personnellement blessés et leur permet d'accuser le coup d'une manière plus contrôlée. Ils peuvent alors se demander ce qui se passe, poser des questions à Rosie, vérifier leur compréhension des choses auprès d'elle et l'aider à donner un sens aux émotions qui l'envahissent: « Quand je m'occupe trop longtemps de Charles, est-ce que tu as peur que je t'oublie, que je ne t'aime plus? »

 ## PROCESSUS DE DÉCLARATION D'ADMISSIBILITÉ À L'ADOPTION

Comme Mélanie et Paul sont incapables de renoncer à leurs droits parentaux dans l'intérêt des enfants, ils ne signent pas de consentement à l'adoption. Il est donc nécessaire de demander à un juge de la Cour du Québec, Chambre de la jeunesse, de prononcer une déclaration d'admissibilité à l'adoption. Trois personnes ont joué un rôle primordial dans ce processus: Marc, intervenant de prise en charge, Jean-Claude, avocat au Service du contentieux du CJM–IU, et Jacqueline, juge à la Cour du Québec, Chambre de la jeunesse.

Marc, intervenant de prise en charge

Dans le dossier de Rosie et de Clara, Marc prend la suite d'une intervenante qui quitte son poste pour une autre affectation. Son expérience auprès des jeunes enfants et son implication en enfance abandonnée le préparent particulièrement bien pour assumer ce dossier. C'est un intervenant déterminé à tout faire pour aider les parents à redevenir capables d'assumer la garde de leurs enfants et il n'hésite pas à s'engager auprès d'eux. Par contre, lorsqu'il constate qu'ils sont incapables de se reprendre en main, il n'hésite pas non plus à orienter les enfants vers un projet de vie convenant mieux à leurs besoins, car il importe de protéger ces derniers des contrecoups de la situation des parents.

Dans la situation de Rosie et de Clara, tout ce qui pouvait être offert l'a été, de nombreux intervenants très compétents se sont impliqués sur une longue période pour aider les parents, sans succès: la porte n'est pas fermée, mais il appartient désormais à Paul et à Mélanie de démontrer que la situation pourrait être différente.

Lorsqu'il prend la relève, une des tâches importantes de Marc est celle d'observer et de surveiller les contacts entre les enfants et les parents: si ces derniers ne respectent pas les consignes décidées avant la rencontre, il doit intervenir, et s'ils persistent dans leurs attitudes inadéquates, il doit même mettre fin à la rencontre. C'est ce qu'il appelle « un travail de policier », un travail ingrat qui doit cependant être fait pour protéger les enfants.

De leur côté, les parents tentent d'exercer un contrôle sur les visites en se présentant chacun à des moments différents, ce qui augmente les déplacements pour les enfants. À une certaine période, ils se séparent en pensant que cela leur donnera plus de chances de les reprendre. De plus, ils ne viennent pas de façon régulière et n'avertissent pas lorsqu'ils seront absents: les enfants se présentent et sont déçues. Il faut alors exiger des parents qu'ils confirment leur présence vingt-quatre heures à l'avance. Malgré cela, il leur arrive encore régulièrement de téléphoner pour annoncer leur présence à la visite du lendemain puis de ne pas venir.

Les contacts deviennent de plus en plus irréguliers et perdent leur sens pour les enfants: celles-ci sont de moins en moins intéressées à rencontrer des personnes qu'elles ne sentent pas vraiment préoccupées par elles, par leur bien-être. De plus, Rosie, l'aînée, qui a été rejetée et dénigrée par ses parents, trouve ces rencontres très difficiles. Souvent, les parents s'occupent de Clara et laissent Rosie seule à s'amuser dans un coin ou bien ils apportent un cadeau à Clara sans en apporter pour Rosie, et ce, malgré l'intervention de Marc qui leur fait remarquer leur négligence et son impact sur Rosie. L'incapacité parentale permanente et l'improbabilité de reprise en main de Mélanie et de Paul deviennent de plus en plus évidentes.

Durant cette période, Marc ne visite pas les enfants chez Aline et Jean. C'est Gloria qui se charge de cette tâche, car, aux yeux des enfants, Marc représente leurs parents, et elles se sentent menacées par sa présence chez elles. Outre la supervision des visites, le travail de Marc consiste à rassembler toute l'information pertinente et à la présenter dans un rapport destiné au juge de la Chambre de la jeunesse.

Au moment de la comparution, la mère se présente accompagnée d'amis, mais le père ne vient pas. Le témoignage de Marc dure trois heures et n'est pas facile. Le dossier est imposant, touffu et complexe. La mère soutient que le père et elle ne sont pas venus plus souvent aux visites parce que Marc a suspendu celles-ci. L'avocat de la défense qui la représente fait très bien son travail. Il questionne Marc en détail. Celui-ci doit consulter le dossier et expliquer les raisons de chaque contact manqué, qui sont le plus souvent des raisons appartenant aux parents : absences malgré une confirmation préalable, retards, annulations de dernière minute... En fin de compte, malgré tous les efforts de l'avocat de la défense, le juge acquiesce à la demande du DPJ et déclare les enfants admissibles à l'adoption.

Selon Marc, le processus qui a mené à cette décision a été très long pour plusieurs raisons : les intervenants de prise en charge se sont succédé à cause de départs pour maladie, de changements d'affectation ou autres, certains intervenants remplaçants sont peu expérimentés, l'encadrement à cette époque n'était pas aussi rigoureux qu'aujourd'hui...

Depuis l'avènement du programme *Projet de vie*[89], le suivi des parents d'origine se fait dans le cadre d'un plan d'intervention révisé tous les trois mois avec des objectifs clairs[90]. Une limite de temps est donnée au début. Les parents lisent et signent le plan d'intervention. S'ils ne le respectent pas, il est alors plus facile d'en faire la preuve. Malgré tout cela, Marc constate qu'il y a encore des dérives de projets de vie. Selon lui, il manque d'intervenants formés et spécialisés dans ce type d'intervention, qui exige beaucoup de rigueur et de minutie.

Jean-Claude, avocat au Service du contentieux du CJM–IU

Jean-Claude décrit le travail d'avocat comme un travail de mandataire, c'est-à-dire un travail où on agit pour le compte de quelqu'un, pour défendre les intérêts de cette personne. Dans le cas de la *Loi sur la protection de la jeunesse,* il s'agit des intérêts des enfants. Il doit faire abstraction de ses propres valeurs et jouer un rôle neutre, avoir une certaine humilité et s'en remettre au mandat que le client lui confie.

Le travail de l'avocat dans ce contexte a une influence déterminante sur le devenir de l'enfant puisque c'est le juge de la Chambre de la jeunesse qui prend les décisions. Jean-Claude tient pour acquis, avec conviction, que le devenir de l'enfant est en péril si le mandat qui lui est confié n'est pas mené à terme. Cela est particulièrement vrai dans les situations Banque-mixte où l'enjeu est énorme : offrir à l'enfant un milieu de vie stable et convenant mieux à ses besoins. Il

---

89. *À chaque enfant son projet de vie permanent : un programme d'intervention – 0 à 5 ans :* fiche technique 1.6.
90. Défis d'intervention reliés au programme Banque-mixte : quatrième série de fiches techniques.

mentionne qu'il y a des dossiers où la détresse des enfants le touche particulièrement. Ces dossiers sollicitent toute son énergie et toutes ses habiletés.

Jean-Claude participe dès le début à l'intervention dans cette situation qui est particulière parce que plusieurs enfants d'une même famille sont concernées. Il représente le Directeur de la protection de la jeunesse dès la première ordonnance de protection et jusqu'au mandat en admissibilité à l'adoption. Il connaît très bien les parents, leurs limites, et est au courant de tous les services qui ont été offerts. Il souligne que l'admissibilité à l'adoption est l'aboutissement d'un long processus visant d'abord à maintenir l'enfant dans son milieu d'origine, tel que le privilégie la *Loi sur la protection de la jeunesse*.

Dans ce cas-ci, Jean-Claude constate que toutes les tentatives faites auprès des parents se soldent par un échec: il n'y a eu aucun progrès. Il tient à préciser que cet échec trouve certainement sa source dans leur histoire personnelle semée d'abus, de négligence… Mais il mentionne aussi que leur attitude envers les enfants est particulièrement corrosive.

Lorsqu'il rédige sa requête en admissibilité à l'adoption, Jean-Claude se réfère constamment à la preuve antérieure, il dépose les différentes évaluations qui ont été faites, les rapports d'intervention et tout autre document pertinent. La description des contacts entre les parents et les enfants, tant sur le plan qualitatif que sur le plan quantitatif, est un élément particulièrement important.

Durant la comparution, le contre-interrogatoire de Marc, l'intervenant de prise en charge, est déterminant. L'avocat de la défense tente alors de remettre en question les preuves apportées. Mais Marc est particulièrement bien préparé et les divers éléments de preuve sont fondés. Selon Jean-Claude, dans cette situation, il y a non seulement un dossier très bien monté avec preuves multiples et échelonnées, mais aussi un juge très sensible à l'intérêt des enfants et qui va rapidement à l'essentiel.

Jacqueline, juge à la Cour du Québec, Chambre de la jeunesse[91]

Il est contraire au code de déontologie pour un juge de commenter ses jugements. La juge dont il est question dans ce récit ne peut donc pas témoigner de son expérience. Il est possible cependant de réfléchir à son rôle. Rendre une décision dans le cadre de la protection de la jeunesse doit être bien différent que dans le cadre du droit civil ou criminel. Dans ces dernières situations, il peut être plus facile de prendre de la distance que lorsqu'on est directement confronté à la détresse de parents et d'enfants.

Le juge, comme tous les autres professionnels, a une expérience de vie qui colore sa vision des situations présentées devant lui: il a été enfant, il est peut-être parent ou grand-parent. Il doit savoir faire abstraction de ces expériences et rendre sa décision selon les préceptes de la *Loi sur la protection de la jeunesse.*

Dans une cause portant sur une éventuelle admissibilité à l'adoption d'un enfant, trois facteurs principaux sont à considérer: le fait que les parents n'aient pas assumé leurs responsabilités parentales durant une période d'au moins six mois, l'improbabilité de reprise en charge de l'enfant par les parents et l'intérêt de l'enfant.

Certains juges, tout comme certains intervenants, privilégient le lien de sang à l'encontre de tout autre aspect et n'imaginent pas séparer un enfant de ses parents sauf dans les cas les plus extrêmes. D'autres peuvent être plus sensibles à l'importance de l'attachement, du lien entre le parent et son enfant au moment où ce lien se construit durant la vie de l'enfant (surtout durant les trois premières années de vie) et aussi à l'impact de ce lien. Car c'est par ce lien que les facultés de réflexion et de mentalisation de l'enfant, et de l'adulte qu'il deviendra, se développent[92].

Contrairement à d'autres formes de jugement, dans les causes relevant de la *Loi sur la protection de la jeunesse* le juge a l'obligation de rendre sa décision par écrit. Il doit aussi motiver sa décision afin d'aider les parents, et l'enfant lorsqu'il en sera capable, à comprendre le sens de cette décision. C'est ainsi que le jugement peut devenir une forme de bilan écrit de l'histoire de la famille auquel il sera possible de référer dans l'avenir.

---

91. Plusieurs notions mentionnées dans cette section proviennent du témoignage de Jean-Claude, avocat au Service du contentieux du CJM–IU.
92. Théorie de l'attachement: fiche technique 1.5.

Dans le cas de Rosie[93], voici ce que la juge écrit dans son
jugement:

« [...] Lorsque des enfants sont ainsi confiées en hébergement au
sein d'une famille d'accueil pour des raisons reliées à un mode de
vie ou de comportement parental incompatibles avec la prise en
charge des enfants, les devoirs de ces parents ne sont évidemment pas ceux d'un père et d'une mère qui auraient la charge
directe de leurs enfants. En fait, leur plus grand devoir est de se
conformer aux ordonnances et recommandations du tribunal
avec constance et bonne volonté. De plus, on doit attendre de ces
parents qu'ils fassent le nécessaire pour nourrir et maintenir le
lien qui les relie à l'enfant placée. À ce chapitre, la constance, la
sincérité, l'empathie, la capacité de prendre en compte l'état émotif de l'enfant sont autant d'atouts à cultiver et à développer à
l'aide des bons conseils qui sont donnés lors des droits d'accès.

« Or, lorsqu'il fait l'analyse de la situation qui a prévalu dans la
vie des parents au cours des trois dernières années, le tribunal se
doit de constater qu'ils ont failli à leurs devoirs parentaux à plusieurs égards. En raison d'une vie instable, perturbée par des
conflits [...], les parents n'ont pu fournir l'effort nécessaire au
redressement de leur mode de vie, sauf très récemment et jusqu'à
un certain point. Aucune des démarches thérapeutiques entreprises n'a contribué à modifier les attitudes parentales qui restent très immatures et très égocentriques.

« De plus, on observe le caractère très chaotique des contacts que
les parents ont eus avec l'enfant. En fait, ceux-ci n'ont été disponibles à l'enfant que dans la mesure où leur vie personnelle con-
naissait assez de calme pour qu'ils puissent se soumettre à une
certaine régularité. La lecture du rapport d'évaluation sociale
soumis au tribunal décrit des situations fort regrettables où
l'enfant [Rosie], particulièrement moins aimée de la mère, a
connu de vives déceptions. Or, de ce manque cruel d'empathie,
les parents n'ont pas véritablement conscience et les graves lacunes qui ont marqué leur développement personnel expliquent
fort bien cet état de choses.

« Plus de trois ans après le jugement [de protection], le tribunal
doit conclure que non seulement le pronostic est sombre, mais

93. Un jugement en déclaration d'admissibilité à l'adoption a aussi été rendu séparément pour Clara.

qu'il est presque définitif en ce qui concerne l'amélioration de leur capacité parentale.

« [...] Également, le tribunal a pu noter autant dans la preuve écrite que lors du témoignage de la mère, l'admission qu'elle fait de sa difficulté à exprimer des sentiments chaleureux à l'égard de l'enfant [Rosie]. Tous ces détails et bien d'autres concourent à convaincre le tribunal qu'en l'espèce, il y a eu au plan psychologique et surtout affectif un abandon de l'enfant.

« [...] les contacts que les parents ont pu avoir avec l'enfant au cours des trois dernières années ont non seulement été insuffisants en quantité, mais plus encore en qualité. C'est à cette échelle, compte tenu des connaissances actuelles sur le développement des enfants, qu'il faut juger de l'état d'abandon.

« [...] la perspective de reprise en charge du sujet est non seulement improbable du point de vue de leur incompétence parentale mais aussi incompatible avec son meilleur intérêt[94]. »

La famille d'Aline et Jean aujourd'hui

La famille d'Aline et Jean est maintenant complète. Les trois enfants sont bien intégrés et en bonne santé. Rosie a douze ans. Elle est première de classe. Elle a de grandes capacités intellectuelles, mais elle présente des carences au plan émotif. Son estime d'elle-même, quoique bien supérieure à ce qu'elle était au moment du jumelage, reste limitée. Elle a besoin de se faire remarquer, recherche l'attention, l'admiration et l'approbation des autres. Ses parents savent qu'elle est fragile et qu'elle pourrait être manipulée par des personnes qui profiteraient de sa vulnérabilité émotive. Ils lui fournissent un encadrement chaleureux, supervisent ses amitiés, n'hésitent pas à intervenir lorsqu'ils l'estiment nécessaire et soutiennent sa motivation. Ils s'attendent à ce que l'adolescence soit difficile et sont prêts à faire appel aux services d'un psychologue au besoin.

Clara a dix ans. Elle est plus limitée sur le plan intellectuel, mais fait montre d'une grande détermination. C'est une enfant combative et joyeuse. Elle a un bon réseau d'amis. Elle a été beaucoup moins marquée sur le plan affectif, probablement parce que l'attention de Rosie compensait en partie pour les lacunes de ses parents d'origine.

---

94. En vue de respecter la confidentialité des personnes concernées, la référence de ce jugement n'est pas mentionnée.

Aline et Jean savent que Clara n'a probablement pas les capacités de faire des études avancées. Il est possible qu'elle ait besoin d'une école spécialisée pour les enfants avec difficultés d'apprentissage. Ils souhaitent qu'elle s'oriente vers un travail qu'elle aime et qui lui permette d'être autonome. Ils l'aident dans ses études et la soutiennent. Ils reconnaissent aussi qu'elle a de grandes capacités sur le plan de la personnalité : elle a du courage, est originale, présente des talents artistiques et pourrait les surprendre.

Charles a quatre ans. C'est un garçonnet actif et affectueux. Il fréquente une garderie et entrera bientôt en maternelle. Il a un bon potentiel intellectuel, est sociable et bon vivant. Le fait qu'il soit très actif demande à Aline et Jean une adaptation. Ils constatent qu'il y a de grandes différences entre un garçon et une fille sur le plan du tempérament et sur le plan du niveau d'activité et se demandent s'ils auraient été capables d'accueillir deux garçons en même temps ! Charles a du caractère : il n'a peur de rien, « déplace de l'air » et tient tête. Il faut dire qu'à quatre ans, il sort à peine de la phase d'opposition durant laquelle les enfants cherchent à avoir du contrôle sur leurs parents. Cette phase a été beaucoup plus douce chez leurs deux filles. Aline et Jean accueillent cette différence avec humour. Ils considèrent que « c'est l'essence même d'être parents » que de savoir s'adapter à chacun de leurs enfants et d'accueillir leurs différences. Ils ne sont pas inquiets de l'avenir de Charles qui, selon eux, a de bonnes capacités intellectuelles et sportives et fera son chemin dans la vie.

Bien qu'il soit arrivé plus jeune que les filles, Aline a eu plus de difficulté à s'attacher à Charles. Son désir d'être parent était en partie assouvi par l'arrivée de Rosie et de Clara. Ils formaient déjà une famille, une « bulle », et ont eu besoin de recréer une nouvelle harmonie. De plus, l'arrivée de Charles alors qu'il est encore bébé a confronté Rosie au fait qu'elle n'a pas été bercée, cajolée par Aline et Jean au même âge, qu'elle n'a pas vécu avec eux toutes les étapes que vit habituellement un enfant avec ses parents. Aline a été touchée par sa tristesse. Elle lui a offert l'occasion de faire de petites régressions, l'a bercée, lui a donné le biberon... Cela a permis de réparer en partie le sentiment de privation qu'éprouvait Rosie. Graduellement, Aline s'est aussi attachée à Charles au point même où l'intégration à la garderie a été un peu plus longue : tous deux ont eu besoin de temps pour vivre cette séparation.

Jean, pour sa part, estime que l'arrivée de Charles permet de « lier la sauce », de les souder les uns aux autres. Elle est salutaire pour Rosie, c'est un genre de thérapie qui lui fait constater que les liens avec ses parents et sa fratrie sont solides et valables. Leur famille a la particularité d'être bâtie grâce à l'adoption, mais, selon Jean, elle n'en est pas moins « tricotée serrée » pour autant.

Aline et Jean apprécient leur rôle de parents. Ils constatent qu'ils ont beaucoup évolué depuis qu'ils ont commencé leur premier projet d'adoption. Ils ont davantage « les pieds sur terre », sont moins exigeants envers eux-mêmes et envers les autres, vivent plus au jour le jour et ont développé des valeurs encore plus humanistes. Ils regrettent de ne pas avoir commencé plus jeunes leur famille. Il leur arrive de songer à adopter un quatrième enfant, mais leur âge les retient: ils ont maintenant quarante-deux ans.

Jean décrit sa famille comme le « nirvana », il ne pourrait pas être plus content. Il estime qu'ils ont été très chanceux: ils ont les meilleurs enfants, ont bénéficié des meilleurs intervenants et du meilleur juge! Malgré cela, ils sont conscients des lacunes du système et de sa fragilité. Tous deux trouvent qu'il y a beaucoup trop d'impondérables, que les procédures sont trop longues et trop compliquées, et qu'il faut être très vigilant. Selon eux, l'intérêt des enfants n'est pas suffisamment pris en compte et les droits des parents d'origine protégés sur une trop longue période: ils aimeraient que les limites soient plus claires et plus fermes. Ces mois, souvent même ces années durant lesquelles des chances sont données aux parents, Jean les compare aux limbes, un lieu vague et incertain où les enfants ne peuvent développer de liens significatifs.

 ## Bilan de ce récit[95]

Cette situation illustre le fait qu'un mode de vie à première vue adéquat peut occulter les mauvais traitements dont sont victimes des enfants. Ici, ces mauvais traitements sont d'ordre psychologique et non d'ordre physique: l'attitude néfaste de Paul et de Mélanie envers Rosie et Clara a des conséquences directes sur leur bien-être présent et futur. En ce sens, le rapport de Gloria est déterminant, car il démontre, par la richesse et la finesse de ses observations, le rejet affectif récurrent des parents envers Rosie et leur incapacité à favoriser le développement de Clara.

Une des satisfactions ressenties par Ginette dans ce dossier est de constater que l'évaluation qu'elle a faite du projet Banque-mixte

---

95. Plusieurs remarques de cette section sont tirées du témoignage de Ginette.

de Jean et Aline s'avère juste. Les forces qu'elle a perçues chez eux sont réelles et constantes. C'est pourquoi Ginette n'a pas hésité à leur proposer un troisième projet.

Ginette constate que les enfants plus âgés, donc des enfants qui ont vécu des expériences difficiles ayant eu des conséquences sur leur développement physique, intellectuel ou émotif, ont besoin d'une attention particulière lorsque vient le temps de les orienter vers une famille du programme Banque-mixte. Il est important de bien les connaître. Il arrive encore trop souvent que ces enfants soient référés alors que leur condition n'a pas été éclaircie.

Certains tests et examens médicaux sont difficiles à obtenir à cause de la surcharge de demandes dans les centres hospitaliers. Durant ce temps, l'enfant est souvent en attente dans une famille d'accueil. Lorsque ce séjour se prolonge trop longtemps, il s'attache aux personnes qui prennent soin de lui et, quand vient le temps de faire le jumelage avec une famille Banque-mixte, il vit un deuil qui s'ajoute à tout ce qu'il a vécu auparavant.

Entre autres à cause d'un manque de ressources, tous les enfants plus âgés ne rencontrent pas automatiquement un psychologue avant d'être référés au programme. Cela permettrait pourtant d'avoir une meilleure idée des dommages psychologiques qu'ils ont subis, de vérifier si leurs capacités d'attachement sont encore actives[96] et, si c'est le cas, de connaître leur style d'attachement : l'intervention des intervenants et des parents substituts auprès de l'enfant devrait pouvoir s'ajuster à ce style d'attachement[97]. De même, le soutien et les conseils donnés par les intervenants aux parents substituts seront différents selon la manière dont l'enfant entre en contact avec eux, selon son style d'attachement.

---

96. « Un enfant qui passe une trop longue période dans "le vide de l'attente" ou dans l'absence de continuité se détache progressivement des relations. Ce vide et cette absence peuvent résulter des multiples déplacements imposés à l'enfant, de l'insuffisance ou de l'incohérence des soins apportés par les parents d'origine ou par les parents substituts. C'est comme si l'enfant développait une intolérance, une allergie aux relations. Il se détourne d'elles et ne compte plus que sur lui-même pour satisfaire ses besoins. Dans l'éventualité où on lui offre des parents substituts désireux de l'accueillir, ce vide peut devenir le principal obstacle à cette nouvelle relation. L'enfant abandonne l'idée qu'on puisse répondre à ses besoins ; il devient incapable de s'engager dans une relation, de demander de l'aide et de se laisser réconforter car tout engagement comporte maintenant pour lui un risque d'abandon. » (Noël, 2003, p. 232. Cet extrait est fortement inspiré des écrits de Steinhauer ; voir plus particulièrement Steinhauer, 1996, p. 48-50.)
97. Théorie de l'attachement : fiche technique 1.5.

Ginette considère que c'est une grande responsabilité de choisir une famille plutôt qu'une autre pour un enfant. Mais c'est aussi pour elle une grande satisfaction de regarder un enfant prendre racine chez des parents chaleureux et capables de répondre adéquatement à ses besoins, de contribuer ainsi à briser le cercle vicieux qui se répète de génération en génération dans sa famille d'origine.

Alors qu'elle est à quelques années de sa retraite, Ginette est triste de constater que la détresse des enfants semble sans fin. Elle avance certaines des raisons qui font que notre société, comme beaucoup d'autres d'ailleurs, engendre encore tant de parents démunis, désespérés et incapables d'assumer adéquatement leurs responsabilités envers leurs enfants: le fait que les réseaux familiaux soient plus réduits qu'autrefois; la disponibilité plus importante d'un vaste assortiment de drogues et de jeux de hasard; l'Internet qui ouvre grand les portes de la pornographie et de la prostitution juvéniles... Elle souhaite plus de ressources pour prévenir ces maux ou y répondre, une meilleure formation des intervenants et des décideurs légaux et politiques, une organisation qui tient mieux compte de la lourdeur et de la complexité des dossiers, des limites plus claires et plus serrées en ce qui concerne les parents d'origine...

Ce récit montre la collaboration essentielle pour réaliser un projet de type Banque-mixte, surtout lorsqu'il s'agit d'enfants plus âgés. Les intervenants sociaux et juridiques et les postulants à l'adoption doivent se soutenir, s'épauler et travailler de concert pour le mieux-être de l'enfant. Mille détails sont à prendre en considération. Le stress, l'incertitude, la tristesse et la colère cohabitent avec l'espoir, la joie et le soulagement.

BRUNO

PERSONNES MENTIONNÉES DANS CE RÉCIT

Enfant et membres de sa famille d'origine
- **Bruno,** l'enfant concerné par ce récit
- **Joëlle,** sa mère

   La mère a trois enfants plus âgés et trois enfants plus jeunes que Bruno, des garçons et des filles

Membres de la famille adoptive
- **Laurence,** la mère
- **Philippe,** le père
- **Véronique,** fille aînée de Laurence et de Philippe
- **Catherine,** fille cadette de Laurence et de Philippe

Intervenants du CJM–IU
- Intervenante du Service adoption (DPJ), responsable du dossier de Laurence et de Philippe
- Intervenant de prise en charge (DPJ), responsable du dossier de Bruno et de sa famille
- Psychoéducatrice (DPJ)

Autres intervenants
- Membres de l'équipe de pédopsychiatrie, ergothérapeute, psychologue…
- **Marie** et **David,** anciens parents d'accueil de Bruno

Bruno

Ce récit est l'histoire de Bruno, entré dans la famille de Laurence et de Philippe en 1992, à l'âge de trois ans, dans le cadre d'un projet de type Banque-mixte. Bruno est déclaré admissible à l'adoption par un juge de la Chambre de la jeunesse un an plus tard. Après cette déclaration, l'intervenant de prise en charge qui s'occupait jusqu'alors de Bruno transfère le dossier à l'intervenante du Service adoption responsable du projet Banque-mixte de Laurence et de Philippe afin qu'elle effectue les procédures d'adoption.

Malheureusement, Bruno présente des problèmes importants. Laurence et Philippe, les parents Banque-mixte qui l'ont accueilli, demandent de retarder son adoption, car ils se sentent incapables d'assumer seuls son éducation. Avec les années, il deviendra clair que Bruno est gravement perturbé. Il a subi des abus qui ne sont pas connus au moment de son entrée chez Laurence et Philippe et qu'il ne pourra révéler qu'un an après son arrivée. Il a aussi un déficit cognitif, conséquence de la consommation d'alcool de sa mère durant la gestation.

Les séquelles de tous ces événements sont tellement importantes que l'adoption de Bruno ne se réalisera pas et qu'il devra être retiré graduellement de la famille. Malgré ce retrait, le dossier de Bruno, qui aurait dû, puisqu'il n'est plus question d'adoption, être assumé à nouveau par l'intervenant de prise en charge, sera conservé au Service adoption afin d'assurer une stabilité du suivi[98].

Bruno a maintenant dix-huit ans et les responsabilités du CJM–IU à son égard sont terminées. Une demande a été faite pour lui dans le réseau de la déficience intellectuelle. Ce réseau offre des

---

98. Depuis 1988, la prise en charge d'environ quinze dossiers de ce type a été assumée par les intervenants du Service adoption. Il s'agit d'enfants qui ont été déclarés admissibles à l'adoption, mais pour qui l'adoption prévue ne s'est pas réalisée à cause des problèmes importants des enfants.

ressources résidentielles, et un soutien social et occupationnel pouvant se poursuivre tout au long de la vie d'un individu, en autant que ce dernier accepte les services offerts.

Laurence et Philippe conservent encore des liens avec Bruno, mais celui-ci ne retournera jamais chez eux de manière permanente. Son passage dans cette famille a eu, et a encore, des conséquences importantes pour toutes les personnes impliquées. Laurence et Philippe racontent leur expérience. Les dialogues sont privilégiés dans ce récit, car il est plus intéressant de laisser Laurence et Philippe s'exprimer spontanément, au détriment, parfois, de la langue écrite.

PRÉSENTATION DE LA SITUATION

Laurence et Philippe, parents Banque-mixte de Bruno

Lorsque Laurence et Philippe décident de vivre ensemble, ils sont déjà amis et collègues de travail depuis de nombreuses années. Pour Laurence, il est clair depuis l'adolescence que l'adoption est un projet qui lui tient à cœur. Elle est sensible aux problèmes sociaux et internationaux. Philippe, pour sa part, n'éprouve pas le besoin d'avoir une descendance liée à lui par le sang. Il trouve très bien de s'occuper d'enfants qui sont déjà là. Tous deux décident qu'en plus des enfants nés de leur union, ils en adopteront.

Deux ans plus tard naît Véronique. Par la suite, Laurence doit subir une intervention chirurgicale et ne peut plus avoir d'enfant. Elle et son conjoint s'inscrivent alors à l'adoption nationale et, à cause des longs délais pour ce type d'adoption au Québec, s'inscrivent simultanément à l'adoption internationale. En 1991, ils accueillent Catherine, originaire du Pérou. Elle a six mois à son arrivée chez eux. La maladie et l'opération de Laurence, qui ont retardé leur premier projet d'adoption, font qu'il y a cinq ans de différence entre leurs deux enfants.

Parallèlement à ces démarches, Laurence et Philippe rencontrent plusieurs personnes qui ont réalisé des adoptions au Québec, particulièrement dans le cadre du programme Banque-mixte. Intéressés, ils se renseignent, s'inscrivent et, rapidement, sont évalués et acceptés. Durant l'évaluation, l'intervenante constate leur grande expérience: leurs deux filles sont des enfants épanouies qui se développent har-

monieusement et, de par leur profession (tous deux sont orthopéda-
gogues), ils ont une excellente connaissance des besoins des enfants.
Dans leur grand désir d'aider un enfant en difficulté, ils considèrent
la possibilité d'adopter un enfant dit plus âgé, c'est-à-dire un enfant
qui peut avoir vécu de grandes difficultés[99]. Les postulants à l'adoption qui désirent prendre un enfant plus âgé, et qui ont aussi l'expertise pour le faire, sont rares. En ce sens, ils sont un acquis précieux
pour le Service adoption.

Bruno

Au moment où le projet d'adoption de Laurence et de Philippe est
évalué, une demande de famille Banque-mixte est présentée pour
Bruno, qui vient tout juste d'avoir trois ans.

Joëlle, la mère de Bruno, est une grande jeune femme qui se présente bien. Intelligente et attachante, elle consomme malheureusement, et depuis longtemps, de l'alcool de manière abusive. Elle
minimise ce problème et n'est pas motivée à se reprendre en main.
Bruno est son quatrième enfant. Elle aura en tout sept enfants. Tous
lui seront retirés, car, même avec de l'aide, elle ne deviendra jamais
capable de s'en occuper convenablement et à long terme.

Lorsque Bruno naît, la famille n'est pas connue de la DPJ et la
mère a encore la charge de ses trois premiers enfants âgés de quatre
ans, deux ans et demi et dix-huit mois. Son alcoolisme la rend cependant très instable, et elle ne peut compter sur l'aide de ses conjoints
successifs qui ne s'impliquent que pour de courtes périodes auprès
d'elle. Elle fait garder ses enfants par différentes personnes pas
nécessairement consciencieuses. L'une d'elles frappe les enfants. Le

---

99. Cela veut dire aussi un enfant plus âgé que Catherine, la plus jeune des enfants de
ce couple. Aujourd'hui, cela ne serait plus possible: à partir de l'expérience de
Bruno et de quelques autres enfants, la politique du Service adoption du CJM–IU
est de respecter le rang d'arrivée des enfants dans la famille. Les enfants placés
maintenant sont au moins deux ans plus jeunes que le plus jeune enfant de la
famille concernée. Cela facilite l'intégration de deux manières: 1 - l'enfant déjà
dans la famille conserve son droit d'aînesse et est ainsi plus ouvert à accueillir un
frère ou une sœur; 2 - l'enfant qui arrive et qui a souvent des retards n'est pas mis
en position de se comparer à un enfant plus jeune que lui et qui peut avoir fait des
acquis que lui-même n'a pas faits à cause de tous les événements qui ont contribué
à ses retards.
Si le premier enfant est lui aussi adopté, le second enfant ne sera intégré que deux
ans après l'arrivée du premier dans la famille, cela afin de donner tout le temps
nécessaire à tous les membres de la famille de s'adapter les uns les autres.

bébé est aussi victime de ces abus[100]. C'est une voisine, à qui Joëlle demande de l'aide à l'occasion, qui signale la situation au DPJ. Après l'évaluation de la situation, et devant l'état déplorable des quatre enfants, ceux-ci sont tous retirés et placés. Bruno a alors six mois.

Comme il faut lui trouver une place rapidement, Bruno est placé dans une famille d'accueil de transition. Lorsqu'une place est libre dans une famille d'accueil régulière, il y est déplacé, mais, malheureusement, la mère d'accueil tombe malade et Bruno est à nouveau placé dans une famille de transition puis dans une autre famille d'accueil régulière. À ce moment-là, très perturbé, il pleure sans arrêt. Découragée, la nouvelle mère d'accueil se désiste à son tour… Enfin, Bruno vit de façon stable durant un an et demi (de un an environ à deux ans et demi) dans la dernière famille d'accueil, « maman Marie » et « papa David », jusqu'à ce que celle-ci ferme brusquement, sans donner de raison. Comme Bruno a déjà subi de très nombreux déplacements, une période d'observation dans un centre spécialisé est jugée souhaitable.

À cette époque, l'intervenant qui s'occupe de Bruno et de sa famille d'origine constate que Joëlle ne fait pas de progrès: depuis la naissance de Bruno, elle a eu un autre enfant, lui aussi placé en famille d'accueil, et elle est à nouveau enceinte. Elle ne fait rien pour contrôler son alcoolisme et a toujours un mode de vie instable. Constatant son faible pronostic de reprise en main, l'intervenant place dès la naissance le nouveau bébé dans une famille du programme Banque-mixte. Il souhaite que les aînés, dont Bruno, soient aussi orientés vers une ressource de cette nature.

Les intervenants du centre où réside Bruno s'attachent rapidement à lui. Il est touchant et recherche leur proximité. Il aime se faire câliner, se coller aux adultes. Mais Bruno présente aussi de grands retards et sa condition est inquiétante. Une évaluation en psychologie est faite afin de mieux connaître ses besoins et sa dynamique. Les intervenants souhaitent qu'une famille soit trouvée au plus vite pour lui: c'est, selon eux, sa dernière chance.

L'intervenante du Service adoption rencontre Bruno pour la première fois, au centre où il est hébergé. C'est un tout petit enfant pâle et maigre. Il a les yeux cernés, est nerveux et inquiet. Elle tente de jouer avec lui, mais Bruno ne sait pas jouer. Dès qu'un obstacle se

---

100.   Nous ne saurons jamais l'ampleur et la fréquence de ces abus: une grande part du passé de Bruno, comme de celui de bien des enfants pris en charge par la DPJ, reste un mystère.

présente, il dit « pas capable » ou bien « a peur ». Il a trois ans, et ce sont presque les seuls mots qu'il connaît. Mais il est attachant et cette intervenante désire, très rapidement elle aussi, lui trouver une famille. Elle décrit sa situation, avec toute l'information dont elle dispose, à Laurence et à Philippe.

En fait, avec le recul, il est probable que si la situation de Bruno était présentée aujourd'hui, elle serait refusée pour un jumelage dans une famille Banque-mixte et que Bruno serait orienté vers une ressource mieux à même de répondre à ses nombreux besoins[101]. En effet, l'état des connaissances permet maintenant de reconnaître que certains enfants ayant un déficit d'attachement présentent un trop grand défi: ils ne sont pas psychologiquement et émotivement capables de vivre dans une famille. C'est un peu comme s'ils avaient développé une allergie aux liens familiaux. Mais à l'époque, les connaissances sur la théorie de l'attachement n'étaient pas aussi développées qu'aujourd'hui[102, 103].

---

101. Depuis 1999, un nouveau programme a été développé. Il s'agit de *ressources pour enfants en troubles d'attachement:* « Ces jeunes ont fait l'objet de multiples déplacements de services, de plusieurs séjours en arrêt d'agir, de tentatives avortées d'insertions dans des familles d'accueil. Malgré le nombre restreint d'enfants touchés par cette réalité, leurs problématiques cliniques apparaissent très difficiles, voire dramatiques et complexes et se résument ainsi: des enfants présentant des troubles sévères d'attachement et une absence de projet de vie » (St-Antoine et coll., 2006). Ce type de ressources est maintenant intégré au *Centre d'expertise pour les tout-petits et leurs parents* (Paquette, 2007).

102. L'intérêt concernant la théorie de l'attachement commence à se manifester au CJM–IU à l'automne 1994, dans les foyers pour « Mères en difficulté d'adaptation » (MDA). Puis, il y a eu la création, par Daniel Paquette, chercheur à l'Institut de recherche pour le développement social des jeunes (IRDS), du groupe d'intérêt sur cette théorie au début de 1996. Enfin, le programme de formation sur la théorie de l'attachement (Paquette, St-Antoine, Provost, 2000) pour les cadres et les intervenants a débuté en 1999.

103. À la même époque, les trois frères et sœurs aînés de Bruno seront aussi placés dans une famille adoptive; les intervenants tenteront d'aider les parents et seront témoins des échecs de ces placements. Deux des trois enfants qui suivent Bruno seront aussi placés dans des familles de type Banque-mixte. Mais ces derniers seront placés très jeunes: ils ne vivront pas les multiples déplacements, les abus, la négligence et le déficit d'attachement qu'ont vécus les aînés. Ils ont été adoptés et nous n'avons plus de nouvelles d'eux. Enfin, au moment de la naissance du benjamin, la mère était sobre depuis quelques années. Elle a tenté, avec l'accord des intervenants impliqués, de conserver la garde de cet enfant durant trois ans. Cette tentative est aussi un échec. Une demande de famille Banque-mixte a été faite pour lui en 2002. La théorie de l'attachement est alors mieux connue et une évaluation de son développement et de ses capacités d'attachement est effectuée. Après cette évaluation, la demande Banque-mixte est retirée, car l'enfant présente un lien d'attachement perturbé et peu de chances de devenir capable de s'intégrer dans une famille adoptive. Il est maintenant placé en famille d'accueil régulière.

De plus, à cause de son exposition à l'alcool avant sa naissance, Bruno est victime du syndrome d'alcoolisation fœtale (SAF)[104] et présente des déficits cognitifs qui l'empêchent de faire certains apprentissages. Au moment du jumelage dans la famille Banque-mixte en 1992, l'impact de cette exposition n'est pas connu au Service adoption, ni même au Québec (Loubier-Morin, 2004, p. 6). Par conséquent, une évaluation en neuropsychologie, qui permettrait d'évaluer ses déficits cognitifs, n'est pas demandée[105].

Décision

Laurence se rappelle que la psychologue qui a fait l'évaluation de Bruno lui a dit qu'il s'agit d'un cas très complexe et qu'elle se sent même désemparée face à cet enfant. Elle déconseille à Laurence et à Philippe de le prendre. Ceux-ci consultent un ami psychiatre qui le leur déconseille aussi : « C'est complètement fou ce que vous faites mais ça prend des gens fous dans la société. »

Devant l'avertissement de la psychologue et celui de leur ami psychiatre, Laurence et Philippe auraient pu dire « non ». Pourquoi sont-ils allés de l'avant malgré tout? « Dans le fond, dit Philippe, nous étions beaucoup plus hésitants, et l'un et l'autre, qu'on se le disait. » Laurence se souvient : « La première fois que j'ai vu Bruno, je n'ai pas eu de coup de foudre, j'ai eu peur. » Philippe ajoute qu'il a ressenti lui aussi un sentiment d'ambivalence, mais il venait de signer sa demande de congé de paternité, car c'est lui qui devait rester à la maison pour accueillir Bruno, et il ne se voyait pas changer d'idée. Laurence parle de la pression de leurs collègues qui disaient : « C'est un enfant en difficulté, il a besoin de vous, vous êtes capables,

---

104. Le syndrome d'alcoolisation fœtale (SAF), un des syndromes aujourd'hui regroupés sous l'appellation « Ensemble des troubles causés par l'alcoolisation fœtale » (ETCAF), est un déficit permanent causé par l'exposition de l'embryon ou du fœtus à l'alcool durant la grossesse. Ces enfants peuvent avoir des problèmes de santé, des déficits intellectuels, sensoriels ou cognitifs et des problèmes de comportement sérieux. À l'âge adulte, certains ne peuvent vivre de manière autonome. Information tirée de [http://www.safera.qc.ca]. (Date de consultation : 2007-08-07.) Voir aussi Loubier-Morin, 2004 et l'annexe 2.4.

105. Ce type d'évaluation était très peu fait à l'époque, surtout sur des enfants aussi jeunes que Bruno. Avec les connaissances actuelles sur les troubles de l'attachement et le SAF, un meilleur diagnostic serait probablement posé. Dans l'éventualité où il serait décidé de placer l'enfant dans une famille Banque-mixte malgré ces difficultés, des parents seraient recrutés avec l'objectif de répondre tout particulièrement aux besoins de Bruno. Ils s'engageraient en connaissance de cause, leurs attentes seraient moindres et le soutien qui leur serait offert serait mieux approprié aux besoins de l'enfant.

on va vous aider... » Et tous deux concluent: « De toute façon, c'est dans notre nature: dire non, ça se fait pas... Si nous disons non, qui va le prendre? On veut au moins essayer... Et puis, à l'époque, nous avions deux filles magnifiques, nous étions tous les deux professionnellement très productifs, il y avait un sentiment d'invincibilité, nous étions sûrs de réussir! »

Si Laurence et Philippe ne se parlent pas de leurs hésitations, ils n'en parlent pas non plus avec leur intervenante adoption. Lorsqu'elle leur demande « Ai-je été suffisamment à votre écoute, ai-je fait, sans le vouloir, des pressions sur vous? », ils lui rappellent combien tous les professionnels étaient touchés par la situation de Bruno, qui venait de perdre brutalement, sans préparation, sans raison, la famille d'accueil où il était resté un an et demi: il venait de vivre quelque chose d'inconcevable. Les professionnels croyaient qu'il devait être placé rapidement. « Et notre intervenante devait défendre les besoins de l'enfant, mais elle nous disait aussi: "prenez votre temps pour décider". »

Le souvenir que Philippe conserve de cette période en est un d'urgence et d'incertitude et, dès le départ, dit-il, « je me suis mis en mode d'intervention avec Bruno, comme si mes réflexes de professionnel avaient pris le dessus, de manière automatique. Je ne me suis vraiment jamais vu comme parent, mais plutôt comme un membre d'une équipe de soignants. Je me rappelle avoir argumenté avec la psychologue sur ses conclusions concernant Bruno et aussi, dans une autre situation, je me vois en train de collaborer à la mise sur pied du plan d'intervention. J'avais toujours l'impression que je "travaillais"; avec Bruno, c'était du "travail", dès les premiers temps. Et, en même temps, il y avait le danger de ressentir un sentiment d'échec si je n'arrivais pas à bien faire mon "travail". Peut-être que, dans cette situation-là, il aurait fallu un temps d'arrêt où nous aurions été obligés de ne pas être avec Bruno durant trois semaines, malgré le mal que ça lui aurait fait, un temps où notre intervenante aurait dit: "prenez le temps de réfléchir, prenez de la distance..." »

LAURENCE: « Je me souviens très bien que la psychologue m'a dit: "Laurence, à partir du moment où cet enfant va entrer chez vous, tels que je vous vois tous les deux, vous ne serez jamais capables de l'abandonner!" Et c'est ça qui est arrivé... ou presque: ça a pris plusieurs, plusieurs, plusieurs années, il a fallu se rendre au bout, il a fallu se rendre malades pour demander son départ! Et notre intervenante nous disait: "C'est trop dur, je le retire de votre famille", mais je refusais toujours. »

PHILIPPE: « Pour ma part, je ne regrette pas d'en avoir fait autant, de m'être rendu au bout. Il y a eu relativement peu de séquelles sur les membres de la famille, ça nous a transformés, mais il me semble que cette expérience n'a pas été dramatique. »

SÉJOUR DE BRUNO CHEZ LAURENCE ET PHILIPPE

Premiers moments

L'intégration de Bruno chez Laurence et Philippe se fait graduellement. Ceux-ci le visitent d'abord une ou deux fois au centre de réadaptation, puis ils le présentent à Véronique et à Catherine, leurs deux filles. Quelques jours plus tard, l'intervenante amène Bruno prendre un repas chez eux. Celui-ci, qui n'a jamais vu de brocolis, a peur en en voyant dans son assiette et se sauve dans une autre pièce. Les plus petites choses le perturbent, comme lorsque Véronique fait des bulles de savon... D'autres visites dans la famille sont organisées. Puis Laurence et Philippe, constatant la détresse de Bruno à chacun de ses départs de chez eux, demandent son intégration définitive.

LAURENCE: « Dès le départ, Bruno a été un enfant difficile à aimer. Nous étions conscients qu'il avait vécu des choses très pénibles et nous ne nous attendions pas à des marques d'affection de sa part, mais chaque petite chose occasionnait une crise: Véronique qui essaye d'entrer en contact et qu'il repousse... chacune de ses journées qui commence par un cri! Il y a eu la fois où, prenant son bain avec Catherine, Bruno l'a frappée. J'ai été dure, je lui ai dit: "Tu ne touches pas au bébé, tu ne lui fais pas mal!"

« Et il était en piètre condition physique: il portait encore des couches et ses selles étaient vertes, il ne mangeait que des pâtes et des *hot-dogs*. Et plein d'autres choses nous surprenaient: il avait des comportements spectaculaires, qui dépassaient mes compétences, comme de manger des cheveux au point où Véronique dira à la blague: "On va lui acheter une perruque pour sa fête." »

PHILIPPE: « Ses yeux, je pense que je peux maintenant reconnaître un enfant carencé rien qu'à ses yeux. Bruno avait un regard fuyant, des yeux profondément cernés où la lumière était éteinte. Les premières semaines, je me revois marcher avec lui, j'observe son intérêt pour certaines marques de voitures qu'il nomme déjà malgré ses trois ans et demi… et, en même temps, le doute m'habite. »

Auteure: « Vous n'en avez jamais parlé à votre intervenante… »

Philippe: « Non, nous n'en avons même jamais parlé l'un à l'autre. Et il y avait tous les autres événements de la vie: le déménagement, les rénovations… »

Laurence: « Lorsque je rentrais le soir, Philippe allait se coucher pour récupérer avant le souper et je voyais les larmes qui coulaient. »

Philippe: « Ça aurait été un échec bien trop grand d'en parler, inconcevable. J'étais dépassé le soir à la maison et le lendemain matin je donnais le cours qui porte sur les techniques d'intervention auprès des enfants en difficulté à l'université. Je voyais la contradiction: "Quel imposteur je suis, en train d'enseigner des techniques d'intervention et même pas capable d'intervenir auprès de cet enfant-là!" Il y avait aussi le rêve de la grande famille qui s'effondrait: "si ça ne fonctionne pas avec Bruno, il n'y aura pas de possibilité d'adopter d'autres enfants[106]".

« Et il fallait aussi s'occuper des deux filles et surtout de Véro: enfant unique durant cinq ans, elle a d'abord une sœur puis Bruno et la nouvelle maison… c'est déjà beaucoup. Si on ajoute à cela l'ampleur des comportements de Bruno, qui était complètement imprévisible, qui se fâchait tous les jours, hurlait, se roulait par terre, jetait des choses partout…

« Mais, en même temps, la première année a été accompagnée de tels progrès! Je me souviens de la première évaluation faite par la psychologue après l'arrivée de Bruno: il avait rattrapé plein de retards du langage et, dans son développement général, il avait beaucoup grandi et se rapprochait de la taille des enfants de son âge. Les intervenants s'exclamaient: "Que de progrès il a faits en si peu de temps avec vous!" »

Laurence: « Je me souviens de la première fois où il a dit "Je veux". Il est devenu capable de faire des énoncés binaires, puis des phrases complètes: "Je veux pipi". Il pouvait alors nommer ses besoins. Puis exprimer ses émotions, ses frustrations, ce qu'il vivait:

---

106. Le retrait d'un enfant à cause des grandes difficultés qu'il présente n'exclut pas nécessairement la famille pour d'autres jumelages. Après une période de deuil et de réajustement, il pourrait être possible d'intégrer un autre enfant.

nous avons beaucoup travaillé là-dessus: "J'ai de la peine, je suis fâché, bobo..." et aussi nommer les choses qui l'entourent. Et les progrès sur le plan moteur: à son arrivée, il manquait d'équilibre, faisait plein de gaffes, tombait régulièrement, avait très peu d'assurance dans ses mouvements. Il est devenu capable de glisser au parc, de monter dans les structures... La motricité fine: au début, il a peur de la peinture aux doigts, puis il se met à dessiner, il accepte de tenir un crayon, il suit les mêmes étapes qu'un tout-petit: gribouillis, puis visages..., et il se sent valorisé. »

Sables mouvants

LAURENCE: « Il y a eu plein de progrès: le développement du langage, un début de représentation symbolique, la motricité... mais pour ce qui est de sa relation avec les autres, c'était toujours très fragile, difficile. Tant que nous étions là, ce n'était pas si mal. Par contre, dès que nous n'étions pas là... C'était comme des sables mouvants, ce qui fait le fondement de la relation restait toujours fragile. Il se construisait, on voyait les progrès et puis, tout d'un coup, tout se démolissait. C'était cyclique, et il a fallu vivre ça plusieurs fois avant de se rendre à l'évidence. »

PHILIPPE: « Les fondements de la personnalité restaient instables. Il y avait des jours où il était très agréable, surtout le matin. Nous avions alors l'impression que nous bâtissions puis, tout se détruisait, et nous retournions six mois en arrière! C'est une pédopsychiatre qui m'a expliqué: "Bruno n'a pas de Moi, de fondements identitaires." L'estime de soi, la confiance en l'autre, l'attachement... la capacité de tolérer les succès... tout ce qui fait les fondements de la personnalité. Quand j'explique le concept d'attachement aux étudiants maintenant, je leur dis: "C'est tout ce qui vous semble tellement évident que vous ne vous demandez même pas d'où ça vient... C'est la tête sur l'oreiller, le confort quand vous vous couchez, l'assurance que vous avez, lorsque vous vous endormez, que la vie va bien aller. Ça ne se nomme pas mais c'est ça l'attachement et ça se crée dans la première année de vie, avant que l'enfant commence à parler." Et on sait que Bruno, dans cette première année, a connu un grand nombre de déplacements: les gardiennes multiples, les familles d'accueil... »

LAURENCE: « Et en plus, il y avait des causes physiologiques [dues au SAF] qui l'empêchaient d'apprendre, il avait les deux... Imagine le degré d'anxiété que cet enfant a vécu! »

PHILIPPE: « Mais toujours relié à l'abandon: je lisais qu'il y a des enfants qui ont vécu la guerre ou des choses extrêmement traumatisantes et qui ont fini par s'en sortir parce que le lien entre la mère et l'enfant a été préservé dans tout ça; ils ont traversé les épreuves à deux. Quand ces enfants arrivent à préserver un lien d'attachement, ils s'en sortent quand même, mais si ce lien se brise, si l'enfant perd ses référents... C'est comme si le tout-petit, tant qu'il a ses référents de base, pouvait passer à travers beaucoup de choses.

« Je me souviens de très beaux moments avec les filles: des saynètes que les trois enfants faisaient entre eux. Nous nous accrochions à ces beaux moments! Mais en même temps, s'ils commençaient bien, ils finissaient souvent mal, car Bruno sabote les bons moments: ils sont menaçants pour lui, il n'a pas l'habitude de vivre de bons moments... Nous étions toujours préoccupés par le présent, toujours en train d'aménager la vie familiale pour accommoder les besoins de Bruno, de chercher des solutions, de faire des plans d'intervention.

« Et il y avait les difficultés pour le faire garder. Nous avons trouvé deux personnes qui étaient capables, et puis il y a eu la garderie spécialisée. À cet endroit, ils nous encourageaient: "Ce n'est pas si pire, ça va bien..." On vivait de petits moments d'espoir... On se disait à l'époque: "Ça sera pas toujours comme ça, si nous sommes capables de tenir, de structurer les choses..." Nous étions encore dans une approche comportementale avec lui; nous pensions: "avec tout ce qu'il a vécu, c'est normal". Je me rappelle m'être dit: "Ça a pris trois ans pour qu'il en arrive là, ça va prendre trois ans pour qu'on s'en sorte, mais au bout du compte, on va finir par y arriver!"

« Même plus tard, nous insistions: il va s'en sortir, il est capable, donnez-lui le temps... Nous étions aussi, à l'époque, un peu en réaction avec les étiquettes, les diagnostics: tout ça jouait un rôle! Et, professionnellement, c'était une période où nous avions à nous définir...

« En fait, la personne qui a été le plus juste avec Bruno, c'est celle qui a fait la première évaluation neuropsychologique et qui parlait des limites de Bruno à l'équipe d'intervenants, c'est son discours qui m'a le plus rejoint. Elle disait: "Vous êtes en train de lui demander une impossibilité, donc il vit un sentiment d'échec, et vous insistez... il faut vous rentrer dans la tête, ça ne donne rien, il n'est pas capable, ce comportement-là, il ne le changera pas et ce n'est pas parce qu'il a un problème comportemental: il a un problème cognitif..." Elle disait entre autres que sur le plan des mathématiques, Bruno est plafonné à six ans, il n'ira pas plus loin que six ans. Moi, ça m'avait éclairé: là j'entendais un discours auquel j'étais capable d'adhérer, là j'ai été capable d'admettre tout ce que je venais de vivre au cours des années, ça avait du sens, c'était logique... Ça a été un soulagement d'avoir des réponses, des explications.

« Je me souviens d'une visite à Bruno lors de l'un de ses séjours à l'hôpital psychiatrique. J'ai vu une vieille dame qui venait tous les soirs faire souper son fils. Et je me disais: "Mais ce n'est pas vrai, je ne suis pas capable de ce niveau de résignation-là, je ne pourrai pas faire ça avec Bruno!" La séparation venait de se passer... C'est impossible, ce n'est pas humain de demander ce niveau d'abnégation à quelqu'un, même à une mère. Cette pauvre femme a gâché sa vie... C'est certain que si elle a fait ça, c'est parce que ça rejoint quelque chose en elle: l'altruisme, j'ai découvert que c'est très égoïste. Ce n'est pas nécessairement toujours généreux. On le fait parce que ça correspond à quelque chose en nous et j'assume pleinement cela dans le contexte de ce que nous avons fait pour Bruno... »

Révélation de l'abus sexuel

LAURENCE: « Je suis entrée dans la chambre, il était en train de jouer avec une poupée et la bouche de la poupée était sur son pénis. Alors j'ai dit: "À quoi joues-tu, Bruno?" Il répond: "Ça s'appelle faire l'amour à l'envers." — "Ah oui! Avec qui joues-tu à ça?" — "Avec papa David." »

COMMENTAIRES DE L'AUTEURE: Papa David, c'était le père de la famille d'accueil précédente, celle qui a cessé ses services brusquement et demandé le déplacement rapide, sans préparation, des enfants qu'elle hébergeait. Laurence ajoute: « Je me suis sentie bouleversée, je lui ai posé des questions et c'est comme ça que tout ça est sorti, qu'il a nommé l'abus et identifié l'abuseur. »

À ce moment-là, Bruno avait quatre ans et demi et il habitait chez Laurence et Philippe depuis seize mois. Mais tous deux avaient commencé quelque temps avant cette révélation à s'interroger, car Bruno disait souvent: "Qu'est-ce que tu ferais si tu rencontrais un monsieur au parc qui te met de la vitre dans la bouche, un monsieur qui te met des choses dans la bouche?" Il posait cette question à table, par exemple, à des moments où toute la famille était réunie. Les filles le regardaient avec étonnement: "Au parc il n'y a pas de monsieur qui met des choses dans la bouche des enfants." Laurence avait alors dit: "Si tu as des choses comme ça à nous dire, on va en parler seul avec papa ou maman." C'est peu de temps après que la révélation s'est produite.

Cette révélation explique les circonstances du départ de Bruno et des autres enfants de cette famille d'accueil. C'est la mère d'accueil, « maman Marie », qui avait demandé le déplacement des enfants tout en refusant de donner une explication. On peut penser qu'elle a découvert les actes posés par son mari et que, sous le choc, elle n'a trouvé que ce moyen de protéger les enfants : fermer sa famille d'accueil. On peut comprendre aussi qu'elle ait refusé de donner une explication : son existence a été bouleversée[107].

Cet épisode illustre bien un des aléas de l'intervention auprès de jeunes enfants : souvent ils ne peuvent pas dire tous les événements difficiles de leur vie, soit parce qu'ils sont trop jeunes pour s'en souvenir, soit parce qu'ils n'ont pas acquis le langage pour les dire, soit, tout simplement, parce qu'ils en sont incapables. Il est sûr cependant que ces événements laissent des traces. De plus, certains enfants souffrent aussi du syndrome de stress post-traumatique (SSPT)[108]. On a souvent tendance à négliger la présence de ce syndrome chez des enfants aussi jeunes, mais les traces qu'il laisse sont loin d'être négligeables.

Prise de conscience de l'ampleur des problèmes

PHILIPPE : « À partir du moment où il a eu la parole, Bruno a commencé à s'en servir. Mais ce qu'il disait nous jetait en bas de notre chaise ! Il en avait des choses à dire ! Des souvenirs très pénibles, des fantasmes… Par exemple, il voyait des personnages, c'était impressionnant. Au chalet particulièrement, un homme en blanc dans la fenêtre, "le monsieur qui va m'attaquer". Il s'en souvient encore aujourd'hui. Et en même temps, il y a eu des gestes d'agression qui ont commencé de manière plus systématique : envers les filles, envers les animaux…

---

107. Après la révélation de l'abus sexuel, un signalement a été fait ainsi qu'une déclaration aux autorités policières. L'abuseur n'a malheureusement pu être retrouvé et il a été impossible de donner suite, comme cela aurait dû se faire.

108. « Le syndrome de stress post-traumatique (SSPT) est un désordre anxieux qui peut se développer après qu'une personne a été exposée à un événement terrifiant ou à une épreuve dans laquelle une blessure grave, ou une menace de blessure grave, est survenue. Les événements traumatiques qui peuvent déclencher le SSPT incluent des assauts violents sur la personne, des désastres ayant des causes naturelles ou humaines, des accidents, le combat militaire. » Traduction de l'auteure. Définition tirée de [http://www.nimh.nih.gov/healthinformation/ptsdmenu.cfm]. (Date de consultation : 2007-08-07.)

« C'est à ce moment, à partir du moment où il s'est senti suffisamment en confiance et où il a été capable d'utiliser la parole, que j'ai commencé à avoir peur. Avant, je me disais: "C'est comportemental, nous allons y arriver." Mais à partir de ce moment-là, j'ai vu que c'était beaucoup plus profond. Vers quatre ans et demi, cinq ans... »

LAURENCE: « Une fois, au chalet, j'étais en train de lire dans ma chambre et j'entends une voix, une voix rauque, grave: "Oh, ma vache, ma salope, je vas t'la rentrer d'dans, j'vas t'tuer ma vache...". Je me lève et c'était Bruno dans sa chambre avec une Barbie et il la tenait par les cheveux et il faisait le mouvement de la violer. Je l'ai calmé, je l'ai fait parler et c'est toute sa haine contre les mamans qui sortait. Il avait souvent des symboliques très fortes comme ça. Il a eu une phase *Heavy Metal* sur le plan de la sexualité. Mais il avait cinq, six ans... ça donne un choc... »

Isolement et exaspération

PHILIPPE: « Il faut comprendre qu'à partir du moment où nous avons eu Bruno, tranquillement, presque subtilement, nous nous sommes isolés. Nous ne sortions presque plus. Nous ne pouvions plus sortir parce qu'il était presque impossible de le faire garder. Dès que nous partions, il se passait quelque chose. Nous revenions à la maison dès la fin du travail. Le samedi matin, dès sept heures et demie, nous l'occupions à chaque instant, en allant à la piscine, avec des activités, c'était le seul moyen de garder le contrôle...

« Nos amis, tranquillement, se sont éloignés parce qu'évidemment ce n'était pas agréable. Je me souviens d'un voyage au bord de la mer, ce n'était pas drôle, nous commencions à avoir des gestes d'impatience et je me rappelle très bien ce qui a provoqué la demande d'aide en psychiatrie. J'ai commencé à perdre patience, j'ai commencé à utiliser mes mains un peu... heureusement cette phase n'a pas duré trop longtemps. La fois où Laurence a appelé en pédopsychiatrie, nous étions allés au restaurant. Il y avait une gardienne et Bruno avait été épouvantable. En arrivant, il m'est venu une colère terrible, je suis allé à sa chambre, je l'ai réveillé et je l'ai frappé: "Tu ne me gâcheras pas la vie, ça n'a pas d'allure ce que tu as fait!" Je voyais bleu. Il s'est recouché en pleurant, je suis revenu au salon et je me suis dit: "Qu'est-ce que je suis en train de faire!"

« Depuis que j'ai vécu ça, je n'ai plus jamais été capable d'entendre parler des gens qui font mal à leur enfant de la même façon. À partir de ce moment-là, je les ai compris comme des gens démunis. Et maintenant, je dis aux étudiants: "Ce qui est criminel, ce n'est pas que quelqu'un frappe un enfant[109], c'est que quelqu'un frappe un enfant et qu'il ne demande pas d'aide après. Qu'il le refasse et qu'il le refasse! C'est ça qui est criminel! Et même en tant qu'intervenants, vous allez un jour arriver face à un enfant qui va venir vous chercher dans les limites de vos ressources et vous devez être assez humble pour demander de l'aide." »

LAURENCE: « Au travail, c'est facile de demander de l'aide, mais quand c'est dans sa maison... »

PHILIPPE: « Cette fois-là, je me suis rendu compte de la prison qui s'était construite: les seuls choix qui nous restaient c'était, ou bien on fait éclater les choses, ou bien on va devenir épouvantables, ou bien je fais quelque chose pour le briser, ou bien je deviens comme lui. Il n'y a pas d'autres façons, parce que je ne suis qu'en mode de réaction et c'est ce qu'il est, il n'est lui aussi qu'en mode de réaction, il n'est pas capable d'avoir une vie, une existence qui lui est propre, il ne fait que réagir à ce qui l'entoure... et je suis en train de faire pareil. Donc là on fait juste jouer à la balle de ping-pong et je me disais: "Mon Dieu, moi j'ai un réseau, j'ai des connaissances professionnelles, j'ai plein de choses qui m'amènent à tirer la sonnette d'alarme, à me dire 'Réagis, bon sang!' et combien de personnes n'ont pas ça!" L'image que j'ai dans la tête, c'est la petite fille de seize ans qui est partie de chez elle, qui a un bébé et c'est à peu près tout ce qu'elle a dans la vie pour être fière d'elle, ces jeunes filles sont fières d'être enceintes, et quand ça tombe, il n'y a plus rien... »

« C'est à la suite de ça que Laurence a téléphoné en pédopsychiatrie et qu'elle a dit: "Je considère que nous sommes en danger..." et ça n'a pas pris de temps... Mais on savait que c'était ça le levier, c'était ça ou huit mois d'attente! Et nous n'en parlions pas à notre intervenante, même si on lui parlait beaucoup à ce moment-là, parce qu'on était encore dans notre *pattern* de dire "Nous sommes capables et nous allons montrer que nous sommes capables..." Nous faisions des heures de ménage avant qu'elle vienne pour être sûrs que la maison était propre. C'était très important de montrer que nous avions le contrôle... »

LAURENCE: « L'image que j'avais, c'était comme un tunnel: je ne me voyais pas vivre avec cet enfant-là, c'était impossible, et je ne me

---

109. Philippe parle ici d'un geste (gifle ou tape sur les fesses) posé dans un moment d'exaspération sur un enfant de quatre ou cinq ans. Certains gestes, même posés une seule fois, sont inacceptables. On pense aux gestes qui, posés sur un bébé, entraînent le syndrome du bébé secoué (annexe 2.5), par exemple.

voyais pas vivre sans lui. Je me disais: "Ce n'est pas un objet, ce n'est pas un animal, je ne peux pas le redonner, il ne vient pas avec une garantie et... je ne peux pas le garder". Je me sentais devenir complètement folle et j'ai fait toute une dépression aussi. C'est ça, la névrose... les contradictions qu'on n'est pas capable de régler... »

PHILIPPE: « Cette période-là a été la plus dure... »

Intégration à l'école

LAURENCE: « Il a commencé la maternelle, mais ça n'a pas duré deux mois. J'ai vu Bruno agir une fois, à l'école, il ne savait pas que j'étais là. Ça m'a donné un choc. Il était en rang avec d'autres élèves et il tapait, sans raison, l'enfant en face de lui, puis il s'est rendu compte que j'étais là et il s'est ressaisi... Un professeur m'a dit: "Au dîner, il est assis à la table et s'il a seulement l'impression qu'un enfant le regarde, il se lève et lui donne un coup de poing..." Les parents étaient inquiets parce que leur enfant était agressé, il y avait des enfants qui pleuraient pour ne pas aller à l'école parce que Bruno était là, c'était très dur pour nous. »

PHILIPPE: « Mais c'était encore la période où nous n'acceptions pas la réalité. Nous étions fâchés contre les professeurs. Et en même temps, c'était la première fois depuis son arrivée où nous étions seuls avec Catherine, qui était encore trop jeune pour aller à l'école; ça nous a permis de prendre une distance, de voir que, quand il était là, ça n'avait pas d'allure. Tant que la comparaison n'est pas faite, tu ne le vois pas. Nous commencions aussi à nous rendre compte que Catherine n'allait pas bien. Bruno a agressé les filles quelques fois à la maison, dans la piscine, il leur faisait peur, surtout à Catherine. Et ça m'a rappelé ce que les éducatrices du centre où il était avant d'arriver chez nous avaient dit: "Il s'entend bien avec les plus vieux, mais dès qu'il y a un plus jeune, ça va mal." Comme s'il était toujours jaloux et porté à agresser les plus jeunes... »

COMMENTAIRES DE L'AUTEURE: Quelque temps plus tard, Bruno est transféré dans une école spécialisée où les enfants sont intégrés dans des groupes restreints. Il est un peu plus capable de fonctionner dans ce contexte, mais les problèmes importants de comportement se sont maintenus et ont nécessité un encadrement étroit durant toutes les années où il a fréquenté cet établissement. Les acquis scolaires de Bruno restent très limités. Il peut lire et écrire avec difficulté. Son développement sur le plan des mathématiques est minime, ce qui rend très difficile pour lui l'usage de l'argent: il ne sait pas le coût des choses, n'a pas appris à rendre la monnaie, est incapable de gérer un budget... Il est donc très vulnérable sur le plan financier et, à l'âge adulte, il aura besoin d'un tuteur aux biens[110] pour veiller à l'administration de son argent.

 ## DÉTACHEMENT

Membres d'une équipe thérapeutique

PHILIPPE: « Le début du suivi en pédopsychiatrie a été assez rapide: Bruno a commencé à fréquenter le centre de jour quelques heures par jour. Là commence le suivi multidisciplinaire. Ça a été comme un deuxième souffle. Il y a eu beaucoup de tentatives — une éducatrice du CJM–IU qui venait à la maison, par exemple — et nous avions demandé des fins de semaine de répit: l'intervenante avait trouvé une dame, une famille d'accueil, qui le gardait les fins de semaine, mais ça aussi n'a pas duré longtemps, car la dame n'était vraiment pas équipée pour répondre à ses besoins; alors il y a eu des périodes de répit dans un foyer de groupe. »

LAURENCE: « C'était aussi l'époque où l'éducatrice disait: "Gardez-le, on va vous soutenir..." Ce qu'elle ne réalisait pas, c'est qu'on avait un enfant profondément perturbé. »

PHILIPPE: « Mais de toute façon, écoute, peu importe le professionnel qui s'est occupé de Bruno, ça a toujours été la même chose. J'ai toujours considéré la pédopsychiatre comme excellente et je me rappelle très bien qu'elle nous dira plus tard dans une réunion: "Je n'ai aucune idée, je ne le sais pas quoi faire, je ne le comprends pas!" Quand il y a une pédopsychiatre qui te dit ça: ils sont supposés comprendre, eux... c'est leur travail de comprendre. Et elle disait: "Peu importe la combinaison de médicaments, nous n'arrivons pas à le stabiliser, il n'y a rien à faire." »

---

110. À noter que Bruno a aussi besoin d'un tuteur à la personne car il est incapable, entre autres, de prendre des décisions concernant les soins dont il a besoin. Le Curateur public du Québec veille à la protection de citoyens inaptes par des mesures adaptées à leur état et à leur situation. Les intervenants qui y travaillent s'assurent que toute décision relative à la personne concernée ou à ses biens est prise dans son intérêt, le respect de ses droits et la sauvegarde de son autonomie. Information tirée de [http://www.curateur.gouv.qc.ca/cura/fr]. (Date de consultation: 2007-08-07.)

« L'image que j'ai, c'est qu'à partir du moment où il allait au foyer de groupe[111], tout le processus de défaire ce qui s'était bâti entre Bruno et nous a commencé à s'engager, et je me rappelle très bien, j'avais l'impression d'enlever des couches une à une… c'est vraiment l'image que j'avais. Je pense qu'en dedans de moi, c'était clair qu'à partir de ce moment-là, ou environ à ce moment-là, il commençait à partir… »

LAURENCE : « Le détachement commençait. »

PHILIPPE : « Et il y a eu la période où tous les membres de l'équipe se rencontraient, presque une fois par mois ; il y avait beaucoup de réunions, et beaucoup de professionnels autour de la table : notre intervenante adoption, l'éducatrice, la pédopsychiatre, les intervenants du centre de jour, ceux du foyer durant un an et demi. Et c'est aussi le début de la médication pour Bruno parce qu'auparavant il n'avait pas de médication. Ce n'était pas une période facile, on travaillait toutes sortes de choses et notre état d'esprit, c'était de calculer le temps : OK, dans une journée, il s'en va pour deux jours ; demain, il revient pour trois jours… Je me rappelle que j'anticipais le moment où il partait et tout le monde dans la maison faisait "Ouf!". Puis il revient… et chaque fois qu'il revient c'est difficile. Je calculais aussi le temps qui restait avant la prise du médicament parce qu'au moins après, il y avait deux heures de tranquillité… »

LAURENCE : « Il ne faut pas oublier que c'était la période où il volait, chez nous et ailleurs, où il agressait d'autres enfants. Il n'allait pas bien et cela a augmenté jusqu'au point où le foyer ne pouvait plus le garder[112] parce que même le trajet en autobus entre le foyer et l'école était difficile : il agressait les autres enfants. Ça augmentait tout le temps. Bruno m'avait dit : "C'est comme s'il y avait un autre Bruno en moi, qui me joue des tours et qui me fait du mal et je ne peux pas le contrôler…" »

PHILIPPE : « Et là nous avons commencé à entendre des mots comme "psychose". Je me rappelle de la pédopsychiatre qui dit : "Nous sommes à la croisée des chemins, il y a la normalité, il y a la délinquance et il y a la psychose et nous n'avons aucune idée du chemin qu'il va prendre." »

---

111. Afin de tenter de soulager les parents, Bruno a été placé dans un foyer de groupe une fin de semaine sur deux. Cette fréquence a très graduellement été augmentée jusqu'à son départ définitif de la famille.
112. À cette époque, Bruno résidait la semaine en foyer de groupe et visitait la famille durant la fin de semaine.

LAURENCE: « Mais pour moi, le point tournant, c'est quand Bruno était au foyer de groupe à mi-temps, quelques jours au foyer et quelques jours chez nous. Et cet été-là, nous avions demandé que Bruno reste au foyer durant un mois à temps complet pour que nous puissions partir en vacances. Nous sentions que nous avions vraiment besoin d'un mois et... ça nous avait été refusé parce que les intervenants trouvaient que cette période-là était trop longue, que ça serait trop dur pour Bruno. Dans ma tête, ça a fait... c'est moi le parent, je suis une cliente ici, je ne suis pas une intervenante en train de parler de ce qu'il faut absolument faire pour Bruno. Parce que jusqu'à ce moment-là, comme dit Philippe, nous avions une attitude de professionnels qui analysent les facteurs, les interventions... et là je ne m'étais pas du tout comportée en professionnelle, j'avais dit des mots pas très polis, j'avais été très méchante... Ça voulait dire: "C'est ça ou vous le reprenez et je ne veux plus jamais le voir!" »

PHILIPPE: « Les étés étaient particulièrement difficiles parce qu'il était beaucoup plus présent à la maison. Je me souviens du dernier voyage à la mer avec lui. Laurence était au fond de la dépression à ce moment-là, et Bruno était constamment en crise. Je me souviens du dernier soir. Nous nous sommes parlé et la décision a été prise: au retour à Montréal, nous appelons notre intervenante et il s'en va. Ça venait de se décider, c'était clair. Nous nous demandions qu'elle serait sa réaction parce que, durant cette période-là, nous étions membres de l'équipe d'intervenants, je nous revois tous autour de la table. Nous étions toujours dans le mode thérapeutique: nous parlions toujours dans le meilleur intérêt de l'enfant. »

LAURENCE: « Autour de la table, c'était toujours cela qui revenait: qu'est-ce qui est mieux pour Bruno? Nous en avons défendu des choses pour cet enfant, entre autres le fait qu'il soit à mi-temps chez nous et à mi-temps en foyer de groupe: il paraît que ça ne se faisait pas. Mais tout le monde avait dit: "C'est dans son meilleur intérêt, il faut le faire..." Tout le monde était toujours centré sur Bruno. Je me souviens de réunions où tout le monde avait la larme à l'œil, tellement nous étions touchés par ce qui se passait... C'était une période très riche, très chaude, nous étions très proches l'un de l'autre, mais pour Bruno, toujours pour Bruno. »

PHILIPPE: « Je me souviens avoir dit: "Il n'y a personne qui nous écoute, nous." »

LAURENCE: « La pédopsychiatre et l'intervenante nous écoutaient, mais elles étaient toutes les deux très préoccupées par Bruno. »

PHILIPPE: « Il aurait fallu des personnes différentes. Surtout dans un cas comme ça parce qu'on en arrivait tranquillement à la conclusion que l'intérêt de Bruno et le nôtre n'allaient plus ensemble. »

AUTEURE: « Ce qui est arrivé, c'est que Bruno est devenu légalement admissible à l'adoption avant que nous nous rendions compte qu'il n'était pas cliniquement adoptable, à cause de tous ses problèmes[113]. Mais comme il était admissible, son dossier a été transféré au Service adoption: il n'y avait plus d'intervenant de prise en charge pour s'occuper exclusivement de lui. Votre intervenante était à la fois celle de Bruno et la vôtre. Et à partir de ce moment-là, elle a été en conflit d'intérêts: dans son rôle d'intervenante adoption, elle aurait voulu vous protéger en disant "sortons Bruno de cette famille au plus vite", mais elle ne pouvait pas faire ça parce qu'elle était aussi l'intervenante de Bruno. Il y avait contradiction. »

PHILIPPE: « Et la contradiction prend encore plus de sens quand on réalise que toute cette période-là a été constituée d'une suite d'essais que nous faisions tous pour aider Bruno. Je me revois, nous avons commencé le suivi en pédopsychiatrie, nous nous rencontrions à tous les mois, nous essayions toutes sortes de choses — la thérapie avec l'orthopédagogue, la médication, les changements de médication, le centre de jour, le premier foyer de groupe, le deuxième avec plus d'encadrement, le centre de réadaptation... — et nous participions aux plans d'intervention. Et puis nous nous parlions régulièrement: "Comment ça va?" — "Ah, ça va mieux cette semaine", mais évidemment, la semaine d'après...

« Nous en étions venus à dire qu'il y avait des périodes plus difficiles dans l'année, particulièrement autour des fêtes: Noël, l'Halloween... Je me rappelle de tout ça, de toutes les tentatives, je nous revois travailler ensemble et c'était du "travail" et il y avait un esprit d'équipe, mais chaque fois, chaque essai se soldait par un échec! Et puis, à un moment donné, il y a eu la dégringolade, Bruno a agressé la pédopsychiatre, les vols ont augmenté, l'automutilation... Et j'ai alors eu l'impression que Bruno prenait de la distance, de la distance, chaque fois... Et puis, je me souviens qu'à un certain moment, j'ai dit à notre intervenante: "Ça ne nous regarde plus...

---

113. Ces situations sont maintenant beaucoup plus rares sinon inexistantes: actuellement, les intervenants s'assurent que l'enfant est cliniquement admissible à l'adoption et que les postulants sont toujours désireux de l'adopter avant de demander à un juge de la Chambre de la jeunesse de le déclarer légalement admissible à l'adoption.

nous lâchons prise, nous ne contrôlerons plus ce qu'il va vivre à tel ou tel endroit..." et ça a été le mouvement inverse... mais ça a été dur... »

AUTEURE: « À cette époque-là, il était en centre de réadaptation, dans une unité fermée[114]... »

LAURENCE: « Ça a été une année d'adaptation pour tout le monde. Bruno appelait pour dire: "Il s'est passé quelque chose avec l'éducateur..." Et nous lui disions: "Retourne auprès de l'éducateur, parles-en avec lui." — "Mais je voudrais faire telle chose, je m'ennuie..." — "Parle avec l'intervenante, ce n'est pas nous qui décidons cela..." C'était très difficile de dire: "Bruno, ce n'est plus avec nous que tu règles ces choses-là." »

PHILIPPE: « Mais avant ça, il y a eu l'annonce à Bruno qu'il ne reviendrait plus chez nous. Et, encore là, je me revois, nous étions au lac, tous les deux dans la chaloupe, Bruno me regarde et dit: "C'est fini, je ne reviendrai plus chez nous? Je n'aurai plus de maison?" Je me rappelle de m'être senti un moins que rien... Et j'ai répondu: "Oui, c'est ça." Parce qu'avant cet événement, Bruno avait toujours sa chambre chez nous et je me rappelle quand j'ai défait sa chambre... »

LAURENCE: « Ça a été vraiment des étapes, une après l'autre, de détachement. »

PHILIPPE: « De l'avoir fait progressivement, ça me le rendait plus acceptable. »

Réflexions sur l'intervention

AUTEURE: « Aurions-nous dû aller plus vite, couper les liens avec vous plus rapidement? »

PHILIPPE: « Il y a plusieurs personnes qui l'auraient bien voulu! Mon Dieu qu'on s'est battu! Chaque fois qu'il changeait de foyer ou de centre, il y avait un intervenant qui nous disait: "Il faut que vous coupiez les liens, il n'est pas capable de s'investir dans son nouveau milieu de vie si vous ne coupez pas les liens..." »

AUTEURE: « Je sais que votre intervenante a défendu le maintien de ce lien plusieurs fois. Elle a consulté son chef de service, des collègues, une psychologue consultante... et tous étaient d'accord pour

---

114. Dans ce type d'unité, les jeunes sont sous la surveillance constante des éducateurs. Ils ne peuvent pas sortir de l'unité sans être accompagnés.

dire qu'il était préférable de maintenir ce lien: il était préférable pour Bruno de sentir qu'il avait des liens avec votre famille plutôt que de sentir qu'il n'avait des liens qu'avec une institution... »

PHILIPPE: « L'image que nous avions à ce moment-là, et c'est Laurence qui disait ça: "Il ne se fera jamais gratter le dos par une éducatrice avant de s'endormir..." Il y a un niveau d'intimité dans une famille qui ne peut pas exister dans une institution. Les enfants cherchent le geste d'affection et ça ne peut pas se donner dans une institution. C'est malheureusement, avec un enfant, la seule chose qui a de l'importance. C'est vrai, un enfant peut être mal nourri, il peut être malade, s'il y a de l'affection, de l'intimité physique comme un parent peut en donner à son enfant... »

LAURENCE: « Mais nous ne répondrons jamais à cette question: "Aurait-il fallu couper les liens plus vite?" On ne le saura jamais... »

PHILIPPE: « Je vais donner une portion de réponse: j'ai quarante-sept ans, j'ai vécu tout ça et je suis capable de mettre ma tête sur un oreiller et de dormir jusqu'au lendemain matin... À partir d'un certain moment, à partir du moment où les liens étaient tricotés, nous n'avions plus le choix que d'y aller progressivement. Si nous avions coupé les liens brusquement, là nous aurions créé un drame, là nous aurions eu des séquelles importantes; pour lui, pour nous, et pour nos enfants... Ça aurait été comme la mort d'un enfant! »

LAURENCE: « Hier, j'ai appelé au centre et j'ai appris qu'il était en fugue. J'ai appelé Philippe, j'ai appelé Véro [elle a maintenant 21 ans] à son appartement. Elle m'a dit: "S'il appelle, qu'est-ce que je fais, je lui dis de venir chez moi?" — "Non, tu lui dis d'appeler au centre et de retourner là-bas." Voyez-vous, il y a encore des liens entre eux. Nous espérons protéger ce qui existe et empêcher en même temps ce qui pourrait être négatif. »

PHILIPPE: « D'avoir vécu son départ progressivement, tout le monde a eu le temps, lui comme nous, de vivre le détachement... ça s'est fait naturellement. Chaque fois que nous avons pris une décision, c'est parce que nous étions rendus là, je n'ai pas eu l'impression de pousser ou de forcer les choses. »

LAURENCE: « Il n'y a pas eu de déchirement, mais pas de doute non plus, les choses étaient claires. Par contre, si vous nous demandez si c'était à refaire, est-ce que nous nous engagerions auprès de Bruno, avec tout ce que nous savons maintenant, la réponse est non. »

PHILIPPE: « Personne, sachant tout cela, n'accepte de s'engager dans une telle situation… »

LAURENCE: « Je n'avais pas l'expérience ni les connaissances nécessaires pour déceler les indices. Il y en avait des indices. Et quand la psychologue nous les a dits, nous ne l'avons pas crue… »

PHILIPPE: « Dans le fond, s'il y a eu une erreur, c'est au début et c'est relié à la notion d'urgence: on ne devrait jamais, jamais se sentir en urgence dans ce genre de situation. »

AUTEURE: « Je ne comprends pas cette notion d'urgence. Bruno était hébergé en centre de réadaptation, il pouvait y rester tout le temps qu'il fallait. Ce n'était pas comme lorsque l'enfant est en famille d'accueil. Si celle-ci doit fermer à une date précise, il faut nécessairement relocaliser les enfants avant cette date. »

PHILIPPE: « Ce dont je me souviens, ce sont les intervenants du centre qui disent: "Nous allons le perdre au plan psychologique…" Il y avait une idée d'urgence: "Il est tellement beau, attachant… On va le perdre si nous n'intervenons pas rapidement, s'il n'est pas intégré dans une famille. Je revois l'éducatrice du centre: à quel point elle était attachée à lui, elle s'était laissée séduire par cet enfant-là. Écoutez, c'est la même chose pour tout le monde, les premiers temps que quelqu'un voit Bruno. Combien de fois me suis-je fait dire: "Que vous avez un bel enfant!" Encore aujourd'hui lorsque je sors avec lui: "Quel beau jeune homme, quel jeune homme poli!" au magasin, au restaurant… »

LAURENCE: « Même nos amis au début ne comprenaient pas les difficultés… Mais il y a une autre chose aussi à ne pas faire: ne pas placer d'enfant plus âgé que le plus jeune de la famille, respecter la hiérarchie de l'âge. Si c'était à refaire, je la respecterais, j'aurais un enfant plus jeune que le dernier arrivé. »

PHILIPPE: « Mais des regrets… écoute, est-ce que je demande à mon oncle qui a sept enfants s'il a regretté les deux derniers… »

LAURENCE: « Mais non, Philippe, ce n'est pas pareil, ce qui s'est passé dans notre situation, c'est qu'il y avait quelque chose qui créait un climat malsain dans la famille. C'est de l'ordre de la maladie mentale, je pense qu'il faut le dire. Bien que Bruno n'ait jamais été catalogué comme psychotique. »

AUTEURE: « Pour Bruno, il y a de multiples diagnostics: le syndrome d'alcoolisation fœtale en plus du déficit d'attachement sévère, les abus sexuels et physiques probablement… »

PHILIPPE: « Oui, il nous a parlé d'abus physiques: la tête dans le bol de toilette... Je m'en rappelle... »

AUTEURE: « Donc les abus sexuels et physiques, inconnus au départ. Et aussi la maladie mentale même si elle n'a jamais été diagnostiquée formellement, il y avait des symptômes importants. Et le déficit intellectuel, le syndrome de stress post-traumatique, avec tout ce qu'il a vécu sûrement. Et l'hyperactivité... »

LAURENCE: « Surtout ses difficultés de jugement qui le placent dans des situations qui n'ont pas d'allure. Je suis curieuse de savoir où il était hier soir dans sa fugue à une heure du matin. Il ne peut pas être laissé sans surveillance. Bruno, c'est une victime potentielle: prostitution, drogues... Il veut avoir un nouveau *piercing*, il sait que je ne suis pas d'accord, je lui explique que ça l'identifie à certaines personnes, à des groupes, mais... Je suis très inquiète de l'avenir. Il n'a pas de jugement, mais il est capable de prendre le métro, de sortir, de faire plein de choses; c'est complexe, ça serait tellement plus facile s'il était franchement déficient intellectuel... »

PHILIPPE: « On a toujours dit ça. Quand il était jeune, nous disions: "S'il était vraiment défectueux" et que les gens puissent se rendre compte à quel point... »

AUTEURE: « S'il était franchement déficient intellectuel, il n'aurait pas tous les moyens qu'il a. »

PHILIPPE: « C'est ce qui le rend si dangereux, autant pour lui que pour les autres. »

LAURENCE: « Il est capable d'aller au centre d'achat, il a des besoins, il peut s'acheter des choses, il peut être fonctionnel, mais c'est un "fonctionnel dysfonctionnel..." »

PHILIPPE: « Je ne suis pas capable d'identifier clairement, mais ce n'est pas vraiment du niveau de la déficience intellectuelle... »

AUTEURE: « Sa déficience est une conséquence du syndrome d'alcoolisation fœtale, du déficit d'attachement et de tous les autres événements qu'il a vécus et qui ont eu une influence néfaste sur son développement... »

PHILIPPE: « Ce ne sont pas les mêmes zones qui sont touchées, moins les zones d'apprentissage que les zones de décision, d'émotion. Moi, j'appelle ça des malades d'émotions. »

LAURENCE: « Si le côté affectif, social, estime de soi, sécurité... n'est pas adéquat, le reste ne peut pas coller, les apprentissages ne tiennent pas. »

PHILIPPE: « Mais on se rend compte de plus en plus qu'il y a une base physiologique à nos émotions, des réactions chimiques, de la même façon qu'une personne est paralysée parce que d'autres zones sont touchées. L'image que j'ai de Bruno au plan de son fonctionnement intellectuel c'est lorsqu'il avait six ans: je le vois, nous jouons au *Monopoly*, il réussit, il apprend, il achète des maisons... et puis, pour un oui ou pour un non, il ne sait même plus dans quel sens faire bouger son jeton, c'est fini, tout vient de disparaître, on dirait que le courant ne passe plus, il est complètement démembré! Et c'est tellement l'image que nous avons de son évolution: cette capacité de se bâtir et puis, dès qu'une frustration... ou même presque rien, n'importe quoi... J'en venais à me dire: "C'est les moments de la journée, c'est cyclique, à partie de deux heures, il se lève de la sieste... et on vient de le perdre!" »

Rôle de père et de mère

AUTEURE: « Avez-vous vécu certains événements différemment l'un de l'autre? »

PHILIPPE: « Laurence l'a toujours eu plus dur que moi, elle a toujours eu plus de contrecoups: c'est avec la figure maternelle qu'il vit des difficultés, pas avec la figure paternelle. Ce n'est pas à moi qu'il s'agrippait, ce n'est pas à moi qu'il demandait de lui gratter le dos. Autant Catherine venait vers moi, autant Bruno allait constamment, constamment, constamment vers Laurence. Ça ne devait pas être facile! C'est encore comme ça: Bruno est content s'il vient au cinéma avec moi, mais il est encore plus heureux si elle est là! »

LAURENCE: « J'ai été capable de chercher les ressources et d'amorcer la séparation, mais j'ai eu des réactions plus fortes, j'ai eu beaucoup, beaucoup de peine... Je l'ai fait parce que je savais qu'il fallait sauver le bateau. C'est en pensant aux filles... Mais après j'ai eu de la culpabilité, mais surtout une détresse, un gros chagrin. Voilà... Que c'est donc chiant d'être obligé d'en venir là! Encore récemment, je suis allée le reconduire à son centre; c'est comme un *bunker* cet endroit-là, c'est spécial, et puis je me suis assise dans l'auto et j'ai pleuré. C'est triste une vie comme ça! Je le vois, je vois les autres garçons du centre, je me sens impuissante, je voudrais faire quelque chose mais... »

PHILIPPE: « C'est dur, très dur, de concevoir qu'une vie peut être gâchée en si peu de temps et irréparablement... J'ai toujours eu la conviction... j'ai été élevé comme ça, que si je relève mes manches, si je travaille dans le bon sens, je vais finir par récolter, que j'ai un certain libre arbitre dans ma vie. Mais quand nous sommes face à des vies comme ça: le libre arbitre, c'est une grande illusion! Dans certains cas, il n'y a aucun libre arbitre. Je nous revois à une réunion, tous les spécialistes, nous étions dans le plus creux et quelqu'un a dit: "S'il pouvait se jeter devant une auto et mourir, il me semble que ça règlerait tous ses problèmes, il me semble qu'il serait bien. Parce qu'il n'arrivera jamais à être bien de toute sa vie, c'est un être qui est condamné à être malheureux. Jamais, jamais il ne pourra savoir ce que c'est que d'être bien." C'est dur d'avoir à vivre avec ça... »

LAURENCE: « Et quand tu sais ça et puis qu'il vient au chalet et qu'il se colle sur toi et qu'il te dit: "Ah, je me sens tellement bien maman, excuse, Laurence." (Parce qu'on a dû lui dire qu'il ne devait plus m'appeler maman...) "Je me sens tellement bien, ah, ça fait du bien un p'tit *break*[115]." Un *break* de quoi? Un *break* de vie? Moi, je sais que je le retourne après... que je suis dans un processus de détachement, que je ne le vois plus beaucoup, que ça va prendre un an avant qu'il revienne au chalet... Et là je me dis: "Est-ce moi qui suis en train de devenir une super égoïste, bourgeoise, qui ne veut pas être dérangée dans sa vie..." »

PHILIPPE: « Mais, la seule façon de se sortir de ce raisonnement-là, c'est de voir le contraire, c'est de se dire: "S'il reste, que va-t-il se passer?" Et tu sais très bien qu'au bout de vingt-quatre heures... c'est pareil chaque fois qu'il vient au chalet: le premier vingt-quatre heures, quarante-huit... et la dernière journée quand on le met dans l'autobus, tout le monde fait: "Ouf... il était temps!" »

LAURENCE: « Pourtant, il ne démolit rien dans la maison, mais c'est qu'il a un état d'anxiété tel, cet enfant-là, qu'il le transmet à tout le monde... »

PHILIPPE: « Mais c'est l'éternelle insatisfaction. C'est le Dr Lemay[116] qui dit: "Ces enfants sont comme des vases sans fond, tu pourrais les remplir durant toute une vie et le sentiment de satiété n'est jamais là." C'est toujours ça qui revient, oui, il peut dire "Ah que je suis bien..." Et c'est significatif, il est collé contre la mère, c'est presque comme s'il retournait dans le ventre de la mère, là il est bien... Mais c'est un adolescent de dix-sept ans! Les adolescents de cet âge ne sont pas à l'aise d'être aussi proches de leurs parents: ils

---

115. *Break:* pause, répit...
116. Dr Michel Lemay, pédopsychiatre au CHU Sainte-Justine et auteur, entre autres, du livre intitulé *J'ai mal à ma mère: approche thérapeutique du carencé relationnel,* publié en 1993 aux Éditions Sciences et Culture (Montréal).

veulent partir à tout prix. Essaye de faire ça avec Catherine! Quand je réussis à lui frotter le bout de la tête, je suis bien chanceux et c'est normal, elle a quinze ans! Elle ne veut pas retourner dans le ventre de sa mère, elle veut sortir, elle veut grandir! Parce que c'est un non-sens, tu ne peux pas être heureux à retourner là! Lui, son bonheur, c'est un souvenir hyper lointain... c'est peut-être le seul moment où il a été bien. »

LAURENCE: « Et nous, nous vivons ces moments-là difficilement parce que nous savons que c'est artificiel, ce n'est pas la réalité, c'est un moment que nous lui offrons... c'est une bulle... Je ne peux pas lui offrir cette bulle vingt-quatre heures sur vingt-quatre... Il a dix-sept ans aujourd'hui, et il me dit encore: "Il y a une chaîne entre nous deux." »

PHILIPPE: « Nous sommes en lien avec son insatisfaction, c'est difficile à regarder, c'est comme les sans-abri: tu passes à côté, tu donnes, mais c'est sûr que tu ne t'arrêtes pas pour essayer de comprendre, parce que si tu fais ça, tu vas y laisser ta peau, c'est tellement gros comme détresse... Mais d'avoir vécu avec Bruno, c'est comme d'avoir vécu avec le rappel, régulièrement, que cette détresse est présente, toujours... Je ne peux pas me coucher en me disant "la vie est belle". Il y a toujours quelque part cette image dans ma tête de quelqu'un, en ce moment, qui est proche de moi et qui n'est pas heureux. Et il faut accepter qu'il ne soit pas heureux, qu'il ne sera jamais heureux et qu'il n'y a rien à faire... Ce n'est pas facile... »

Autres membres de la famille

AUTEURE: « Et les membres de vos familles respectives, comment ont-ils réagi? »

LAURENCE: « Nos familles n'ont jamais été très impliquées auprès de Bruno. De mon côté, ses anniversaires ont toujours été fêtés comme les autres, il était considéré comme un de mes enfants. Mais mon père m'a dit, la première fois qu'il l'a vu, dans ses mots: "Cet enfant-là, il est fou." Ça m'a choqué! Et puis il a ajouté: "Ça se voit dans ses yeux, il est fou grave." Mon père était âgé, malade. C'était un homme qui avait beaucoup d'expérience de la vie, il a rencontré beaucoup de gens, j'ai un grand respect pour lui. Mais quand il a dit ça, j'ai été très blessée. Mon père avait très peur pour nous, il était inquiet qu'on prenne cet enfant-là. Mais il était quand même gentil avec Bruno, il l'appelait près de lui, lui donnait son petit dollar. Ma mère était plus sensible à lui. »

PHILIPPE: « Ta mère, c'était celle qui l'acceptait le plus. Elle disait: "Pauvre petit enfant de la misère". »

LAURENCE: « Mais pour ma mère, c'est précieux un enfant, tu ne touches pas à ça. Mais il y avait beaucoup d'inquiétude de la part de ma famille. Mon frère était inquiet pour moi et pour les filles. Et dès que nous avons commencé à nous séparer de Bruno, il n'y a personne, jamais, ni dans ma famille ni dans la sienne, qui a demandé à le voir. Et c'était très tabou, on n'en parlait pas. Et c'est rare ça chez nous! Le seul commentaire que j'ai eu, c'est: "Tu as bien fait." »

PHILIPPE: « Moi, de toute façon, je ne suis pas très près de ma famille. Il y a eu quelques liens. Et même du côté des amis... »

LAURENCE: « C'est vrai, j'y pense, jamais nos amis ne demandent des nouvelles de Bruno... »

Relation de couple

AUTEURE: « Comment votre couple a-t-il survécu à tout ça? »

PHILIPPE: « Il y a un moment, après le départ de Bruno, où nous nous sommes demandé si nous ne serions pas mieux d'avoir chacun notre appartement, de nous voir quand nous voulons nous voir... Oui, nous nous sommes posé cette question... Mais il faut comprendre que ça a été un cinq, six ans assez dur... parce que durant toute la période où nous nous séparions de Bruno, il y a eu Laurence qui a perdu ses parents... il y a eu beaucoup d'endroits où il fallait... Nous avons joué au pompier durant quatre ou cinq ans... nous avons été essoufflés à un moment... »

LAURENCE: « Nous n'avions pas le temps de penser à notre couple, il y avait trop d'action... »

PHILIPPE: « Mais là, nous sommes bien ensemble... »

AUTEURE: « Qu'est-ce qui a fait que vous êtes restés ensemble? »

LAURENCE: « Le rire... nous parlons beaucoup... nous avons de grandes gueules, nous sommes capables de nous exprimer... »

PHILIPPE: « Quand on y pense... il y a beaucoup de gens qui, pour moins que ça, leur couple éclate... Mais nous avons été amis longtemps avant d'être amoureux, avant de vivre ensemble... Pour moi, si l'idée du couple a vacillé un peu, l'idée de l'amitié n'a jamais été remise en question. Je ne me suis jamais dit: "Un jour, Laurence ne sera plus mon amie..." »

LAURENCE: « C'est impensable... nous sommes de très bons amis... »

PHILIPPE: « Oui... et complices... Le fait que nous ayons vécu toute l'histoire de Bruno ensemble, en complices... Ça été dur mais nous avons été rarement en désaccord, ce n'est pas arrivé souvent que nous ayons eu clairement une opinion différente de ce qu'il fallait faire pour Bruno. Il y a eu l'époque où je perdais patience et là tu me disais: "Ça n'a pas de bon sens, tu ne t'entends pas, tu ne te vois pas aller... ce n'est pas correct ce que tu fais." Même si ça pouvait me faire réagir, profondément, tu avais raison. Donc, ce n'était pas un désaccord en tant que tel... »

LAURENCE: « Je n'étais pas mieux... »

PHILIPPE: « D'autres façons et je te le disais aussi... mais à chaque grande étape, nous arrivions à la même conclusion. »

Avenir

AUTEURE: « Avez-vous des inquiétudes pour l'avenir? »

LAURENCE: « Oui. Si un jour Bruno s'en va dans le monde de la prostitution, de la drogue... je ne veux plus qu'il ait de contact avec les filles. »

PHILIPPE: « C'est clair pour moi... Je l'ai déjà dit à Bruno: "Tu as des choix à faire, tu feras les choix que tu veux... mais c'est clair que si tu t'en vas vers la délinquance, ça veut dire que tu coupes les ponts avec nous et qu'il n'y aura plus de liens." Jusqu'ici, il a toujours préservé ça. Il y a eu un moment où j'ai dû avoir une discussion avec Véro. Ça va avec son âge, je suis sûr que ça lui arrive de passer une soirée avec des gens qui prennent de la drogue et Bruno lui avait parlé de drogue. Je pense qu'elle lui avait dit: "C'est de tes affaires, tu fais ce que tu veux." Et j'avais été très clair: "Le message que Bruno doit entendre de ta bouche c'est *Non, je ne veux plus rien savoir si tu prends ça, tiens-toi loin de moi!* ". J'avais expliqué: "Il ne faut pas qu'il associe quelque forme de délinquance avec toi ou avec Catherine parce que vous allez ouvrir la porte à un monde où vous n'aurez peut-être pas le contrôle..." Il va y avoir un suivi à faire là... »

LAURENCE: « Elle lui a dit de faire très attention, que c'était très dangereux, mais c'est tout. Il a voulu la rencontrer une fois et nous lui avons dit: "Il n'y a pas de rencontre avec Bruno à moins que nous soyons là." Mais Bruno essaie de passer par elle pour toutes sortes de choses... »

PHILIPPE: « Je ne sais pas pourquoi, je suis moins inquiet avec Catherine qu'avec Véro. Peut-être parce que Catherine a vraiment vécu son enfance avec lui… ou peut-être parce qu'elle est plus jeune et que nous sommes encore capables d'avoir un contrôle. Mais j'ai l'impression qu'elles vont avoir quelque chose à régler avec tout ça un jour ou l'autre. Surtout Véro. Lorsque je l'entendais parler à un certain moment de Bruno, ça ressemblait un peu à un enfant qui parle de son père absent. L'absent finit toujours par avoir une certaine auréole… L'enfant n'est pas confronté à la réalité, donc il y a le fantasme de l'absent. Catherine a vécu ça aussi quand elle parlait de "Mon frère, mon frère…" »

LAURENCE: « Elle disait: "Qu'est-ce que vous lui avez fait? Qu'est-ce qui va lui arriver? Aimerais-tu ça toi, être dans un centre? Vous n'avez pas été corrects…" »

PHILIPPE: « Bruno pourrait-il devenir dangereux pour elle? Je me suis posé la question. C'est clair que, s'il se passe quelque chose, je ferai le 9-1-1[117], s'il faut le faire. C'est clair aussi que si Bruno vient à la maison, sonne… je le retourne, il ne rentrera pas. Aussi dur que ça peut être. Il n'est pas venu à la maison depuis longtemps. Je suis convaincu qu'il retrouverait très bien son chemin s'il voulait… J'ai souvent imaginé de le voir sonner à la porte… Mais il ne rentrera pas. En tout cas, tant que les filles seront là. Tantôt, nous parlions de regrets ou d'inquiétude. Ce que je remarque, c'est que c'est toujours dirigé vers les enfants. C'est toujours là où se dirige mon inquiétude. À la limite, quand je serai plus vieux et que les enfants ne resteront plus avec moi, si un jour il vient… je pense que je serais capable de composer avec lui et que je ne trouverais pas ça nécessairement désagréable.

« Je ne suis pas convaincu que, s'il y a quatre ans nous avions dit : "Bruno, tu ne revois plus ta famille"… Au contraire, au lieu que ça se passe comme ça se passe actuellement, nous nous retrouverions dans une situation où il aurait rongé son frein durant quatre ans parce que la seule chose qu'il aurait en tête, c'est un fantasme de famille perdue. Là, il y aurait danger qu'il grossisse les choses, qu'il s'en aille vers une psychose. Le fait qu'il ait été confronté quotidiennement et graduellement à nos présences et à nos absences, qu'il constate qu'il y avait des changements dans notre approche, dans notre rôle, mais nous ne l'avons pas détruit!

---

117. 9-1-1: au Québec, numéro de téléphone des services d'urgence.

« Lorsque nous nous demandons si nous avons eu raison de maintenir les liens... je reste convaincu que c'était la chose à faire. Nous étions pris dans une relation qu'il fallait détricoter maille par maille... nous ne pouvions pas mettre la hache là-dedans... Nous aurions créé un drame. Ce que nous avons réussi à nous donner, c'est que dans une situation extrêmement difficile, nous avons réussi à défaire des liens sans créer de drame. Bruno, malgré toute la rancœur qu'il aura, ne pourra jamais se dire: "Ces gens-là m'ont abandonné." Même si, dans les faits, nous avons réduit les liens, il a toujours senti que nous avions le souci de lui. C'était le mieux que nous pouvions faire dans cette situation. »

AUTEURE: « Qu'avez-vous appris à partir de cette expérience? »

LAURENCE: « J'ai appris que je dois apprendre à m'écouter quand je sens que quelque chose n'est pas pour moi, respecter ce que je ressens, me faire confiance, que l'analyse que je fais des situations qui se présentent dans ma vie est juste. J'ai appris aussi que je suis une personne ultrasensible.

« J'ai appris que nous avons été capables de l'aider à travers tout ça. Et que si une chose semblable arrivait avec une de nos filles, je pense que je serais aussi lionne. Je suis une lionne avec mes enfants. Il y a eu une période où je me détestais, je me trouvais gauche avec mes enfants, trop ci ou trop ça. Mais, au contraire, j'en ressors encore plus solide au plan de mes valeurs pédagogiques, parce que je regarde nos deux autres...

« Et au plan professionnel aussi. J'en parlais récemment avec des étudiants; quand nous discutons d'un enfant, nous reposons toujours les mêmes questions: "Ce que vous proposez comme intervention, est-ce que ça va dans le sens de la sécurité, de l'estime de soi, de la communication, de la résolution de problèmes." Nous avons nos patrons, nos modèles, auxquels je crois encore plus. »

PHILIPPE: « Beaucoup d'humilité... qu'on peut être dépassé... accepter qu'il y a des situations où il n'y a pas de réponse. Aussi que la vie fait que nous tissons des liens à travers tout ça, comme un ciment de vie qui se crée, avec Laurence et les enfants, avec notre intervenante. Comme les gens qui sont allés à la guerre, les astronautes qui font une mission ensemble, ceux qui ont conquis le Nouveau Monde, au retour, ils disent: "J'ai vécu quelque chose qui est hors de l'ordinaire et les gens avec qui je l'ai vécu, il y a des liens qui se sont tissés, très forts et pas toujours identifiables."

« Et ça a provoqué des changements au niveau de nos attentes. Je regarde mes amis, ils donnent tellement d'importance à la réussite scolaire des enfants, mais ils ne pensent pas de poser la question: "Es-tu heureuse, es-tu bien? Si tu es heureuse, le reste…" Tout est une question de perspective dans la vie: c'est sûr que d'avoir vécu avec Bruno, ça relativise les choses de la vie…

« Sur le plan professionnel, depuis que j'ai vécu ce que j'ai vécu avec Bruno, je ne me rappelle pas d'une situation qui m'aurait désarçonné. J'ai toujours la même réflexion quand un étudiant arrive et me dit: "Cet enfant est vraiment difficile!" Dans ma tête, il y a une petite voix qui dit: "Tu ne sais pas ce que c'est 'vraiment difficile', ce que tu décris, ce n'est pas difficile. Regarde, il se fâche après toi, c'est sain, il ne se fâche pas après lui-même. Je vais te raconter l'histoire d'un petit gars qui se fâche après lui-même, ça c'est terrible."

« Et il y a plein de rencontres que j'ai faites à travers le voyage avec Bruno qui m'ont nourri, même lorsque je n'étais pas d'accord avec certaines décisions, ça a fait son chemin. Sans vouloir être prétentieux, au département, il y a sûrement beaucoup de profs qui, théoriquement, vont beaucoup plus loin que nous. Mais, pratiquement, il n'y en a pas beaucoup qui sont allés aussi loin dans le vécu avec un enfant. Je me rends compte à quel point ça fait des assises solides… »

 ## BILAN DE CE RÉCIT

Il aurait été facile de choisir de ne pas écrire l'histoire de Bruno, de Laurence et de Philippe. C'est prendre un grand risque, donner une très mauvaise image des enfants orientés vers le programme Banque-mixte, faire peur aux postulants éventuels. Cependant, les enfants aussi atteints, porteurs de déficits multiples et cumulatifs, sont extrêmement rares dans l'histoire du programme Banque-mixte: depuis 1988, sur 680 enfants placés, il y en a eu une quinzaine.

De plus, les déficits d'attachement, le syndrome d'alcoolisation fœtale… sont aujourd'hui beaucoup mieux connus. Plusieurs enfants porteurs de déficits semblables ne sont plus orientés vers le programme Banque-mixte et, lorsqu'ils le sont, c'est en pleine connaissance de cause: les parents sont avertis, mieux outillés et accompagnés sur une plus longue période. Dans certaines situations très difficiles, les intervenants et les parents Banque-mixte décident, d'un commun accord, de ne pas finaliser l'adoption: les parents conservent le statut de parents d'accueil et le suivi par les intervenants du CJM–IU est maintenu.

Mais tout n'est pas parfait: il y a encore des enfants que les intervenants ne connaissent pas assez bien, des enfants qui ne peuvent pas dire tout ce qu'ils ont vécu... Il y a encore des lacunes sur le plan des connaissances et il y en aura toujours. Et les intervenants qui travaillent avec ces enfants, qui sont confrontés à l'ampleur des dégâts causés durant la gestation et la petite enfance, ne restent pas insensibles. Eux aussi ont des espoirs détruits et des deuils à faire. Ils se questionnent et se requestionnent toujours sur leur intervention.

Le récit de Bruno se veut un hommage à tous les parents qui se sont engagés et qui s'engagent encore auprès d'enfants très perturbés. Le travail de Laurence et de Philippe avec Bruno, dans le quotidien et sur plusieurs années, est un travail que très peu de gens auraient été capables de faire.

Si Bruno reste un jeune très perturbé, grâce à Laurence et Philippe il n'est plus le petit animal sauvage qu'il était à son arrivée chez eux. Il est capable de relation, il peut travailler dans un atelier protégé et il pourra peut-être vivre dans un endroit relativement normal, s'il accepte de recevoir l'aide nécessaire. Il reste que sa détresse est encore très grande, qu'il est extrêmement vulnérable et qu'il pourrait un jour se suicider ou commettre une agression.

Frédéric, Kevin, Mariesol et Liliane

Personnes mentionnées dans ce récit

Parents adoptifs
- **Claudia,** la mère
- **Pierre,** le père

Enfants et membres de leur famille d'origine
- **Frédéric,** 1er enfant concerné par ce récit
- **Denise,** sa mère

- **Kevin,** 2e enfant concerné par ce récit
- **Martine,** sa mère
- **Jack,** son père

- **Mariesol,** 3e enfant concernée par ce récit
- **Geneviève,** sa mère
- **Thérèse,** sa grand-mère

- **Liliane,** 4e enfant concernée par ce récit

Frédéric, Kevin,
Mariesol et Liliane

Ce récit est celui des quatre projets d'adoption[118] de Claudia et de Pierre. Trois de ces projets ont été réalisés dans le cadre du programme Banque-mixte et le dernier par l'adoption québécoise régulière[119].

Le projet Banque-mixte de Frédéric débute lors de son arrivée dans cette famille à l'âge de six jours, en 1994. Il comporte des moments très difficiles, car une amorce de retour de l'enfant dans la famille d'origine sera entreprise puis arrêtée, devant la grande détresse de Frédéric. Il a actuellement treize ans, et une ordonnance de placement en famille d'accueil jusqu'à l'âge de dix-huit ans a été prononcée par un juge de la Chambre de la jeunesse en 1997 avec pour résultat de maintenir Frédéric dans la famille de Claudia et de Pierre. Durant plusieurs années, il y a eu des contacts réguliers entre Frédéric et sa mère d'origine, Denise. Depuis un an, celle-ci ne donne plus de nouvelles et les intervenants s'orientent actuellement vers l'adoption de Frédéric par Claudia et Pierre[120].

---

118. Lorsqu'un couple désire adopter un deuxième enfant, une mise à jour de l'évaluation de leur premier projet d'adoption est faite. Cette mise à jour apparaît à première vue plus simple que l'évaluation de leur premier projet puisque les individus et leurs capacités parentales sont maintenant connus. Mais une attention spéciale doit tout de même être apportée. En effet, des projets d'adoption de type Banque-mixte sont souvent sources de stress important, et les enfants qui sont confiés peuvent avoir des besoins particuliers. Forts de l'expérience acquise depuis le début du programme Banque-mixte en 1988, les intervenants du Service adoption évaluent attentivement les deuxième et troisième projets Banque-mixte, et sont très attentifs à ne pas surcharger les familles.
119. Adoption québécoise régulière: fiche technique 2.2.
120. À cet âge, l'accord de l'enfant est nécessaire pour que l'adoption se réalise. Un enfant pourrait tenir à avoir l'autorisation de ses parents d'origine. Ce souhait serait respecté.

Le deuxième enfant, Kevin, est arrivé dans cette famille en 1997, à l'âge de quatorze mois. Son histoire est beaucoup plus simple que celle de Frédéric puisque ses parents d'origine, Martine et Jack, se rendent compte assez rapidement de leurs limites et reconnaissent le bien-fondé d'un projet d'adoption pour leur enfant. Tout en se sentant incapables de signer un consentement, ils ne s'opposent pas à l'adoption de Kevin et la déclaration d'admissibilité à l'adoption est prononcée en 1999.

Le parcours de Mariesol est complexe. Elle arrive dans la famille en 2000, alors qu'elle a dix-neuf mois. Elle a des contacts avec sa mère d'origine, Geneviève, et avec sa grand-mère maternelle, Thérèse. Après un séjour de dix-huit mois dans la famille de Claudia et de Pierre, elle retourne vivre avec sa mère. Malheureusement, Geneviève fait une rechute et Mariesol doit être retirée à nouveau. Les intervenants contactent alors Claudia et Pierre qui acceptent de la reprendre[121]. Pour elle aussi, une ordonnance de placement en famille d'accueil jusqu'à l'âge de dix-huit ans est prononcée par un juge. Il est encore trop tôt actuellement pour déterminer si l'adoption sera la meilleure avenue dans cette situation.

L'adoption de Liliane en 2001, à l'âge de quelques jours, est la plus facile que vit cette famille, car cette enfant est adoptée dans le cadre du programme d'adoption québécoise régulière. Sa mère d'origine a déjà signé un consentement général à l'adoption au moment du jumelage, et son père n'est pas reconnu à l'acte de naissance. L'adoption sera prononcée en 2002.

Depuis le début du programme Banque-mixte, en 1988, les projets qui se transforment en placements jusqu'à l'âge de dix-huit ans sont rares[122]. Claudia et Pierre ont eu la malchance d'en vivre deux, dont un a même impliqué une réinsertion[123] de l'enfant dans sa famille d'origine puis un retour de l'enfant chez eux lorsque cette réinsertion s'est révélée un échec.

---

121. Claudia et Pierre auraient pu ne pas être disponibles pour accueillir à nouveau Mariesol à ce moment-là ou encore ils auraient pu considérer cette situation trop difficile à vivre et préféré s'abstenir. Mariesol aurait alors été orientée vers une autre famille.

122. Depuis 1988, début du programme, sur 680 enfants placés en Banque-mixte au CJM–IU, 8 sont les sujets d'une ordonnance de placement jusqu'à dix-huit ans.

123. De 1988 au 31 mars 2005, sur un total de 680 enfants placés, 22 enfants sont retournés dans leur famille d'origine: depuis 1995, environ 10 enfants font l'objet d'un tel retour. De ce nombre, 3 sont revenus dans le réseau de placement parce que la réinsertion dans la famille d'origine n'a pas fonctionné. Une seule de ces enfants, Mariesol, a été replacée dans la même famille Banque-mixte.

Chronologiquement, ces quatre projets se chevauchent; pour plus de clarté, ils seront racontés séparément, mais des références seront faites à l'histoire des autres enfants lorsque cela semblera utile.

 ## CLAUDIA ET PIERRE

Lorsque Claudia et Pierre se rencontrent, ils ont vingt-sept et vingt-neuf ans. Claudia travaille comme acheteuse dans une chaîne d'alimentation et Pierre est soudeur dans une compagnie d'aviation. Ils habitent la banlieue de Montréal.

Ils souhaitent avoir des enfants et n'utilisent pas de moyens de contraception. Après trois ans, voyant que Claudia ne devient pas enceinte, ils consultent et apprennent alors qu'ils doivent absolument recourir à des techniques de procréation assistée pour concevoir. Claudia vit un deuil important. Les renseignements qu'elle reçoit sur ces techniques et leur faible pourcentage de succès l'inquiètent et ne l'incitent pas à tenter l'expérience. Elle craint de vivre d'autres deuils si ces tentatives se soldent par des échecs.

Pierre, pour sa part, est moins atteint par cette nouvelle. Il suggère rapidement à Claudia d'autres moyens de fonder une famille. Ils s'inscrivent alors au Service adoption du centre jeunesse de leur région pour apprendre qu'il y a huit ans d'attente au moins. Mais très rapidement, ils entendent parler par des amis du programme Banque-mixte qui existe à Montréal et ils viennent à une soirée d'information en septembre 1993[124].

Lors de cette soirée, ils rencontrent une famille qui a adopté trois enfants dans le cadre de ce programme[125]. Ils voient des photographies des enfants et constatent qu'ils sont bien intégrés dans la famille, qu'ils se développent harmonieusement et que les parents sont très satisfaits de leur expérience.

Les intervenants qui animent la soirée d'information expliquent qu'un projet d'adoption de ce type implique pour les postulants un

---

124. À cette époque le programme Banque-mixte n'existait pas dans leur région. Après entente entre leur centre jeunesse et le CJM–IU, ils ont pu s'inscrire au programme Banque-mixte du CJM–IU. Aujourd'hui, ce couple devrait s'inscrire au centre jeunesse de sa région, qui a maintenant développé un programme de ce type.

125. Actuellement, il n'y a plus de couple témoin lors des rencontres d'information sur le programme Banque-mixte et il a été jugé préférable de faire deux rencontres au lieu d'une afin de fournir une information plus complète aux postulants.

risque faible[126], mais réel, et dont ils doivent tenir compte: celui que l'enfant soit réintégré dans sa famille d'origine parce que ses parents sont redevenus aptes à assumer leurs responsabilités parentales malgré le sombre pronostic au moment du jumelage avec le couple du programme Banque-mixte. À l'époque, Claudia et Pierre estiment qu'ils sont capables d'assumer ce risque. Aujourd'hui, après avoir vécu trois expériences de ce type, Claudia constate qu'il est bien différent de connaître intellectuellement l'existence d'un risque et de vivre réellement ce que ce risque implique.

Immédiatement après la soirée d'information, Claudia et Pierre s'inscrivent pour un projet Banque-mixte au CJM–IU tout en maintenant active leur inscription en adoption québécoise régulière au centre jeunesse de leur région. Rapidement[127], ils sont contactés, leur projet est évalué et ils sont acceptés. Ils souhaitent accueillir un jeune bébé et ont une préférence pour un garçon.

Cinq semaines plus tard, leur intervenant Banque-mixte les appelle pour leur proposer un bébé naissant qui doit sortir de l'hôpital le lendemain. Claudia est bouche bée. La chambre n'est pas prête, car ils pensaient devoir attendre au moins six mois avant de recevoir un enfant chez eux. Elle appelle Pierre, tout aussi surpris. Tous deux s'organisent rapidement, grâce à l'aide des parents et d'amis, et se présentent à l'hôpital le lendemain pour rencontrer Frédéric.

Frédéric

Frédéric est un petit bébé d'à peine 2 268 grammes et qui mesure 46 centimètres. Il est prématuré de quelques semaines. Sa mère a consommé de la drogue durant la grossesse. Elle est aussi porteuse de l'hépatite C. Le bébé a subi un test à la naissance et est positif, car il est porteur des anticorps de sa mère. Les risques qu'il reste positif, c'est-à-dire qu'il soit atteint de cette maladie, sont de 3 % à 5 %. Il subira dans sa première année de vie d'autres tests qui confirmeront qu'il n'est pas porteur de ce virus. Ces risques sont un élément avec

---

126. À cette époque, le pourcentage de retour des enfants dans leur famille d'origine était de 7 %.
127. En 1993, peu de postulants s'inscrivaient au programme Banque-mixte. L'évaluation et un jumelage avec un enfant pouvaient donc se réaliser assez rapidement. Aujourd'hui, l'adoption de type Banque-mixte est mieux connue à Montréal et plus de postulants s'y inscrivent. Par conséquent, il y a souvent un an et demi d'attente pour que le projet soit évalué et une autre période de quelques mois avant qu'un jumelage soit fait.

lequel Claudia et Pierre se sentent capables de vivre et ils n'ont pas d'hésitation à accueillir Frédéric[128].

À l'hôpital, Claudia et Pierre rencontrent aussi Denise, la mère de Frédéric. Denise consomme des drogues depuis de nombreuses années. Frêle et anxieuse, elle a deux autres enfants qui sont en famille d'accueil. Son mode de vie est instable; elle se réfugie à l'occasion chez un ami qui lui sert de port d'attache. Ses problèmes sont importants et enracinés. Les chances qu'elle puisse se reprendre en main sont minimes. Avant de sortir de l'hôpital, elle subit une ligature des trompes: Frédéric est son dernier enfant. Il est prévu qu'elle visite son fils une fois par semaine chez Claudia et Pierre[129].

Ces derniers quittent l'hôpital avec Frédéric. Ils s'installent, présentent l'enfant aux membres de leur famille, qui sont extrêmement surpris de la rapidité avec laquelle le jumelage s'est réalisé, et apprennent graduellement à connaître l'enfant. Comme celui-ci est de très petit poids, ils doivent s'assurer qu'il boit à heures rapprochées: les nuits sont donc très occupées.

Puisque Pierre a un salaire moins élevé que celui de Claudia à ce moment-là, c'est lui qui prend le congé parental. Il apprécie ce temps passé avec l'enfant, se souvient qu'il l'amène partout avec lui, qu'il note dans un carnet le nombre de millilitres de lait que Frédéric boit afin de s'assurer qu'il en consomme suffisamment... Claudia se souvient de toutes les photographies et des films qu'ils ont faits, comme tous les parents, surtout avec un premier enfant. Frédéric est un bébé facile, rieur, curieux et surprenant sur le plan de la rapidité de son développement. Il parle tôt et acquiert rapidement un vocabulaire élaboré.

Au début du placement, Denise visite son fils à deux ou trois reprises. Lors de ces visites, son comportement est adéquat, elle est douce avec Frédéric et lui donne ses boires. Elle parle peu et est effacée. Après quelques semaines cependant, et malgré le soutien offert par les intervenants, elle cesse les visites et le couple est sans nouvelles durant de nombreux mois. Pendant cette période, ils s'attachent à Frédéric et le considèrent de plus en plus comme leur fils.

---

128. Hépatite C, hépatite B et VIH: transmission mère-enfant: annexe 2.2.
129. Aujourd'hui, les visites des parents d'origine se font dans un milieu neutre et non au domicile de la famille Banque-mixte. Plusieurs raisons motivent cette nouvelle manière de faire. Évolution du programme Banque-mixte: fiche technique 3.7.

Les intervenants sont aussi sans nouvelles de Denise. Ils tentent de multiples manières de la joindre, sans succès, et, devant son absence prolongée, commencent à penser à l'adoption en vue d'offrir à son enfant une famille stable. Une requête en déclaration d'admissibilité à l'adoption est préparée, mais au moment de la déposer à la Chambre de la jeunesse, Denise se présente au bureau de l'intervenant. Elle désire reprendre des contacts avec ses enfants dont Frédéric. Ce dernier a maintenant seize mois[130].

Denise a un nouvel ami, un homme stable qui fait partie d'un mouvement religieux. Tous deux pensent à se marier. Avant d'accorder de nouvelles visites à la mère, l'intervenant lui demande de faire ses preuves. Elle doit cesser de consommer, développer ses capacités parentales, avoir un mode de vie stable… Denise réussit tout ce qui lui est demandé. Elle a aussi le soutien des membres du mouvement auquel appartient son ami. Les intervenants doivent alors, dans le cadre du contexte légal, établir une reprise de contact entre l'enfant et la mère[131].

Claudia et Pierre sont dévastés. Frédéric fait partie intégrante de leur vie. Le fait de l'avoir eu alors qu'il était très jeune, de l'avoir veillé toutes les nuits dès le début et de n'avoir pas de nouvelles de Denise durant de longs mois, tout cela a contribué à créer un attachement très étroit entre eux et l'enfant. Ils ne pensent plus au fait qu'ils ne sont actuellement que parents d'accueil et qu'un projet de type Banque-mixte comporte des risques.

Les seuls parents que Frédéric connaît sont Claudia et Pierre. Il n'a pas de souvenirs de Denise, qui est une étrangère pour lui. Afin de l'aider à connaître sa mère, Claudia et Pierre acceptent de la recevoir chez eux. Cela est extrêmement pénible, mais ils pensent alors au bien-être de Frédéric. Claudia trouve terrible de voir cette femme se présenter chez eux en disant qu'elle veut reprendre l'enfant qu'ils considèrent comme leur fils: « Elle est presque devenue mon ennemie! ». C'est là que Claudia comprend tout le sens du risque dont on lui avait parlé lors de la soirée d'information.

---

130. Aujourd'hui, les intervenants évitent d'attendre seize mois avant de déposer une requête en déclaration d'admissibilité à l'adoption. Un enfant peut être déclaré admissible à l'adoption si ses parents (ou son tuteur) n'assument pas, de fait, le soin, l'entretien et l'éducation depuis au moins six mois et s'il est improbable que ceux-ci ne reprennent la charge de l'enfant.

131. Aujourd'hui, le fait qu'un enfant âgé de dix-huit mois ne connaisse pas sa mère serait pris en considération, et une requête en déclaration d'admissibilité à l'adoption serait déposée à la Chambre de la jeunesse, malgré le retour de cette dernière.

Le retour se fait de manière très progressive: une heure par semaine, puis deux heures de contact entre la mère et l'enfant. Cette dernière est présentée à celui-ci sous le nom de « Denise », puis sous celui de « maman Denise ». À chacune des rencontres, elle dit au couple: « Tout le monde prie pour moi afin que je reprenne mon enfant. » Dans leur tête, Claudia et Pierre se disent: « Tous les gens de notre entourage prient pour nous afin que nous gardions Frédéric! ». Ils se sentent impuissants. Tout en sachant qu'ils ont été avertis du risque et qu'ils n'ont aucun droit, la peine qu'ils éprouvent à l'idée de le perdre est intense.

Après plusieurs semaines de visites chez le couple, des visites d'une demi-journée de l'enfant chez sa mère sont organisées. Un intervenant vient chercher Frédéric et l'amène chez elle. Denise est maintenant mariée et ne consomme plus depuis plusieurs mois. Elle a stabilisé et organisé sa vie adéquatement. L'intervenant informe Claudia et Pierre de la manière dont les visites se déroulent. Cela agit comme un baromètre pour le couple: lorsque les visites se déroulent bien, leur espoir de garder l'enfant diminue; dans le cas contraire, il augmente...

Une des tâches parentales que Denise doit commencer à assumer est le suivi médical de Frédéric. Cela coïncide avec le moment où celui-ci doit aller régulièrement chez le dermatologue pour faire traiter une infection contractée à la garderie. Le traitement est douloureux, et Denise s'avère incapable d'accompagner son fils: Pierre ou Claudia doivent continuer d'accompagner l'enfant à ses traitements. Par ailleurs, chez elle, à cause des préceptes du mouvement religieux auquel elle adhère, il n'y a ni télévision, ni radio, ni ordinateur. Or, Frédéric a déjà commencé à jouer au Nintendo et à explorer l'ordinateur avec Pierre. L'absence de ces jeux chez sa mère implique une adaptation pour l'enfant. Par contre, Denise et son conjoint habitent à la campagne et ont un cheval, Paddy, ce qui constitue un attrait important.

Quelques mois plus tard commencent les visites de vingt-quatre heures impliquant un coucher, puis deux, chez la mère. Denise assume alors le transport de l'enfant. Un délai de neuf mois s'est écoulé entre la reprise des contacts et le premier coucher. Celui-ci se passe bien, mais, à partir de la deuxième visite avec coucher, Frédéric commence à réagir. Lui qui, jusque-là, dormait seul et bien et qui ne portait plus de couches recommence à mouiller son lit. Il fait des cauchemars, crie, vient rejoindre Claudia et Pierre dans leur lit (il conservera ce comportement de nombreuses années). Il devient anxieux, ne veut plus se faire garder, tient à accompagner le couple lorsqu'il sort...

Toute cette période est extrêmement difficile pour Claudia et Pierre. Ils sont toujours soucieux de présenter à Frédéric une image positive de sa mère et de respecter les modalités de visites. Et ils doivent aussi soutenir les membres de leur famille (grands-parents, oncles et tantes, cousins...) qui sont, eux aussi, attachés à l'enfant. Malgré ce stress, ils réussissent à fonctionner et à être productifs sur le plan professionnel: Claudia obtient même une promotion. Le travail est un lieu qui leur permet, entre autres, de trouver des personnes moins préoccupées par la situation, à qui ils peuvent se confier. Pour Claudia surtout, cela est salutaire. Pierre, pour sa part, partage ses craintes avec un ami. Claudia et Pierre se soutiennent aussi l'un et l'autre, mais, chacun voulant protéger l'autre, il leur arrive de trouver plus facile d'exprimer toute l'intensité de leur peine à quelqu'un de l'extérieur.

Devant les manifestations de détresse de l'enfant, l'intervenant demande une évaluation du lien d'attachement de l'enfant avec sa mère et de l'enfant avec le couple à la Clinique d'attachement. Cette clinique a pour objectif « d'offrir aux intervenants un lieu où les cas complexes avec lesquels ils travaillent [peuvent] être observés et discutés, à la lumière de la théorie de l'attachement » (Gauthier, 2004, p. 137)[132]. Cette évaluation permet de savoir quelles sont les personnes avec lesquelles l'enfant a créé un lien d'attachement et si ce lien est favorable à son développement.

Claudia et Pierre sont déjà arrivés dans la salle d'entrevue lorsque Denise amène Frédéric. Les intervenants constatent que, dès son arrivée, celui-ci se précipite vers Claudia pour s'asseoir sur ses genoux et qu'il reste avec elle tout le temps de la rencontre. Lorsque vient le temps de partir et que Denise quitte la salle avec l'enfant, celui-ci manifeste clairement son désaccord par des hurlements et des pleurs. Claudia se souviendra toute sa vie de cet événement: elle revoit encore Frédéric partir et elle l'entend crier... Elle a l'impression de le trahir, mais ne peut rien faire. Claudia ajoute que, lorsque Denise ramène Frédéric chez eux le lendemain, elle semble affectée par ce qui s'est passé. Frédéric a beaucoup pleuré après la rencontre, et Denise a les traits tirés et l'air triste.

---

132. La Clinique d'attachement a été créée vers 1994 au CHU Sainte-Justine en collaboration avec le CJM–IU. Les professionnels de la Clinique sont un pédiatre, un pédopsychiatre et un neuropédiatre. Ils rencontrent l'enfant avec ses parents d'origine et l'enfant avec les parents qui prennent soin de lui dans le quotidien.

Durant l'entrevue d'évaluation à la Clinique d'attachement, les intervenants ne peuvent que constater le fort lien qui existe entre Frédéric et ses parents d'accueil, et l'immense détresse qu'il manifeste lorsqu'il est séparé d'eux. Ils recommandent une suspension des visites et un maintien à long terme de l'enfant dans la famille Banque-mixte. L'intervenant s'adresse alors au juge de la Chambre de la jeunesse et obtient une ordonnance de placement en famille d'accueil jusqu'à dix-huit ans pour Frédéric. Cette ordonnance permet à l'enfant d'avoir une vie stable chez Claudia et Pierre. Par la même occasion, et en se basant sur les conclusions de la Clinique d'attachement, l'intervenant demande que les contacts entre Denise et Frédéric soient réduits.

Cette ordonnance[133] fera jurisprudence. Le juge y rappelle certains principes :

« En 1983, dans l'arrêt *Racine c Woods* en provenance du Manitoba, la Cour suprême du Canada indique que la Loi ne considère plus que les enfants sont la propriété de ceux qui leur ont donné la vie mais recherche ce qui leur convient le mieux en reconnaissant que les enfants ont des besoins différents et parfois inconciliables avec le désir ou l'intérêt de leurs parents. C'était la reconnaissance de la notion du meilleur intérêt de l'enfant faisant contrepoids à la notion d'autorité parentale comportant des effets négatifs.

« [...] Quand il a été prouvé que la sécurité ou le développement d'un enfant est compromis, l'autorité parentale se subordonne alors au respect des droits de cet enfant et à son intérêt. Les décisions prises alors ne peuvent l'être que pour protéger cet enfant.

« [...] Me Jean-François Boulais écrit à la page 35 de son texte annoté de L.P.J. :

"La simple preuve que les parents sont aptes à exercer l'autorité parentale ne justifie pas nécessairement un retour immédiat de l'enfant auprès d'eux. Son droit à la sécurité et au développement sont des conditions préalables au retour de l'enfant dans son milieu. Il est vrai que la Loi (art. 4) privilégie les liens familiaux mais cela ne doit pas aller à l'encontre du développement et de l'épanouissement de l'enfant." »

---

133. Cette ordonnance est citée dans son entièreté en annexe de Berger, Maurice, *L'Échec de la protection de l'enfance*, Paris, Dunod, 2004, XIV, 254 pages.

Le juge explique que durant la période où le parent d'origine travaille à récupérer ou à développer ses capacités parentales, l'enfant
évolue, il se passe des choses importantes dans sa vie.

> « [Les] étapes de construction de son individualité ont été pos-
> sibles pour cet enfant parce qu'il s'est attaché dès les premiers
> mois à la mère et au père de la famille d'accueil et parce que ce
> lien d'attachement ne s'est pas rompu et a continué à se déve-
> lopper.

> « [...] Faudrait-il garder le bébé dans un vacuum, dans un *no-where*
> affectif où on éviterait qu'il crée des liens d'attachement avec des
> adultes qui se soucient de lui et veillent sur sa vie naissante sous
> prétexte que cet enfant doit être gardé en réserve pour le retour
> éventuel d'un parent aux prises avec de graves problèmes de
> toxicomanie? Il semble bien que ce serait alors considérer
> l'enfant comme un bien dont la propriété relève de ceux qui lui
> ont donné la vie comme le prohibait l'arrêt *Racine*. »

Le juge reconnaît aussi que la vie de Frédéric a été bouleversée
par les adultes dont lui-même:

> « Ce sont les adultes, notamment le soussigné, interprétant peut-
> être erronément l'article quatre L.P.J. où il est fait mention à
> trois reprises de milieu familial, par sa décision du onze sep-
> tembre 1995, qui ont bousculé l'existence paisible de cet enfant
> de vingt mois en ordonnant qu'on organise des contacts entre lui,
> qui ne les avait nullement sollicités, et une dame inconnue.
> Quand cet enfant s'est rendu compte qu'il se tramait quelque
> plan pour changer substantiellement son environnement, son
> mode de vie, changer ses parents, il a réagi avec force pour mani-
> fester l'angoisse qu'il vivait et de jour et de nuit. Cet enfant vivait
> une angoisse à la séparation, au deuil que les adultes auxquels il
> était attaché de toute son existence allaient lui faire subir. »

Il ne suffit pas qu'un parent redevienne capable d'assumer la
charge de son enfant, mais il faut aussi que celui-ci soit à même de
recevoir ce que son parent peut maintenant lui donner. Pour Denise,
il est trop tard: Frédéric a fait ses racines, il ne peut plus être trans-
planté, car il a choisi sa famille. Le juge ajoute:

> « La mère naturelle a toute la compassion du tribunal et son res-
> pect pour les efforts soutenus qu'elle a faits, notamment depuis le
> printemps 1995, pour reprendre le contrôle de sa vie et sur-

monter ses difficultés, mais le tribunal a l'obligation de s'assurer que sa décision favorise l'intérêt de son enfant[134]. »

Après l'ordonnance de placement jusqu'à dix-huit ans, la stabilité de Frédéric est assurée dans cette famille, mais les visites entre l'enfant et sa mère d'origine continuent. Au début, elles sont tous les quinze jours dans un endroit dont le mandat est d'offrir un lieu favorable aux contacts enfant-parents. Denise tente, souvent de manière maladroite, de créer un lien significatif avec Frédéric : elle lui apporte des photographies de sa maison, de ses autres enfants, de son cheval, Paddy... Elle lui dit : « Je suis ta vraie maman... » Mais Frédéric réagit à ces interventions, il est confus et perturbé, il craint qu'on l'oblige à quitter ceux qu'il considère comme ses parents. Devant ces réactions de l'enfant et pour tenter de soulager son malaise, l'intervenant diminue le rythme des visites à une fois par mois et demande à la mère de ne plus apporter de photographies.

Denise est fidèle à ce rythme de visites durant plusieurs années, mais a de la difficulté à respecter les consignes : elle fait des promesses qu'elle ne peut tenir, apporte un dessin représentant Paddy, fait miroiter des visites à la ferme...[135] Les moniteurs à la garderie et les professeurs à l'école observent des variations dans le comportement de Frédéric selon que la visite vient d'avoir lieu ou qu'elle est plus lointaine. Il réagit et exprime son malaise par des problèmes de comportement, surtout à l'extérieur de la famille.

La manière dont les visites de Frédéric avec sa mère se sont déroulées, avec une supervision plus ou moins adéquate, a eu pour

---

134. Afin de respecter la confidentialité des personnes concernées, la référence de ce jugement n'est pas mentionnée.

135. Selon Berger, pédopsychiatre français, et Rigaud, des visites de ce genre devraient toujours être médiatisées : ce « dispositif [...] consiste à ne faire se rencontrer enfant et parent(s) que dans un lieu institutionnel [...], en présence d'intervenants impliqués dans la situation ». Toujours selon Berger et Rigaud, « [...] il est préférable que deux intervenants soient présents, la personne de référence de l'enfant [...], avec lequel l'enfant a établi un lien solide, et un autre intervenant [...] qui soulignera auprès du parent certains mouvements psychiques de son enfant, et qui sera le garant du cadre au cas où les choses se passeraient mal » (Berger et Rigaud, 2001, p. 160-162). Malheureusement, la médiation des visites telle que le recommande Berger n'est actuellement pas souvent possible au CJM–IU, entre autres, à cause du manque de personnel : la simple supervision des visites est déjà très exigeante en termes de temps sans compter le fait que l'intervenant doive souvent assurer le transport de l'enfant. Fiche technique 4.11.

résultat de créer un conflit de loyauté[136] chez Frédéric: avec deux mamans, il est difficile pour un enfant de ne pas penser, s'il avoue des préférences, qu'il pourrait faire de la peine à l'une ou à l'autre... Avec le temps, cela a une influence sur son caractère: alors que tout jeune il était un enfant souriant, rieur et drôle, il perd graduellement une « certaine innocence ». Il devient plus sérieux, plus grave. Il se confie aussi beaucoup moins, il n'exprime plus ses sentiments. Certains problèmes de comportement se manifestent, surtout à l'école.

C'est alors que l'intervention d'une psychologue est demandée. Elle rencontre Claudia et Pierre puis Frédéric et constate que c'est un enfant investi par Claudia et Pierre, capable de collaborer à l'entrevue et de se confier à elle. Mais, parallèlement à cette intervention, la famille, qui a entre-temps accueilli deux autres enfants, vit un autre événement difficile: Mariesol, la troisième enfant, doit retourner vivre avec sa mère et un retour progressif est entamé. Frédéric est touché de deux manières par cet éventuel départ: il perd une personne chère qu'il considère comme sa sœur et il revit les événements douloureux de son enfance. Pour Frédéric, qui a alors neuf ans, le départ graduel de Mariesol est particulièrement difficile à tolérer. Il confie à la psychologue qu'il préférerait qu'elle parte rapidement.

À travers tous les événements qui constituent son histoire et celle de Mariesol, Frédéric développe un sentiment d'insécurité qu'il n'avait pas auparavant. Ses parents pensent que cette insécurité influencera toute sa vie. C'est environ à cette époque que la psychologue demande à Frédéric de faire un dessin de sa famille. Dans ce dessin, tout est mélangé: « La mère de ma sœur... le père de ma mère... la sœur de la mère de ma sœur... », il n'a plus de points de repère et le concept de famille devient complètement perturbé. Dans ce contexte, et sachant que la mère de Mariesol avait toute l'aide nécessaire pour reprendre sa fille, Claudia et Pierre demandent que le départ de cette dernière soit accéléré: la situation à ce moment-là est trop douloureuse pour tout le monde.

Après le départ de Mariesol, Frédéric dira: « Maman, si Mariesol est partie, c'est que vous n'avez pas pris un bon avocat, vous ne l'avez pas payé assez cher... » Trop jeune pour comprendre que Claudia et Pierre, en tant que parents d'accueil, n'ont aucun pouvoir pour

---

136. « L'enfant se trouve alors confronté à une situation de double appartenance, à sa famille d'accueil et à sa famille naturelle, ce qui est très compliqué à gérer pour lui et nécessite l'aide d'une tierce personne à qui il pourra faire part de ce qu'il ressent. » (Berger et Rigaud, 2001, p. 161.)

influencer la décision du juge de la Chambre de la jeunesse, il exprime ainsi l'idée que ses parents ont abandonné Mariesol[137].

Un autre événement vient influencer la situation de Frédéric, positivement cette fois. La psychologue rencontre sa mère, Denise, et son conjoint. Ils se parlent longuement. La mère de Frédéric est très amère. Elle voit Claudia et Pierre comme des voleurs d'enfant. Elle a de la difficulté à comprendre les sentiments que Frédéric éprouve pour eux. Elle considère les intervenants de la DPJ comme des ennemis qui lui ont enlevé son fils et qui refusent de le lui remettre.

La psychologue rappelle à Denise son absence de plusieurs mois à un moment particulièrement crucial: celui où les enfants apprennent à entrer en relation avec une mère et un père. Elle explique le rôle de la famille d'accueil: le fait que Claudia et Pierre n'ont pas choisi Frédéric, mais qu'un intervenant leur a proposé cet enfant, qu'ils l'ont élevé le mieux possible et qu'ils se sont naturellement attachés à lui. Elle ajoute que Claudia et Pierre ne la détestent pas même s'ils trouvent sa présence difficile.

Par la suite, la psychologue organise une rencontre entre Denise, son conjoint, Claudia et Pierre. Une discussion en profondeur permet de clarifier les choses, donne à chacun l'occasion de connaître les autres dans un contexte plus positif et de se comprendre mutuellement. Enfin, une rencontre est organisée avec la présence de Frédéric. L'objectif est de montrer à l'enfant qu'il n'y a plus d'animosité entre Denise, Claudia et Pierre, qu'ils se font mutuellement confiance et que tous veulent son bien. Frédéric est aussi confirmé dans son droit d'aimer toutes ces personnes.

Une sortie est ensuite organisée, sans la présence de la psychologue, où les quatre adultes et Frédéric vont au restaurant ensemble et discutent. Toute cette série de rencontres constitue un point tournant dans la relation. À partir de ce moment-là, les visites entre Denise et son fils sont organisées directement par Denise et Claudia, qui travaillent ensemble dans l'intérêt de Frédéric. Elles se rencon-

---

137. C'est, pour les postulants, un des aspects particulièrement difficile du programme Banque-mixte: les postulants désireux d'adopter l'enfant qui leur est confié n'ont d'autres droits que ceux de parents d'accueil tant que cet enfant n'est pas déclaré admissible à l'adoption par un juge de la Chambre de la jeunesse.
À remarquer, l'état d'esprit perturbé de Frédéric: d'une part, il souhaite que Mariesol parte rapidement car il ne peut tolérer la souffrance de son départ; d'autre part, une fois qu'elle a quitté, il reproche à Claudia et à Pierre de l'avoir abandonnée.

trent, parlent un peu puis Denise fait une activité avec Frédéric et ensuite le ramène. Denise se sent plus rassurée. Frédéric, pour sa part, se détend et les problèmes de comportement à l'école diminuent considérablement.

Puis, graduellement, les visites entre Denise et Frédéric diminuent à un rythme de quatre fois dans l'année. Denise tombe gravement malade et doit être hospitalisée. Par la suite, elle entreprend une thérapie de plusieurs mois. Elle rencontre alors Frédéric et lui dit qu'elle ne pourra pas le voir durant cette période. Elle appelle une ou deux fois et lui envoie des lettres. Elle appelle quelque temps plus tard pour dire qu'elle déménage et qu'elle rappellera. Frédéric est absent à ce moment-là et Claudia lui fait le message, mais Denise ne donne pas de nouvelles.

Après plusieurs recherches sur Internet en février 2005, Claudia réussit à la joindre : Denise a quitté son conjoint, elle habite seule en appartement, a le téléphone, mais ne peut faire d'appels interurbains, car ce privilège lui a été retiré pour comptes non payés. Comme Frédéric est absent à ce moment-là, il ne parle pas à Denise. Claudia tente de la joindre à nouveau un jour où Frédéric est à la maison pour apprendre qu'il n'y a plus d'abonné au numéro composé. Il y a maintenant un an de cela[138].

L'adoption peut de nouveau être envisagée étant donné l'absence prolongée de Denise et que Frédéric, pour sa part, désire être adopté. Cela n'a pas toujours été le cas. Durant la période où il ressentait un conflit de loyauté, il lui était impossible d'émettre ce désir sans avoir l'impression de trahir sa mère. Aujourd'hui, il est beaucoup plus serein. Récemment, il a dit que s'il revoit sa mère, il lui demandera de donner son accord à ce projet et il s'attend à ce qu'elle le fasse. Une fois l'adoption réalisée, et dans l'éventualité où il sera possible de la localiser, il souhaite la revoir. Claudia et Pierre ne s'y opposeront pas. Maintenant que la confiance règne entre Denise, Claudia et Pierre, ces derniers ne voient pas d'inconvénient à des contacts et, même, ne voient pas de raison de les rompre. Ils y trouvent aussi un intérêt pour Frédéric qui ne se posera pas la question à l'âge adulte, comme beaucoup d'enfants adoptés, de savoir qui est sa mère.

---

138. Un détective privé a été engagé par le CJM–IU pour localiser Denise. S'il est impossible de retrouver un parent et après avoir obtenu la permission d'un juge de la Chambre de la jeunesse, un avis doit être publié dans un quotidien. Selon les dispositions du Code civil en matière d'adoption, cet avis dans un quotidien peut remplacer l'avis direct au parent l'informant qu'une requête en admissibilité à l'adoption a été déposée.

Tous deux mentionnent qu'ils ont mûri à travers l'histoire de Frédéric et de leurs autres enfants : « La plaie est cicatrisée. » Ils ont appris à accepter cette situation. Et pour eux, Frédéric est leur fils. Ils sont conscients aussi que si Denise n'avait pas été là, Frédéric non plus n'aurait pas existé et ne ferait donc pas partie de leur vie aujourd'hui. Comme le dit Claudia : « Denise est sa mère d'origine et moi, je suis sa maman. Dans ces circonstances, il ne m'est pas possible d'éliminer Denise. Au fil du temps, nous avons accepté qu'elle prenne sa place de mère. » Paradoxalement, le fait d'avoir rencontré Denise, d'avoir laissé Frédéric être en contact et, même, s'attacher à elle, a contribué à créer un lien encore plus étroit entre Frédéric et eux.

Claudia remarque que Frédéric a eu deux mères et un seul père : Pierre. C'est entre elle et Denise, surtout, que tout s'est joué. Si aujourd'hui il lui était demandé de s'impliquer dans ce projet tout en sachant l'importance que Denise prendrait, Claudia ne sait pas si elle le ferait : « J'ai encore le côté un peu égoïste de vouloir être une mère à part entière, toute seule... » Par contre, elle est heureuse d'avoir réussi, une fois placée dans la situation où Denise était présente, à l'accepter pleinement, à lui faire une place sans animosité ni rancœur.

Aujourd'hui, Frédéric est un préadolescent qui se développe normalement. Il a créé un lien d'attachement fort avec Claudia et Pierre et a beaucoup d'affection pour son frère et ses sœurs. Il est membre à part entière de cette famille. Son fonctionnement à l'école est tout à fait adéquat, tant sur le plan scolaire que sur le plan comportemental. C'est un sportif qui fait partie de l'équipe de hockey et qui vit des succès. C'est un enfant responsable, capable de s'occuper de son jeune frère et de ses sœurs lors des brèves absences des parents.

Ce qu'il a vécu durant la période où les contacts avec sa mère ont repris l'a marqué. Il lui a fallu longtemps pour retrouver une certaine sérénité, et son caractère a changé de manière définitive. Il ne sera plus jamais l'enfant insouciant qu'il était avant la reprise des contacts. Par contre, la relation qu'il a eue avec Denise les années suivantes lui a permis de constater que celle-ci l'aime et veut son bien.

Kevin

Kevin naît en 1996 et arrive dans la famille de Claudia et de Pierre à l'âge de quatorze mois, au moment où le juge de la Chambre de la jeunesse ordonne le placement de Frédéric jusqu'à dix-huit ans. Malgré le stress et l'inquiétude vécus après le retour de Denise et la reprise des contacts entre elle et Frédéric, ils se sentent capables de s'engager dans un deuxième projet de type Banque-mixte. Ils préparent Frédéric à l'arrivée d'un nouvel enfant et celui-ci l'attend avec impatience.

Kevin leur est présenté comme un bébé qui a de nombreux problèmes. Il habite depuis presque dix mois dans une famille d'accueil de transition qui a la charge de plusieurs autres jeunes enfants. Il présente un retard moteur, ne mange que des purées, est pâle, a des allergies et fait de l'asthme, pour lequel il a été hospitalisé durant quelques jours. C'est aussi un enfant qui sourit et qui va à tout le monde sans discrimination: à quatorze mois, il n'a pas commencé à développer de lien, de préférence pour une personne précise[139].

Effectivement, lorsque Claudia et Pierre le rencontrent, ils constatent qu'il se laisse prendre très facilement par eux qui, pourtant, sont pour lui des étrangers. C'est cependant un enfant charmant qui leur plaît dès le départ. Une intégration graduelle de Kevin chez eux est entamée et elle comprend une visite chez le médecin. À cette occasion, ils apprennent que les examens faits par le neurologue ne laissent voir aucune anomalie chez l'enfant et que ses retards ne pourraient être que le résultat d'un manque de stimulation. La physiothérapeute leur enseigne des exercices à faire pour accélérer son développement moteur.

Kevin arrive chez Claudia et Pierre au début des vacances d'été alors que ces derniers sont particulièrement disponibles. Rapidement, ils constatent que plusieurs problèmes dont on leur a parlé sont beaucoup moins importants que prévu. Kevin ne montre aucun signe d'allergie ou d'asthme. Il mange facilement, beaucoup et de tout.

---

139. Les personnes peu familières avec le développement normal d'un enfant pensent souvent qu'un bambin de huit mois à deux ou trois ans qui sourit à tous sans discrimination, qui va facilement à tout le monde, est un bambin sociable. En fait, ces comportements sont souvent signes d'un déficit d'attachement. Entre huit et dix mois environ, les enfants apprennent à reconnaître les visages et développent graduellement une préférence marquée pour leurs parents et surtout pour la personne qui s'occupe d'eux dans le quotidien, généralement la mère. C'est vers elle qu'ils se tournent spontanément lorsqu'ils ressentent un besoin et, surtout, lorsqu'ils vivent de la détresse. Les enfants de cet âge ont aussi acquis une peur tout à fait normale et saine des étrangers. Ils sont capables de faire la différence entre les personnes familières et celles qui ne le sont pas. Ils recherchent clairement les premières et sont méfiants face aux étrangers. Un enfant qui va à tous sans discernement n'a pas fait ces apprentissages essentiels et cela peut être très inquiétant pour son développement futur.

Claudia et Pierre font plusieurs activités avec lui, l'amènent au parc et le laissent marcher pieds nus, comme l'a recommandé la physiothérapeute. Un mois plus tard, lorsqu'ils se présentent au bureau de celle-ci pour un rendez-vous de contrôle, elle ne le reconnaît plus. Il a fait tellement de progrès qu'elle ne sent plus le besoin de le revoir: il a atteint le niveau normal des enfants de son âge et, surtout, il a l'air heureux. Un an plus tard, lorsqu'ils reverront le médecin avec Kevin, celle-ci constatera elle aussi qu'il n'est plus le même enfant: il rit et a atteint un niveau de développement normal tant sur le plan moteur que sur le plan intellectuel. De même, sur le plan affectif, Kevin a créé un lien d'attachement avec Claudia et Pierre. Il est tendre et confiant avec eux et les préfère aux autres personnes de son entourage.

Claudia n'a pourtant pas l'impression d'avoir fait d'effort particulier: elle a agi avec lui comme elle aurait agi avec tout enfant. Kevin a probablement répondu à l'attention qu'ils avaient le temps de lui donner, contrairement à la famille d'accueil précédente, surchargée.

Parallèlement à la période d'adaptation de Kevin chez Claudia et Pierre, il y a des visites entre celui-ci et ses parents, Martine et Jack. Cette fois, les parents d'accueil demandent que les visites ne se fassent pas chez eux, mais plutôt au bureau de l'intervenant. Ils désirent ainsi protéger leur famille et limiter les contacts entre eux et les parents de Kevin. Claudia accompagne Kevin lors des deux premières visites puis demande à Pierre d'y aller, car elle trouve difficile de l'entendre pleurer. En effet, Kevin réagit durant les visites: ses parents sont devenus des étrangers pour lui et il préfère ne pas être séparé de Claudia et de Pierre.

Le fait de rencontrer les parents de Kevin permet à Claudia de constater que ceux-ci ont des problèmes importants, tant sur le plan personnel que sur le plan conjugal, et que leurs chances de redevenir capables d'assumer la responsabilité de l'enfant sont beaucoup plus réduites que celles de Denise. L'expérience de Claudia et de Pierre avec cette dernière leur permet de comparer les parents et de mieux évaluer l'ampleur de leurs difficultés. D'un côté, cela contribue à faire baisser leur stress, par contre ils ont aussi l'impression qu'ils basent leur bonheur sur le malheur des parents, et cela les désole.

Effectivement, il devient assez rapidement clair pour l'intervenant que ces parents, non seulement ont des difficultés importantes, mais aussi ne font rien de concret pour les résoudre. L'intervenant demande alors une évaluation à la Clinique d'attachement. Jack ne vient pas au rendez-vous. Martine se présente, mais demande à rencontrer seule les professionnels. Elle explique alors aux membres de la Clinique d'attachement qu'elle est rassurée sur le sort de Kevin: il a l'air heureux, est bien habillé et Claudia et Pierre l'aiment. Elle est incapable de signer un consentement à l'adoption: c'est trop lui demander. Mais elle ne s'opposera pas à l'adoption de Kevin par Claudia et Pierre.

Par la suite, l'intervenant de prise en charge dépose une requête en déclaration d'admissibilité à l'adoption à la Chambre de la jeunesse. Aucun des deux parents ne s'oppose et la déclaration est prononcée en 1999. L'adoption légale se réalise environ six mois plus tard. Depuis ce temps, après entente entre les parents adoptifs et Martine, cette dernière appelle la famille deux fois par année pour avoir des nouvelles et obtenir des photographies de Kevin[140].

Aujourd'hui, Kevin est un enfant de onze ans épanoui mais sensible. Il a eu beaucoup de peine lors du décès récent de sa grand-mère maternelle. Il semble plus touché que les autres enfants de la famille par les événements de ce genre. Il n'aime pas l'école et les travaux scolaires demandent l'implication régulière de Claudia, qui doit travailler avec lui tous les soirs pour l'aider et l'encourager, mais c'est l'enfant de la famille qui est le plus docile sur le plan de la discipline. Il s'entend bien avec son frère et ses sœurs et a créé une relation de confiance avec ses parents.

Mariesol

Lorsqu'un intervenant contacte Claudia et Pierre pour un troisième projet dans le cadre du programme Banque-mixte en 2000, l'enfant proposée, Mariesol, a dix-sept mois. Elle a déjà vécu avec sa mère, Geneviève, avec sa grand-mère maternelle, Thérèse, et en famille d'accueil.

Geneviève vit des problèmes importants de consommation de drogue. Peu après la naissance de Mariesol, elle confie celle-ci pour quelques semaines à sa mère, Thérèse. Lorsqu'elle veut la reprendre, la grand-mère s'y oppose catégoriquement. Geneviève fait alors appel à la DPJ: sa situation et celle de sa mère sont évaluées et l'enfant est placée en famille d'accueil.

---

140.   Ce type d'entente entre les parents d'origine et les parents adoptifs est possible, mais peu fréquent et toujours tributaire de l'accord des parents adoptifs: en tout temps après l'adoption, ceux-ci peuvent y mettre fin s'ils jugent que ce n'est plus dans l'intérêt de l'enfant ou que cela perturbe leur vie de famille. À noter que depuis deux ans, Martine n'appelle plus.

Geneviève et Thérèse sont en conflit depuis plusieurs années. Thérèse est une femme froide et contrôlante qui tente de régenter la vie de Geneviève. Elle a élevé sa fille avec dureté et négligé de la protéger convenablement. Geneviève a été victime d'abus sexuels par le conjoint de Thérèse. Cette dernière a banalisé la situation et blâmé Geneviève pour les abus. Malgré tout cela, Geneviève reste sous l'emprise de sa mère et a de la difficulté à développer son autonomie.

Au moment où l'intervenant contacte Claudia et Pierre, Mariesol habite en famille d'accueil depuis neuf mois. Ses parents d'accueil sont des gens âgés qui ne peuvent assumer sa garde à long terme malgré tout l'amour qu'ils lui portent. Ils ont de la difficulté à se séparer d'elle, car ils y sont très attachés. Ils reconnaissent cependant qu'elle ne peut rester avec eux et qu'une autre orientation doit être prise. Avec l'aide de l'intervenante, ils préparent Mariesol à rencontrer Claudia et Pierre. L'intégration se fait graduellement, durant une période d'environ deux mois, où Claudia et Pierre apprivoisent Mariesol.

À cette époque, Geneviève est très instable: elle déménage souvent et consomme de la drogue. Elle décide cependant d'entreprendre une thérapie afin de traiter son problème de consommation; comme elle est en cure fermée, elle ne peut quitter le centre de thérapie ni recevoir de visites. Par contre, elle appelle Mariesol toutes les semaines.

Geneviève collabore bien à sa thérapie, elle se conforme aux exigences et fait des progrès. Les intervenants du centre où elle réside considèrent que son fonctionnement est très satisfaisant et pensent qu'elle pourrait reprendre sa fille. L'intervenante de la DPJ, par contre, désire qu'elle fasse ses preuves dans la société avant de penser à une réinsertion de Mariesol avec sa mère. Ne pas consommer dans un milieu protégé, lorsque l'entourage est propice et qu'il n'y a pas de tentations est une chose; ne pas consommer lorsqu'on est confronté à la vie en société avec ses stress, ses difficultés et ses opportunités est tout autre chose.

Lorsque Geneviève obtient son congé du centre de thérapie, les visites entre Mariesol et elle reprennent. Claudia amène l'enfant aux visites et a l'occasion d'observer comment les choses se passent. Geneviève est douce avec sa fille et joue beaucoup avec elle, mais Claudia remarque qu'elle a de la difficulté à mettre des limites et à l'encadrer.

Entre-temps, Claudia et Pierre accueillent leur dernière enfant, Liliane, en octobre 2001, dans le cadre d'un projet d'adoption québécoise régulière. Mariesol, particulièrement, est très heureuse de l'arrivée de ce bébé dans la famille et la considère comme sa sœur.

Les visites entre Mariesol et sa mère se poursuivent. La mère de Geneviève et d'autres membres de la famille font des pressions sur elle pour qu'elle reprenne sa fille. Celle-ci habite maintenant en appartement, elle ne consomme pas et a un mode de vie stable. L'intervenante en vient à penser qu'elle pourrait effectivement reprendre sa fille. Des visites d'une durée de quelques heures de l'enfant chez sa mère sont organisées: Geneviève doit assumer le transport de Mariesol et s'en occuper seule. Puis, des visites avec coucher sont permises.

Rapidement, Geneviève éprouve des difficultés, car elle n'a pas l'habitude de s'occuper d'un enfant et Mariesol, à ce moment-là, a trois ans. Elle a du caractère et l'exprime. Devant les difficultés de Geneviève, les visites sont suspendues pour un mois, l'intervenante la rencontre et discute avec elle des moyens qui pourraient l'aider à assumer la responsabilité de sa fille à temps plein.

Au même moment, une comparution à la Chambre de la jeunesse, prévue depuis plusieurs mois, a lieu. L'objectif de cette comparution est de renouveler l'ordonnance de placement en famille d'accueil pour l'enfant. Geneviève a fait des efforts marqués pour cesser de consommer et pour améliorer son mode de vie et elle a maintenu ses acquis. C'est une jeune femme de vingt-deux ans et Mariesol est sa première enfant. Le juge ordonne alors que tout soit mis en œuvre pour aider Geneviève à assumer la garde de sa fille et donne un délai d'un an pour réaliser un retour de l'enfant avec sa mère. À la suite de cette nouvelle ordonnance, les visites reprennent, et un éducateur se rend à domicile pour aider Geneviève à interagir avec Mariesol. Graduellement, les visites de l'enfant augmentent.

Après plusieurs mois, Claudia, Pierre et leurs enfants trouvent la situation de plus en plus difficile. Les parents sont particulièrement inquiets de l'impact de ce départ graduel sur Frédéric et Kevin. La benjamine, Liliane, est toute petite, mais tout de même consciente de la tristesse de ses parents sans pouvoir comprendre ce qui se passe, ce qui est peut-être encore plus perturbateur pour elle.

Claudia et Pierre demandent alors que le départ de Mariesol chez sa mère soit accéléré. Cette dernière maintient un fonctionnement adéquat, elle bénéficie de l'aide d'un éducateur à domicile et elle a développé une relation positive avec sa fille. Tout semble favorable à une réussite de la réinsertion de Mariesol avec sa mère et cette réinsertion se réalise à la fin de 2002. Claudia, Pierre, leurs enfants et les membres de la famille étendue font leurs adieux à l'enfant et celle-ci retourne chez sa mère.

C'est un moment très difficile pour tous. Pierre et Claudia se soutiennent mutuellement. Ils doivent aussi aider leurs enfants, très peinés du départ de Mariesol. Les grands-parents vivent également ce départ péniblement. Toute la famille est affectée. Pierre se souvient qu'un jour, ne voulant pas pleurer devant Claudia, il s'est enfermé dans son camion pour laisser libre cours à sa tristesse.

Durant l'année suivante, Claudia et Pierre reçoivent des nouvelles occasionnelles de Mariesol et la voient à une ou deux occasions avec l'accord de Geneviève[141]. Puis, au début de 2004, malgré l'aide dont elle bénéficie, elle éprouve une fois de plus des difficultés; elle est très déprimée et demande à nouveau à sa mère, Thérèse, de garder Mariesol durant quelques semaines. L'intervenant est inquiet. Les conflits entre Geneviève et Thérèse sont toujours présents et cette dernière n'assure pas la sécurité de l'enfant de manière adéquate: elle suggère, entre autres, que Mariesol se fasse garder par son ex-conjoint, celui qui a abusé sexuellement de Geneviève lorsqu'elle était mineure.

La situation est à nouveau présentée à un juge de la Chambre de la jeunesse: l'intervenante demande que Mariesol soit encore placée en famille d'accueil, car elle juge son développement compromis. Elle demande aussi que ce placement soit assuré jusqu'à l'âge de dix-huit ans. En effet, Geneviève a démontré qu'elle est incapable de maintenir ses acquis et de s'occuper de Mariesol à long terme. Thérèse n'est pas une alternative acceptable et, de toute façon, Geneviève s'oppose à ce que sa mère garde sa fille de façon permanente. Toute cette incertitude a un impact important sur Mariesol. Elle est consciente des difficultés de sa mère, elle est souvent inquiète pour elle, pour sa santé. Elle éprouve de la colère aussi devant l'incapacité de Geneviève de s'occuper d'elle et, même, de son petit chat que Geneviève a négligé et qui n'est plus revenu à la maison.

Les demandes de l'intervenante sont acceptées par le juge. Entre-temps, Claudia et Pierre ont été contactés et informés de l'éventualité d'un nouveau retrait de l'enfant d'avec sa mère. L'intervenante leur demande s'ils seraient disponibles pour reprendre Mariesol: ils acceptent avec joie.

---

141. Les droits des parents d'accueil, une fois que l'enfant dont ils s'occupent quitte leur famille, sont très limités: ils ne peuvent contacter l'enfant sans l'accord des parents d'origine.

Aujourd'hui, Mariesol est une très jolie fillette de sept ans, intelligente et qui se développe normalement. Elle est bien intégrée à la famille de Claudia et de Pierre et a une belle relation avec leurs enfants qu'elle considère comme sa fratrie. Elle aime beaucoup sa petite sœur Liliane à tel point qu'elle a donné à sa poupée préférée le nom de « Lili ». Il y a souvent des désaccords entre Mariesol et ses deux frères d'accueil, mais ils se réconcilient toujours et s'aiment beaucoup. Ceux-ci sont protecteurs et prennent leur rôle de grands-frères au sérieux.

Mariesol a encore des contacts avec sa mère et sa grand-mère. Cette dernière est très constante. Geneviève, par contre, manque régulièrement des visites, parfois sans prévenir. Mariesol est alors déçue. Afin de tenter de protéger l'enfant de déceptions répétitives, il est question d'attendre que Geneviève se présente au bureau de l'intervenante avant d'informer Mariesol de la visite. Geneviève devra alors attendre au bureau le temps qu'on aille chercher l'enfant. Le fonctionnement de Geneviève reste instable. Il est possible qu'elle ait recommencé à consommer. Il est encore trop tôt pour penser à une éventuelle adoption par Claudia et Pierre, mais cette possibilité n'est pas exclue[142].

Liliane

Il a été mentionné au début de ce récit que Claudia et Pierre se sont engagés dans des projets de type Banque-mixte tout en maintenant active leur demande d'adoption québécoise régulière, c'est-à-dire l'adoption d'un enfant légalement admissible à l'adoption dès son arrivée dans la famille. En 2001, l'intervenante du centre jeunesse de leur région les contacte pour leur proposer Liliane, un bébé de quelques jours. La mère de l'enfant a signé un consentement général à l'adoption et le père n'est pas reconnu. Cette enfant est donc légale-

---

142. Au moment d'aller sous presse, l'auteure apprend que Geneviève est sobre depuis de nombreux mois et qu'elle semble avoir atteint une saine stabilité. Entre-temps, une nouvelle intervenante de prise en charge est arrivée au dossier. Elle est touchée par Geneviève, et sa vision de la situation est différente de celle de l'intervenante précédente. Cela entraîne beaucoup de stress pour Claudia et Pierre qui craignent que Geneviève ne s'adresse à nouveau à un juge de la Chambre de la jeunesse pour réclamer une augmentation des contacts avec sa fille. Une discussion a eu lieu avec tous les intervenants concernés: depuis la naissance de Mariesol, Geneviève a semblé se reprendre en main à de nombreuses reprises; malheureusement, chaque fois ces reprises en main se sont soldées par un échec et, chaque fois, Mariesol a été déçue. L'orientation privilégiée actuellement est de protéger Mariesol d'une nouvelle déception et d'assurer sa quiétude en réduisant le stress ressenti par ses parents Banque-mixte.

ment admissible à l'adoption avant même son arrivée chez Claudia et Pierre.

Claudia appelle Liliane son « cadeau du ciel ». La facilité avec laquelle les démarches d'adoption se réalisent est un baume pour Claudia. Pierre la taquine en disant qu'elle est plus conciliante avec Liliane, qu'elle laisse passer plus de choses... Claudia répond avec l'argument que Liliane est sa benjamine, qu'il n'y aura plus d'autres enfants... mais finit par admettre que le fait qu'elle n'ait pas eu à composer avec les parents d'origine de l'enfant fait une différence : la relation avec elle est plus simple.

Aujourd'hui, Liliane est une fillette de cinq ans en bonne santé et qui se développe bien. En tant que benjamine, elle jouit de privilèges autant de la part de ses parents que de la part de ses frères et de sa sœur, qui la cajolent.

 ## BILAN DE CE RÉCIT

Malgré tous les événements qui constituent leur histoire, ou peut-être à cause d'eux, les quatre enfants de Claudia et de Pierre sont très unis. Il y a une grande cohésion dans cette famille. Les plus grands défendent les plus petits, même lorsqu'il y a des brouilles entre eux. Ils se trouvent des ressemblances les uns avec les autres. Ainsi, Liliane disait récemment : « Moi, j'ai les yeux bruns comme Frédéric, comme Mariesol et comme Fanny [le chien de la famille]... »

Claudia et Pierre sont très heureux de leur famille. Si c'était à refaire, ils recommenceraient. Ils auraient cependant certaines exigences comme le fait que les visites entre les enfants et leurs parents d'origine ne se fassent pas chez eux. Ils considèrent aussi que les risques inhérents à un projet de type Banque-mixte sont plus grands lorsque les parents d'origine sont très jeunes et qu'il s'agit de leur premier enfant. Dans l'esprit de la *Loi sur la protection de la jeunesse,* les intervenants et les juges donnent plus de chances à ce type de parents qu'à des parents plus âgés chez qui les problèmes sont installés depuis longtemps et qui ont négligé ou abandonné plusieurs enfants.

Si Claudia et Pierre souhaitent que l'adoption de Frédéric et celle de Mariesol se réalisent, ils sont conscients que celle de Mariesol est encore incertaine pour le moment. Quelle qu'en soit l'issue, ils considèrent Frédéric, Kevin, Mariesol et Liliane comme leurs enfants et leur relation avec eux reflète ce sentiment. Ils souhaitent que chacun soit heureux et se développe selon ses forces et ses capacités.

Claudia et Pierre ont beaucoup appris de leurs expériences. Ils se reconnaissent maintenant une force personnelle qu'ils ne soupçonnaient pas. Ils ont été capables de fonctionner et d'évoluer tout au long de leur cheminement. Sur le plan de leur couple, ils s'aiment beaucoup et cet amour est aussi une force qui s'est révélée essentielle pour assurer le bien-être de tous. Ils ont surmonté avec succès des écueils que très peu de familles du programme Banque-mixte, heureusement, ont à traverser.

STEVEN, ANTHONY ET MARION

PERSONNES MENTIONNÉES DANS CE RÉCIT

Parents adoptifs
- **Line,** la mère
- **Martin,** le père

Enfants et membres de leur famille d'origine
- **Steven,** 1er enfant concerné par ce récit
- **Gina,** sa mère
- **Isak,** son père
- **Lara,** sa sœur aînée

- **Anthony,** 2e enfant concerné par ce récit
- **Suzanne,** sa mère
- **Benoît,** son frère aîné

- **Marion,** 3e enfant concernée par ce récit

Steven, Anthony et Marion

Ce récit présente l'expérience de Line et Martin, parents de trois enfants, Steven, Anthony et Marion aujourd'hui respectivement âgés de neuf, cinq et deux ans. La particularité de leur histoire est que l'adoption comportait des risques importants pour deux de leurs enfants, à cause des antécédents de ceux-ci[143, 144]. Mais lorsqu'ils décident d'adopter des enfants nés au Québec, un des objectifs poursuivis par Line et Martin est d'aider des enfants ayant des besoins particuliers.

Les deux aînés sont tous deux adoptés dans le cadre d'un projet de type Banque-mixte. Steven est atteint du syndrome du bébé secoué[145]: il a été victime d'abus physiques tôt dans sa vie, son cerveau en porte les séquelles et son développement ne sera jamais ce qu'il aurait dû être si ces événements ne s'étaient pas produits. Anthony est né d'une mère atteinte d'un déficit intellectuel. Le frère aîné d'Anthony présente des retards importants. Il est impossible de

---

143. Pour lire une autre expérience d'adoption d'un enfant avec déficit physique dans le cadre du programme Banque-mixte, voir le livre de Sylvie Sauriol publié en 2005 aux Éditions Francine Breton: *Et puis, elle m'a dessiné… une fleur, un cœur et un soleil!*

144. Il existe au Québec et dans quelques pays d'Europe un organisme, l'Association Emmanuel, qui a comme mission de favoriser l'adoption d'enfants ayant une incapacité physique, psychique, cognitive ou intellectuelle, de soutenir les parents biologiques à la naissance d'un enfant handicapé, de recruter et de former des personnes ou des couples désireux d'adopter un enfant handicapé et de susciter des échanges et des rencontres d'entraide et de soutien mutuels entre les familles. Cet organisme à but non lucratif a été fondé en 1987 et regroupe environ 150 familles au Québec. L'association est un partenaire précieux pour le recrutement de familles désireuses et capables d'accueillir un enfant atteint d'un déficit dans le cadre du programme Banque-mixte. Les parents qui sont membres de cette association ont pour premier objectif d'adopter un enfant, mais certains acceptent de s'engager dans un projet de type Banque-mixte, c'est-à-dire de jouer d'abord le rôle de famille d'accueil. Voir le site de l'association: [http://www.emmanuel.qc.ca]. (Date de consultation: 2007-08-07.)

145. Syndrome du bébé secoué: annexe 2.5.

prévoir, au moment de l'arrivée d'Anthony chez Line et Martin, si son développement sera normal. Enfin, la benjamine, Marion, adoptée dans le cadre d'un projet d'adoption québécoise régulière, est une enfant prématurée.

LINE ET MARTIN

Line et Martin se rencontrent au centre de réadaptation où travaille ce dernier. Ils sont d'abord collègues puis amis avant de réaliser qu'ils souhaitent tous deux fonder ensemble une famille et être parents. Ils se plaisent mutuellement, leurs valeurs humanistes, leurs intérêts et leurs goûts en termes de loisirs les réunissent. Leur union est basée sur l'écoute et le respect mutuel.

Au début de leur vie commune, un des souhaits de Line et de Martin est non seulement d'avoir des enfants, mais aussi d'en adopter. Malheureusement, une maladie dont Martin a été atteint durant l'adolescence l'a rendu stérile. Tous deux ont un choc en apprenant cette nouvelle: ils se soutiennent mutuellement et se permettent d'exprimer toutes les émotions associées à ce deuil. Cette expérience contribue à les rapprocher davantage.

Ils pensent à des méthodes de procréation assistée, mais Line préfère s'abstenir: elle désire être sur le même pied que Martin relativement aux enfants qu'ils auront. Pour eux, la fécondité implique beaucoup plus que la simple notion physique. Comme l'idée d'adoption faisait déjà partie de leur projet de famille au début de leur union, ils s'orientent vers cette option. Ils ne connaissent pas le programme Banque-mixte et c'est en venant à la soirée d'information organisée par le Service adoption qu'ils se familiarisent avec ce mode d'adoption.

Tous deux désirent fonder une famille, mais aussi rendre service. Martin est habitué dans son travail à transiger avec les services sociaux et il ne se sent pas intimidé à l'idée de s'engager dans un projet qui implique une collaboration avec les intervenants de la DPJ. Ils s'inscrivent alors pour un projet de type Banque-mixte, sont évalués et acceptés.

Pour cette première expérience d'adoption dans le cadre du programme Banque-mixte, Line et Martin désirent accueillir un enfant âgé de zéro à deux ans, de quelque ethnie que ce soit. Ils sont ouverts à accueillir un enfant qui aurait des déficits, mais ne se sentiraient pas à l'aise avec des antécédents de maladie mentale héréditaire. Ils sont ouverts à accueillir un enfant qui n'a pas subi les tests du VIH et des hépatites[146]. Ils souhaitent avoir une famille de trois enfants.

Rapidement, leur intervenante adoption leur parle d'un enfant noir de deux ans nommé Steven. Celui-ci a été victime de violence de la part de son père. Il est atteint du syndrome du bébé secoué. Line et Martin rencontrent le neuropédiatre, qui leur explique toutes les incertitudes que ce diagnostic implique quant au devenir de l'enfant. Ils sont conscients qu'il s'agit d'un « enfant mystère »: Steven peut avoir un déficit intellectuel ou d'autres séquelles qui, pour le moment, sont encore inconnues.

Steven

Steven naît au printemps 1997. La grossesse se déroule bien, l'accouchement est à terme, et le bébé naît avec un poids, une taille et un périmètre crânien normaux ainsi qu'un excellent APGAR[147]. Il quitte l'hôpital avec ses parents d'origine, Gina et Isak.

À l'âge de deux mois, Steven est admis d'urgence à l'hôpital. Il présente des convulsions. Les parents expliquent qu'un mobile, suspendu au-dessus du lit, est tombé sur le bébé. Au moment où cet événement s'est produit, le père était seul à la maison avec lui. Les examens faits ne montrent aucune séquelle, et Steven reçoit son congé de l'hôpital. Quelques semaines plus tard, après son boire, le bébé devient mou et ses yeux se révulsent. Au retour de la mère, les parents amènent à nouveau l'enfant à l'hôpital. Les examens montrent cette fois-ci des séquelles d'hémorragies et de lésions cérébrales, mais, à ce moment-là, la localisation des hémorragies ne correspond pas à celle du syndrome du bébé secoué. Les explications des parents semblent cohérentes et, une fois son état stabilisé, Steven retourne à la maison avec eux. Un suivi par le CLSC est organisé.

---

146. Tous les enfants orientés vers l'adoption ne peuvent être testés pour le VIH et les hépatites. Il faut l'autorisation des parents d'origine pour ce faire et certains refusent. À défaut de cette autorisation, il faut celle d'un juge de la Chambre de la jeunesse. Certains juges se rangent à la décision des parents et refusent l'autorisation. Dans ces conditions, il est nécessaire de recruter des postulants qui acceptent des enfants non testés. À noter que, malgré la population à risque du CJM–IU (parents d'origine qui consomment des drogues par intraveineuse, qui ont plusieurs partenaires...), très peu d'enfants sont atteints. Hépatite C, hépatite B et VIH: transmission mère-enfant: annexe 2.2.

147. Voir note 27.

En décembre 1997, les policiers se rendent au domicile des parents après un appel de la mère. Celle-ci raconte que le père est devenu agressif lorsque Lara, sa fille de quatre ans, a refusé d'aller se brosser les dents. Apeuré par les cris du père, Steven s'est mis à pleurer. Le père l'a frappé au visage puis s'est emparé d'un couteau et en a menacé la mère. Après l'intervention des policiers, le bébé est hospitalisé, et Lara est confiée à ses grands-parents maternels. Isak est arrêté, et une plainte pour violence conjugale, agression armée et voies de fait envers la mère et l'enfant est déposée contre lui. Il est libéré quelques jours plus tard avec interdiction de communiquer avec Gina.

Cette fois-ci, durant l'hospitalisation de l'enfant, une tomographie informatisée et une résonance magnétique[148] montrent clairement qu'il y a au cerveau plusieurs zones d'hémorragies et de lésions qui se sont produites à différents moments et qui sont à différents stades de guérison. Une consultation à la Clinique de pédiatrie sociojuridique[149] de l'hôpital permet de conclure que ces lésions ne peuvent être que le résultat d'abus physiques graves : coups ou secousses violentes. De plus, le père se présente à l'hôpital et se montre ouvertement agressif envers la mère. Un signalement est alors fait à la DPJ et une demande d'indemnité est faite à l'IVAC[150] pour l'enfant.

---

148. La tomographie informatisée (*Computed Tomography*), aussi appelée CT Scan, est utilisée depuis les années 1970. L'appareil produit une série de photographies en tranches, depuis le sommet de la tête jusqu'à la base. Par la suite, à l'aide de l'ordinateur, ces tranches peuvent être combinées pour donner une illusion de profondeur. Il en résulte des images où on peut voir les os et les tissus mous du cerveau, ce qui permet aux médecins de distinguer les traumatismes ou une maladie.
L'imagerie par résonance magnétique (*Magnetic Resonance Imaging* – MRI) a été développée vers les années 1980. Cette méthode permet de produire des images en trois dimensions parce que l'appareil peut se déplacer et prendre des photos dans trois directions. L'ordinateur peut ensuite compiler toute l'information recueillie et dresser une carte détaillée et en relief du cerveau pouvant représenter même ses plus petites structures (Park, 2003).
149. La Clinique de pédiatrie sociojuridique est un service d'expertise médico-légale et sociale du CHU Sainte-Justine. Les intervenants de ce service tentent de définir les éléments appuyant ou non les présomptions d'abus. [http://www.hsj.qc.ca/General/Public/maltraitanceHSJ/default.asp]. (Date de consultation : 2007-08-07.)
150. Au Québec, toute victime d'un acte criminel commis contre sa personne peut recevoir des indemnités et des services prévus par la *Loi sur l'indemnisation des victimes d'actes criminels* (IVAC). L'application de cette loi relève de la Commission de la santé et de la sécurité du travail (CSST). [http://www.ivac.qc.ca/accueil.asp]. (Date de consultation : 2007.08.07.)

L'évaluation du signalement se déroule dans les jours qui suivent. Les rencontres doivent se faire avec l'aide d'un interprète, car la mère parle peu le français et pas du tout l'anglais bien qu'elle ait fréquenté une classe d'accueil durant trois ans. Gina est âgée de 22 ans. Elle est arrivée au Québec à l'adolescence. Elle ne travaille pas et a une fille de quatre ans, Lara, qui habite avec elle. Cette enfant est issue d'une union précédente. Isak est âgé de 21 ans. Lui aussi est arrivé au Québec à l'adolescence. Il n'a jamais connu son père. Il parle anglais, a un diplôme de 5e secondaire et travaille dans un restaurant. Au moment de l'évaluation, les intervenants constatent qu'il n'est pas reconnu comme père sur l'acte de naissance de Steven.

Lors d'une rencontre avec le médecin à l'hôpital, celui-ci explique les dommages causés au cerveau de l'enfant et les séquelles probables. Les parents sont incapables de fournir des explications sur ce qui s'est produit. La mère nie la violence et dit n'avoir jamais laissé le bébé seul avec le père. Elle est très protectrice envers son conjoint. Celui-ci dit qu'il ne sait rien et qu'il n'a rien fait. Malgré l'interdit de contact[151], les deux conjoints habitent encore ensemble.

Considérant que Steven a été victime d'abus physiques à plusieurs reprises, que ces abus laisseront des séquelles importantes et que les parents ne reconnaissent pas les faits, le signalement est retenu par l'intervenant de la DPJ: la sécurité et le développement de l'enfant sont compromis en vertu de l'article 38 g[152] de la *Loi sur la protection de la jeunesse*. Cette décision est entérinée par un juge de la Chambre de la jeunesse et l'enfant est placé en famille d'accueil. L'intervention se poursuit auprès des parents.

Isak reste toujours réticent et évasif. Son incarcération quelques jours plus tard, pour les accusations de voies de fait envers la mère et le bébé, est par contre un point tournant pour Gina: elle admet maintenant la violence de son conjoint envers elle et les enfants. Elle amorce des démarches légales afin d'obtenir une séparation et la garde de son fils. Elle déménage et reprend sa fille. Elle soutient qu'elle a définitivement coupé les liens avec le père.

---

151. Mesure judiciaire visant à empêcher les contacts entre deux personnes lorsque l'une fait l'objet d'une accusation criminelle ou d'une condamnation.

152. « 38. Aux fins de la présente Loi, la sécurité ou le développement d'un enfant est considéré comme compromis: g) s'il est victime d'abus sexuels ou est soumis à des mauvais traitements physiques par suite d'excès ou de négligence; » *Loi sur la protection de la jeunesse*. Mise à jour du 2006-12-01. (À noter qu'il s'agit ici de la *Loi sur la protection de la jeunesse* telle qu'elle était rédigée avant les modifications mises en vigueur en 2007.)

Durant les contacts avec Steven, elle est douce, affectueuse et attentionnée. Elle montre de bonnes capacités parentales, est sensible, et les soins qu'elle donne à l'enfant sont adéquats. Le bébé répond bien et est à l'aise dans ses bras. Gina vit difficilement la séparation d'avec son bébé et son placement en famille d'accueil. Elle souhaite le reprendre avec elle. Elle demeure fragile cependant et encore très vulnérable à l'influence du père.

Au printemps 1998, le juge ordonne une réintégration graduelle de l'enfant chez la mère. Cette réintégration doit être supervisée par les intervenants de la DPJ, les parents doivent être évalués en psychologie et la mère doit suivre une thérapie. Rapidement, la situation se détériore. Si Gina est fidèle aux contacts organisés entre elle et son enfant au début du suivi, elle participe cependant peu et mal à la thérapie et renoue avec Isak. Celui-ci plaide coupable afin d'en finir au plus vite avec les accusations, mais n'assume pas vraiment sa responsabilité. Il exerce encore une grande influence sur la mère.

Une évaluation de sa dangerosité est demandée et le psychiatre constate que si Isak ne présente pas de « pathologie psychiatrique », il montre par contre « des traits de personnalité pathologiques qui risquent de persister toute sa vie à moins qu'une intervention thérapeutique intensive vienne les modifier ». Le psychiatre mentionne aussi que Gina a un « trouble de personnalité caractérisé par une grande immaturité ». Il souligne que la personnalité des parents se complète, qu'il y a entre eux une « certaine collusion », qu'ils « nient, probablement pour des motifs différents, la violence présente dans la famille ». Sa conclusion affirme clairement que « les risques qui ont conduit à la présente situation demeurent et demeureront probablement pour les années à venir et qu'ils sont augmentés par la non-reconnaissance des faits par les deux parents ».

Les quelques rencontres entre la mère et le psychologue et celles avec le psychiatre permettent de mieux la connaître. Gina est décrite comme ayant une intelligence lente et un jugement pauvre. Ses capacités de compréhension semblent limitées. Elle démontre une grande immaturité, manque d'autonomie et d'indépendance, est dépressive. Elle ressent une grande loyauté envers ses parents comme envers son conjoint et n'arrive pas à concilier son allégeance envers toutes ces personnes. Elle ressent de la colère envers Isak, mais est aussi sous son emprise. Elle l'excuse et camoufle ses comportements inadmissibles. Si elle montre beaucoup d'attachement envers son enfant, elle n'est pas constante et n'est plus assidue aux visites. Elle est incapable de reconnaître l'ampleur des abus et des séquelles que Steven portera toute sa vie.

Dans le suivi avec l'intervenante, Gina est très centrée sur elle-même, instable émotivement et imprévisible. Elle ne va pas aux cours de français où l'intervenante l'a aidée à s'inscrire. Elle manque très souvent les rendez-vous, déménage sans laisser d'adresse puis réapparaît pour demander des contacts avec Steven, qu'elle voit de moins en moins. Il est difficile de la joindre : elle a un téléphone cellulaire, mais ne retourne pas ses messages.

Isak est décrit comme d'intelligence supérieure, mais aussi de caractère impulsif. Il est stoïque, impassible durant les rencontres, mais peut aussi avoir des pertes de contrôle. Il nie les problèmes, disant qu'il s'agit d'erreurs médicales, et n'exprime aucun regret. Il ne se présente pas à la thérapie de groupe pour hommes violents, qui est une condition de sa libération. Durant le suivi, il reçoit un avis de déportation du gouvernement canadien. Il dépose un appel et commence alors les démarches nécessaires pour reconnaître la paternité de Steven espérant faire valoir sa responsabilité parentale pour rester au pays. Il propose de prendre l'enfant avec le soutien de sa mère, mais celle-ci travaille six jours par semaine et habite un tout petit appartement. Sauf durant la période où il est incarcéré, les visites du père avec son fils sont régulières.

À l'automne 1998, lors d'une rencontre avec les deux parents, l'intervenante tente de leur faire comprendre qu'il devient de moins en moins probable qu'ils puissent, seuls ou en couple, reprendre Steven. Elle expose tous les éléments qui jouent en leur défaveur et explique ce qu'ils devraient faire pour se reprendre en main, sans succès. Isak refuse de reconnaître sa responsabilité et la gravité des dommages causés à Steven. Gina semble avoir des difficultés de compréhension et est peu outillée pour répondre aux besoins d'un enfant atteint d'un déficit. Il devient de plus en plus clair que le projet de vie de Steven ne pourra se réaliser avec ses parents d'origine et qu'une alternative doit être trouvée. Un mois plus tard, l'intervenante présente le dossier de l'enfant au Comité aviseur clinique[153] et une orientation vers une famille de type Banque-mixte est prescrite.

Durant toute cette période, Steven habite dans la même famille d'accueil régulière. Son évolution est assez normale durant les premiers mois puis il semble plafonner. Sur le plan de la santé, il a eu des épisodes de convulsions mais n'en a plus depuis quelques mois. Graduellement la médication est arrêtée, sans reprise des symptômes. À l'âge de seize mois, il ne marche pas encore et se traîne à

---

153. Fonctionnement du programme Banque-mixte : fiche technique 3.5.

peine. Il est suivi en ergothérapie et en physiothérapie et fait des progrès.

Steven réagit de plus en plus mal aux visites de Gina: il pleure, fait des diarrhées et des irruptions cutanées après la plupart des contacts. Il est anxieux et s'accroche à la mère d'accueil. Il réagit mal lorsqu'il doit se faire garder, refuse de manger et fait même de la fièvre. Il dort mal et se réveille souvent au milieu de la nuit en pleurs ou en colère. Il est difficile à approcher, fait souvent des crises et est long à consoler. Il est très sensible au moindre changement dans sa routine de vie.

La mère d'accueil s'occupe aussi de trois autres enfants. Les graves problèmes de sommeil de Steven sont difficiles à tolérer pour elle. Au printemps 1999, après plus de un an de placement, elle demande son transfert dans une autre famille. Comme la famille Banque-mixte demandée par le Comité aviseur n'est pas encore trouvée, Steven est placé dans une deuxième famille d'accueil régulière. Enfin, à l'été 1999, Line et Martin acceptent de l'accueillir.

Line et Martin ont hâte d'être parents et leur désir d'aider est très grand. Lorsque Chantal leur présente Steven, ils sont conscients des nombreuses interrogations que sa condition soulève. Ils rencontrent l'enfant avec l'équipe composée d'intervenants sociaux et médicaux. Line et Martin savent que leur décision d'accueillir Steven a un côté un peu fou. Par ailleurs, ils savent aussi que des parents dits normaux peuvent donner naissance à un enfant atteint d'un déficit. Tous deux sont convaincus qu'il y a beaucoup à apprendre au contact de telles personnes. Steven est beau, ils aiment la qualité de son regard, ils ont confiance en eux et se sentent capables de l'aider à faire son chemin dans la vie.

Les premiers contacts sont difficiles car Steven est sur ses gardes, il a peur d'eux, il pleure beaucoup. Durant un mois, Line et Martin le rencontrent deux ou trois fois par semaine dans la famille d'accueil où il habite. Ils ne peuvent l'approcher au début, puis Martin a l'idée d'utiliser un ballon qu'il fait rouler vers l'enfant. Graduellement celui-ci le lui retourne et un contact s'amorce. Petit à petit, la distance entre les deux diminue et Steven en vient à se laisser prendre par Martin. Lorsque le lien devient suffisamment agréable pour Steven, celui-ci fait de courtes visites chez le couple puis est intégré définitivement.

Les premières semaines se passent très bien. Steven fait ses nuits tout de suite alors qu'il avait toujours eu de la difficulté à dormir. Il sourit et est de contact agréable. Line et Martin sont conscients qu'une telle attitude chez un enfant de deux ans est signe de timidité et non d'adaptation. Effectivement, après deux mois ses émotions deviennent plus changeantes, instables: il panique facilement, est très vulnérable à la frustration et réagit de manière explosive aux limites qui lui sont fixées. Il réagit aussi énormément aux changements, lorsque Line et Martin le font garder pour une soirée par exemple, et même lorsqu'ils partent tous ensemble pour quelques jours. Le père de Martin est gravement malade, il habite dans une ville éloignée et le couple le visite deux fois par mois. Il faut alors faire les valises: même s'ils rassurent Steven, s'ils lui disent qu'ils l'emmènent avec eux, ce dernier réagit avec beaucoup d'insécurité. Avec le temps, il s'habitue, mais cette adaptation est très longue.

Line vient d'obtenir un nouveau poste et il serait difficile pour elle de quitter son travail. Les conditions de travail de Martin par contre lui permettent de s'absenter facilement et c'est lui qui assume le congé parental pour leurs deux premiers enfants. C'est Martin aussi qui amène Steven aux visites à ses parents. Ceux-ci ne vivent plus ensemble et les rencontres se font avec chacun des parents séparément[154]. Comme Steven est très anxieux, Martin assiste aux visites[155] afin de le rassurer. Ce dernier se sent très à l'aise lors des rencontres avec Gina. Par contre, il ressent un grand malaise lors des rencontres avec Isak, responsable des abus. Celui-ci est un homme d'apparence sympathique, mais Martin trouve quand même très déplaisant de le mettre en contact avec Steven: cela lui demande un effort.

Une autre période difficile est celle des mois qui suivent la dernière ordonnance de protection: en décembre 2000, lorsque le juge ordonne un placement de cinq ans en famille d'accueil, Line et Martin ont l'impression que l'adoption ne se réalisera jamais. Gina vit maintenant avec un nouveau conjoint et elle est enceinte d'un troisième enfant. Isak aussi a une nouvelle conjointe. Il l'amène aux visites à l'enfant, mais l'intervenante lui demande de s'abstenir, car c'est la nouvelle conjointe qui s'occupe de l'enfant durant ces visites à la place du père.

---

154. Pour éviter à l'enfant et aux parents d'accueil trop de déplacements, la visite avec la mère et celle avec le père se font le même jour, à une heure d'intervalle.

155. Ceci est exceptionnel: en général, les parents du programme Banque-mixte assument le transport de l'enfant pour les visites avec ses parents d'origine, mais n'entrent pas dans la salle de rencontre. Lorsque l'intervenant leur demande d'assister à la rencontre, il s'agit alors, comme dans la situation présente, de répondre à un besoin de l'enfant.

Durant cette période, la présence des parents aux visites devient de plus en plus inconstante. Il arrive à quelques reprises que Martin se présente avec Steven pour une visite et que l'un ou l'autre parent ne vienne pas. Pour pallier ce problème, l'intervenante demande aux parents de confirmer leur présence vingt-quatre heures à l'avance. À partir de ce moment, les parents d'origine ne confirment jamais leur présence et, en conséquence, les visites sont suspendues. La déclaration d'admissibilité à l'adoption est prononcée en février 2002 et les démarches d'adoption se terminent en mars 2003.

Aujourd'hui, Steven est un garçon de neuf ans en bonne santé. Il fréquente l'école où il est en troisième année. Il est possible qu'il doive recommencer son année, car il présente des limites cognitives reliées au fait d'avoir été secoué lorsqu'il était bébé et aux dommages subis à son cerveau. Ses limites principales sont, en français, l'analyse de texte et, en mathématiques, la résolution de problèmes. Il a aussi des lacunes en motricité fine: il écrit mieux à l'ordinateur qu'à la main. Steven obtient d'excellents services des membres du personnel de l'école qu'il fréquente. Ceux-ci sont ouverts et disponibles pour l'aider et pour trouver des solutions. Les parents savent aussi qu'ils peuvent obtenir de l'aide de l'IVAC: une ergothérapeute, dont les frais sont assumés par cet organisme, est venue à la maison l'an dernier pour l'aider à développer certaines habiletés.

Sur le plan socio-émotif, Steven est changeant dans l'expression des émotions: souvent fébrile et expansif, il est très expressif autant dans le plaisir que dans la tristesse. C'est un enfant qui prend beaucoup de place à la maison alors qu'à l'école il est plus timide et peut même être conformiste. Lorsqu'il est en colère, ses parents lui demandent de se retirer dans sa chambre. Il n'agresse pas les autres, mais peut, sous l'effet de la frustration, vider tous ses tiroirs... Il a appris qu'il devait ramasser et il le fait. Ses parents sont conscients qu'il devra apprendre à mieux se contrôler, surtout avec l'arrivée de l'adolescence. Il a de la difficulté à faire des choix: préfère-t-il se faire couper les cheveux très courts ou les garder plus longs...? Veut-il aller au camp de jour de la municipalité ou à celui de l'école...? Il a tendance à être sédentaire, à faire des activités à l'ordinateur, et il faut le pousser à pratiquer des sports même s'il aime ça et y est habile.

Steven a un problème d'énurésie et n'est pas encore capable de faire de la bicyclette à cause de ses problèmes de motricité. Line et Martin craignent qu'il soit mis à l'écart par les autres enfants: sera-t-il capable de se faire des amis de son âge, se sentira-t-il isolé? Par contre, tous deux croient que Steven pourra gagner sa vie, à sa façon, et ils sont prêts à aller lui chercher toute l'aide nécessaire. Sa passion pour l'informatique pourrait peut-être lui fournir des ouvertures professionnelles. La famille habite un quartier assez cosmopolite et Steven n'a pas eu à souffrir de discrimination jusqu'ici à cause de la couleur de sa peau. Certaines personnes pensent qu'il a été adopté en adoption internationale.

Line et Martin apprécient leur expérience avec Steven. Il a dépassé leurs attentes et se développe mieux qu'ils le prévoyaient. Autant il a été difficile à apprivoiser, autant c'est aujourd'hui un enfant affectueux qui les valorise en tant que parents. L'an dernier, Martin est allé reconduire Steven au service de garde et celui-ci l'a embrassé en le quittant. Un ami lui a dit: « Tu embrasses encore ton père, toi! » Et Steven a répondu du tac au tac: « Mon père, il m'aime, moi! » Steven s'est aussi très bien intégré dans la famille étendue et a des liens solides avec ses grands-parents, ses oncles, ses tantes et ses cousins.

Si Line et Martin sont heureux de cette expérience, ils auraient aimé cependant que l'admissibilité à l'adoption se règle plus vite: Steven aurait peut-être été moins affecté et eux-mêmes auraient ressenti moins de stress. Ils ont noté qu'à partir du moment où les visites avec les parents d'origine se sont arrêtées, Steven a mieux dormi, mieux mangé et semblait en général plus épanoui. En ce qui concerne l'intervenante de prise en charge qui s'est occupée de Steven et de sa famille d'origine, Line et Martin estiment avoir été favorisés: c'est une femme organisée et transparente. Ils savaient toujours à quoi s'attendre d'elle et de la situation, et sentaient qu'ils pouvaient lui faire confiance.

Anthony

Lorsque Line et Martin décident qu'ils sont prêts à accueillir un deuxième enfant, leur intervenant adoption leur suggère un jeune bébé de six semaines. Elle leur parle d'Anthony, des difficultés de sa mère Suzanne, qui est atteinte d'un déficit intellectuel, et de son frère Benoît, âgé de un an et demi et qui présente un retard de développement important. Le père de l'enfant n'est pas reconnu officiellement.

À cause de ces renseignements, lorsque Line rencontre Anthony, elle s'attend à un bébé amorphe et éteint. C'est tout le contraire qui se passe. Lorsqu'ils arrivent dans la famille d'accueil, ils voient un enfant qui a les yeux grands ouverts, qui est le plus éveillé des quatre enfants présents dans la chambre. Ils le voient une fois puis l'accueillent dès la semaine suivante[156].

Dès son arrivée, Anthony fait ses nuits. C'est un bébé facile, souriant, mais qui sait ce qu'il veut. Dès qu'il ressent un besoin, il l'exprime avec vigueur. Puis, lorsque son besoin est satisfait, il se calme. Anthony, qui au début est lui aussi un « enfant mystère », se révèle déterminé et combatif: il veut devenir grand rapidement, conduire une voiture, faire toutes sortes de choses… Il ne montre aucun signe de déficit intellectuel, au contraire!

Le lien d'attachement entre Anthony et ses parents adoptifs se développe rapidement, car il arrive chez eux très tôt dans sa vie et ce sont les seuls parents qu'il connaît. Line raconte qu'elle a vécu une période, alors qu'Anthony a trois ou quatre mois, où elle est très amoureuse de son bébé. Cela lui rappelle que Steven, au même âge, était à l'hôpital et qu'il n'a jamais eu de maman amoureuse de lui: elle prend alors encore plus conscience de tout ce dont il a été privé en tant que bébé.

Alors que Steven sait qu'il est adopté, c'est beaucoup moins clair pour Anthony. Il parle à l'occasion du temps où il était « dans le ventre de maman ». Line et Martin sont soucieux de rétablir les faits au fur et à mesure, selon son rythme.

L'expérience que Line et Martin vivent à l'occasion de l'adoption d'Anthony est très différente de celle vécue pour Steven. Sa mère d'origine, Suzanne, a su qu'elle était enceinte au septième mois de grossesse: elle n'a donc pas eu de suivi médical. Elle a perdu la garde de son premier enfant, Benoît, alors que celui-ci avait cinq mois et malgré le fait qu'une auxiliaire familiale et une infirmière de CLSC se présentaient à la maison toutes les semaines pour l'aider à développer ses capacités parentales. Une ordonnance de placement jusqu'à l'âge de dix-huit ans a été rendue pour les deux enfants lorsque l'aîné avait un an et demi et Anthony, deux mois. La situation d'Anthony est donc clarifiée rapidement.

Suzanne est une belle jeune femme au sourire éclatant, mais elle a un caractère difficile, ne tolère pas la frustration et peut être imprévisible. Elle est incapable de reconnaître ses limites et refuse tous les conseils qui pourraient l'aider à améliorer sa situation et celle de ses enfants. Elle peut avoir des comportements entêtés comme de refuser sans raison de remettre la carte d'assurance mala-

---

156. Lorsqu'il s'agit de tout jeunes bébés, l'intégration dans la famille Banque-mixte se fait généralement rapidement.

die de l'enfant aux parents d'accueil, ce qui leur permettrait d'entreprendre le suivi chez le pédiatre, ou de refuser de signer les autorisations de vaccination. Elle néglige de s'adresser au CLSC: sa peine, sa colère et ses limites intellectuelles la rendent peu capable de bénéficier de l'aide qui pourrait lui être offerte.

Elle dit préférer que son fils meure plutôt que d'être séparée de lui. Elle téléphone régulièrement à l'intervenante pour demander des nouvelles des enfants et solliciter des visites, mais elle annule ou reporte ces visites fréquemment. Lorsqu'elle se présente aux visites, elle est ponctuelle et a un comportement adéquat. Suzanne est capable de cajoler le bébé avec douceur et de lui sourire, mais a de la difficulté à tolérer ses pleurs. Son immaturité l'empêche de décoder ses besoins et ses émotions et d'y répondre de manière adéquate.

De son côté, Anthony réagit de plus en plus aux visites: il pleure et réclame Line. Pour le rassurer, l'intervenante demande à celle-ci d'entrer dans la salle et de participer à la visite. Line tient Anthony sur ses genoux et parle avec Suzanne. Mais cette dernière entre plus facilement en interaction avec Benoît qu'avec Anthony. Elle n'a jamais vécu avec ce dernier alors qu'elle a vécu dix-huit mois avec Benoît. Elle a donc eu l'occasion de développer un lien plus significatif avec lui.

Durant ces visites, Line et Martin constatent rapidement l'immaturité de Suzanne. Par exemple, à Noël, elle s'attend à recevoir un cadeau de la part de son fils, mais ne pense pas à lui en préparer un. Son déficit intellectuel limite sérieusement les acquis qu'elle peut faire sur le plan du développement de ses capacités parentales.

Les visites avec la mère se font avec les deux enfants simultanément. Line et Martin ont donc l'occasion de rencontrer les parents qui ont accueilli Benoît, lui aussi placé dans une famille du programme Banque-mixte[157]. Ils ont leurs coordonnées et pourraient les contacter, mais ne l'ont pas fait à ce jour.

En août 2002, l'intervenante considère qu'elle doit maintenant informer le juge de l'incapacité de Suzanne à reprendre son fils et elle prépare un rapport en vue du dépôt d'une requête en déclaration

---

157. À cause du retard de développement important de Benoît, il n'a jamais été question de placer les deux enfants dans la même famille. Le risque d'échec aurait été trop grand: Benoît, plus difficile à aimer à cause de ses retards aurait pu, bien involontairement mais à son détriment, être comparé au bébé.

d'admissibilité à l'adoption. La comparution a lieu en juin 2003[158] et la requête est acceptée par le juge. L'adoption est prononcée dix mois plus tard.

Aujourd'hui, Anthony est un enfant de cinq ans en bonne santé et qui se développe normalement. Il est plein de vie, intelligent, drôle et conserve son tempérament volontaire. Ses parents lui fournissent un encadrement ferme et chaleureux. Il fréquente la maternelle et il a de nombreux amis.

Marion

Parallèlement à leurs deux projets d'adoption dans le cadre du programme Banque-mixte, Line et Martin se sont aussi inscrits en adoption québécoise régulière. En 2004, leur intervenante adoption les contacte pour leur parler d'une petite fille née prématurément d'une mère d'origine haïtienne. Elle est née à trente-quatre semaines de grossesse, mais est en bonne santé. Ils l'accueillent au printemps et l'adoption se termine au début de 2005.

Aujourd'hui, Marion est une petite fille de deux ans, rieuse, qui a rattrapé les retards dus à sa prématurité. Contrairement aux deux premières adoptions, Line et Martin n'ont pas rencontré la mère et ont peu de renseignements sur elle. Ils trouvent cela dommage: ils auraient aimé la connaître, avoir plus d'éléments pour répondre aux éventuelles questions de Marion, lorsqu'elle sera plus grande. Ils l'imaginent belle et gentille comme sa fille.

Puisque Marion est arrivée chez eux dès la naissance et qu'elle était légalement admissible à l'adoption, ils ont eu le privilège de lui donner un prénom, ce qu'ils n'ont pu faire pour les deux garçons. Ces derniers n'étant pas admissibles à l'adoption à leur arrivée chez eux, il fallait respecter le prénom que leurs parents d'origine leur avaient donné. Au moment de l'adoption, comme les enfants s'étaient identifiés à ce nom, il était préférable de ne pas le changer.

---

158. Ce délai de dix mois pour obtenir une date de comparution à la Chambre de la jeunesse est fréquent: le manque de personnel se fait sentir là aussi.

BILAN DE CE RÉCIT

Line et Martin sont très heureux d'être parents. Ils sont attachés également à leurs trois enfants, savent les soutenir et encourager leur développement selon les forces et le rythme de chacun. Deux de leurs enfants n'ont pas la peau blanche. Jusqu'ici, ils n'ont pas eu à faire face à des attitudes racistes de la part de leur entourage familial ou social. Line et Martin sont sensibilisés au fait que cela pourrait se produire et restent attentifs à ce que pourraient vivre leurs enfants à l'école ou ailleurs.

Ils ont aimé leurs trois expériences d'adoption autant dans le cadre du programme Banque-mixte qu'en adoption québécoise régulière, mais leur expérience avec les deux aînés leur a vraiment donné le sentiment d'aider des enfants en difficulté. Ils savent que s'ils n'avaient pas été là pour prendre le risque d'accueillir Steven et Anthony, il aurait été difficile de trouver des familles désireuses et capables de le faire. Ils constatent qu'une adoption dans le cadre de ce programme amène plus de contraintes, tant en ce qui concerne les contacts avec les parents d'origine que le fait qu'il faille collaborer avec le personnel de la DPJ. Mais ces contraintes ont été pour eux tout à fait surmontables et le résultat très satisfaisant: s'ils étaient plus jeunes, ils auraient d'autres enfants dans le cadre du programme Banque-mixte. Ils ont sensibilisé leur entourage au fait qu'il y a au Québec des enfants qui ont besoin d'une famille: deux couples qu'ils connaissent se sont inscrits au programme avec leurs encouragements.

Line et Martin trouvent que les médias idéalisent l'adoption internationale au détriment de l'adoption nationale. Ils connaissent des parents qui ont adopté des enfants de Chine ou d'ailleurs et qui, au retour, ont constaté que l'enfant a des séquelles plus importantes que celles de Steven par exemple. Ils aimeraient que la situation des enfants québécois soit mieux connue et diffusée. Ils voudraient aussi que la loi permette d'intervenir plus rapidement, car trop d'enfants traînent de longs mois et parfois des années avant que leur situation soit stabilisée.

Tous deux se demandent s'ils se seraient sentis plus parents s'ils avaient donné naissance à leurs enfants au lieu de les adopter. Martin a eu l'impression de devenir le père de chacun de ses enfants dès le moment où il les a pris dans ses bras. Line dit: « La seule chose que nous n'avons pas faite, c'est de les porter durant neuf mois… » Tous deux se sentent comblés.

Les deux projets Banque-mixte présentés dans ce récit sont caractéristiques de ce programme en ce qui concerne le déroulement du projet. Par contre, ils se démarquent parce qu'il s'agit d'enfants à haut risque d'avoir un déficit physique, cognitif ou intellectuel. Ces parents ont accepté de courir ce risque.

Tous les enfants adoptés sont en partie des « enfants mystère ». Pour les projets Banque-mixte ou pour les adoptions québécoises régulières, tous leurs antécédents ne sont pas connus, surtout du côté paternel. Le père est en effet souvent absent ou parfois inconnu. Les enfants plus âgés, pour leur part, vivent souvent des événements difficiles avant le jumelage dans la famille.

En ce qui concerne l'adoption internationale, le mystère est encore plus grand. En effet, ces enfants sont souvent laissés à l'orphelinat sans aucune information concernant leur identité, leurs antécédents et leur passé. Les conditions de vie dans de nombreux pays où des enfants peuvent être adoptés en adoption internationale sont souvent très difficiles et menacent la survie même de ces enfants et de leurs parents. Si l'exposition aux drogues durant la gestation est peut-être plus rare étant donné leur coût élevé et la difficulté à se les procurer, dans certains pays la consommation d'alcool est endémique. Les adultes travaillent souvent durant de longues heures dans des contextes extrêmes et peuvent être exposés à des substances toxiques, toutes conditions peu propices à une grossesse harmonieuse et saine.

L'adoption d'un enfant, où qu'il soit dans le monde, est un miracle. Mais lorsque les intervenants cherchent désespérément une famille pour un enfant d'ici, un enfant qu'ils connaissent, et qu'ils trouvent enfin des parents désireux et capables de les accueillir, ils considèrent cela comme particulièrement gratifiant.

Conclusion

Les cinq récits précédents visent à présenter le programme Banque-mixte. Depuis sa création en 1988, ce type de projet est devenu le plus courant pour qui désire adopter un enfant né au Québec. Il permet d'éviter la longue attente des postulants qui s'inscrivent à l'adoption québécoise régulière et d'accueillir un enfant généralement dans les deux ans qui suivent l'inscription des postulants au Service adoption[159].

Par contre, puisque l'enfant n'est pas légalement admissible à l'adoption au moment de son arrivée chez les parents Banque-mixte, ce type de projet implique des risques et du stress, et demande des qualités particulières.

Les risques comportent la possibilité d'un retour de l'enfant dans sa famille d'origine ou celle que l'enfant ne devienne pas admissible à l'adoption et qu'il soit maintenu dans la famille Banque-mixte jusqu'à l'âge de dix-huit ans sans adoption. Le stress est principalement lié à cette incertitude. Le risque que les enfants, surtout ceux qui sont placés très jeunes dans la famille Banque-mixte, présentent des problèmes ne semble pas, à l'heure actuelle, plus grand que dans les autres types d'adoption[160].

La principale qualité souhaitable chez les postulants est la capacité d'accepter que leur projet est une alternative, un plan B pour l'enfant contrairement au plan A qui est un retour dans sa famille d'origine, et que l'adoption pourrait ne pas être la solution retenue, selon la manière dont de la situation évoluera. Ils doivent accepter les contacts et visites entre l'enfant et les membres de sa famille

---

159. Plus les postulants ont des exigences quant à l'enfant qu'ils désirent (âge, sexe, ethnie, antécédents…), plus le temps d'attente risque d'être long.
160. Une recherche concernant le devenir de ces enfants après l'adoption est actuellement en élaboration au CJM–IU avec la collaboration de chercheurs de l'Université de Montréal.

d'origine le cas échéant, collaborer avec les intervenants de la Direction de la protection de la jeunesse et participer au plan d'intervention prévu pour l'enfant et sa famille.

Il y a cependant de grandes gratifications à accueillir un enfant dans le cadre du programme Banque-mixte. Outre la joie de combler leur rêve de devenir parents, de fonder une famille, une satisfaction importante ressentie par les parents Banque-mixte est celle d'aider un enfant en difficulté. Ils ont de plus le sentiment d'être utiles à la société, puisque chaque enfant qui est pris en charge par des parents du programme est un enfant qui a de plus grandes chances de devenir un adulte mature, responsable et équilibré.

Certains parents sont heureux d'avoir rencontré les parents d'origine de leur enfant: cela leur permet, entre autres, lorsque ce dernier leur pose des questions, de pouvoir lui en parler avec plus de justesse. Ils constatent souvent aussi que ces parents, malgré toutes leurs difficultés, sont généralement des personnes attachantes.

En octobre 2008, le programme Banque-mixte aura vingt ans. Depuis sa création, les pratiques ont beaucoup évolué. Lorsque les parents d'origine ont un pronostic sombre quant à leur potentiel de reprise en main, la théorie de l'attachement confirme qu'il est important d'intervenir tôt dans la vie de leur enfant, avant que des dommages irrémédiables ne soient causés.

La possibilité de placer cet enfant chez des parents qui désirent l'adopter, mais qui acceptent de jouer d'abord auprès de lui le rôle de parents d'accueil, facilite cette intervention rapide. Ces parents favorisent ainsi l'atteinte de l'objectif principal des services adoption œuvrant dans le cadre de la *Loi sur la protection de la jeunesse* du Québec: trouver non pas un enfant pour une famille, mais bien une famille pour un enfant.

DEUXIÈME PARTIE

FICHES TECHNIQUES

Les cinq récits composant la première partie de ce livre relatent l'aventure de parents qui ont accueilli des enfants dans le cadre du programme Banque-mixte. Ce programme a été mis sur pied au CJM–IU en 1988, dans le but de fournir à des enfants à haut risque d'abandon, le plus tôt possible dans leur vie, des parents d'accueil compétents pour répondre à leurs besoins et désireux de les adopter si cela s'avérait possible.

La deuxième partie de ce livre vise à faciliter la compréhension du contexte dans lequel ce programme s'est développé, son fonctionnement et différents aspects cliniques et légaux de ce type de projets. Elle est divisée en quatre séries de fiches techniques[161].

La première série décrit brièvement la société québécoise et le CJM–IU, établissement où le programme Banque-mixte a été créé. La *Loi sur la protection de la jeunesse* et les dispositions du *Code civil du Québec* en matière d'adoption sont évoquées ainsi que deux outils cliniques: la théorie de l'attachement, qui, à partir du moment où

---

161. Sauf lorsqu'une référence est mentionnée, les trois premières séries de fiches techniques s'inspirent principalement de trois articles écrits par des intervenants du Service adoption et publiés dans *Défi Jeunesse*, la revue professionnelle du Conseil multidisciplinaire du CJM–IU (Lavoie, Noël et Rochon, 1996; Noël, 1997; Noël, Dupuis, Lavoie, Rochon et Carbonneau, 2001), et du matériel présenté lors des deux rencontres d'information offertes par le Service adoption du CJM–IU aux personnes désireuses de s'inscrire au programme Banque-mixte. Le contenu de la première rencontre (*Le programme Banque-mixte*) a été élaboré par Gisèle Rochon et Louise Noël; celui de la seconde (*La Banque-mixte: une aventure qu'il faut bien préparer*) a été développé par Céline Roch, Yves Baril, Francine Daigneault et Diane Vallières. Des corrections et des ajouts ont été faits.

elle a été mieux connue au CJM–IU, vers 1995, est venue confirmer le bien-fondé de cette forme de placement, et le programme *Projet de vie*, qui encadre et soutient la prise en charge de ces dossiers.

La deuxième série de fiches dépeint les différents types d'adoption au Québec. Elle compare aussi l'adoption internationale, l'adoption québécoise régulière et les projets Banque-mixte. Cette série de fiches se termine par un aperçu du service de recherche d'antécédents et de retrouvailles, part importante de l'intervention dans les Services adoption du Québec.

La troisième série de fiches techniques explore plus en détail le programme Banque-mixte. Elle présente les personnes impliquées: enfants, parents d'origine, postulants au programme Banque-mixte, intervenants. Sont ensuite décrits le fonctionnement et l'évolution du programme à travers les années, le recrutement et l'évaluation des postulants, le dépistage des enfants et leur jumelage avec la famille Banque-mixte choisie ainsi que les conditions de placement lorsque plusieurs enfants d'une même fratrie sont concernés. Suit une comparaison des deux rôles que doivent jouer les parents du programme, soit le rôle de parents d'accueil et celui de parents adoptifs. Différents scénarios d'intervention, les dénouements possibles d'un projet Banque-mixte, les conditions de succès et quelques pièges inhérents à ce type de parentalité sont ensuite évoqués. Enfin, des statistiques sont fournies, quelques mots sont ajoutés sur le programme tel qu'il existe dans les autres régions du Québec, les modifications à la *Loi sur la protection de la jeunesse* sont brièvement expliquées et l'évolution du programme Banque-mixte est évoquée.

La quatrième série de fiches met en lumière certains défis d'intervention en rapport avec le programme Banque-mixte. La transmission intergénérationnelle des déficits d'attachement, le conflit de loyauté, dans lequel les intervenants peuvent se trouver piégés, et l'idéologie du lien de sang sont d'abord abordés. D'autres notions fondamentales sont ensuite énoncées: la nécessité d'agir clairement et franchement dans l'intervention avec les parents d'origine; le temps des adultes versus le temps des enfants; l'importance d'une intervention rapide, de critères d'évaluation efficaces et directs; la nécessité de poser un diagnostic, d'établir un pronostic et de prendre des décisions. Enfin, l'intégration graduelle, les jumelages tardifs, les visites médiatisées, le suivi et les occasionnels contacts postadoption entre certains membres de la famille d'origine et la famille Banque-mixte ainsi que le soutien aux intervenants sont aussi abordés.

SÉRIE 1

Contexte social, clinique et légal dans lequel le programme Banque-mixte se développe

Cette première série de fiches décrit brièvement le contexte social et légal dans lequel le programme Banque-mixte s'est développé, les fondements théoriques qui l'ont enrichi et le programme d'intervention clinique qui l'encadre et le soutient.

 FT 1.1 SOCIÉTÉ QUÉBÉCOISE

Le Québec est une société dont la population a longtemps été principalement francophone et catholique, et où la protection de l'enfance et l'adoption étaient influencées par des valeurs religieuses. En 1967 est publié un document intitulé *Une politique sociale pour le Québec* (Conseil des œuvres de Montréal). « Révolutionnaire pour l'époque », ce document sera inscrit « en bonne partie dans le programme des partis politiques lors de l'élection de 1970 ». Il s'agit d'une exhortation en faveur de « huit droits sociaux fondamentaux: santé, services sociaux, éducation, travail, sécurité du revenu, logement, loisirs, environnement sain ». C'est un véritable « projet de société », qui sert de « pierre d'assise à la transformation des cadres législatifs et des services aux citoyens et citoyennes du Québec ». C'est dans cet esprit, en 1977, que la *Loi sur la protection de la jeunesse* est adoptée (Malo, Perreault et Sylvain, 2000, p. 3).

Parallèlement à ces nouvelles orientations sociopolitiques, de nombreux changements sociétaux se produisent: libération des femmes, contraception, légalisation de l'avortement, immigration... Les valeurs changent: une femme a maintenant plusieurs choix si elle devient enceinte sans l'avoir planifié, elle peut aussi choisir délibérément d'avoir et d'élever un enfant tout en demeurant célibataire.

Jusqu'au milieu des années 1970, le nombre de bébés adoptables dépasse les capacités d'accueil des familles postulantes. Ces dernières trouvent réponse à leur besoin d'enfant à l'intérieur de quelques mois. Elles peuvent même choisir celui ou celle qui répond à leurs attentes soit, le plus souvent, un nourrisson de race blanche en bonne santé. À cette époque, le nombre d'enfants disponibles est si grand que certains sont adoptés dans des pays étrangers[162]; d'autres vieillissent dans des crèches[163] ou en famille d'accueil, ne sont pas adoptés ou le sont tardivement.

À partir du début des années 1980, la situation change graduellement: le nombre d'enfants confiés à l'adoption dès la naissance diminue de plus en plus et, aujourd'hui, les couples québécois doivent attendre plusieurs années pour adopter un bébé né au Québec dans le cadre de l'adoption régulière[164] ou bien se tourner vers l'adoption internationale.

Le peu d'enfants disponibles pour adoption est, en théorie, un résultat positif pour une société si cela signifie que leurs parents sont capables d'assurer les soins dont ils ont besoin, leur entretien et leur éducation. Malheureusement, à la même époque, plusieurs enfants qui ne sont pas admissibles à l'adoption sont placés en famille d'accueil sans projet de vie déterminé[165] parce que la situation de leurs parents n'est pas claire: certains parents disparaissent graduellement de la vie de l'enfant, d'autres sont présents sporadiquement et d'autres encore restent présents, mais sont incapables de se reprendre en main et d'assumer la responsabilité de leur enfant. Cela signifie souvent, pour ces enfants, des retours à l'essai chez leurs parents d'origine, des déplacements successifs de milieux d'accueil, des brisures de liens affectifs. Ils vivent aussi de l'insécurité et de l'incertitude chaque fois qu'une demande de prolongation de l'ordonnance de placement en famille d'accueil est faite à la Chambre de la jeunesse.

---

162. Surtout la France, la Belgique et les États-Unis.
163. Jusqu'en 1973, année dans laquelle toutes les crèches du Québec sont fermées.
164. Adoption québécoise régulière: fiche technique 2.2.
165. Un projet de vie pour un enfant peut signifier un retour à court terme dans sa famille d'origine, s'il est prévu que les parents pourront se reprendre en main dans ce délai, un placement en famille d'accueil régulière à moyen ou à long terme tout en maintenant des contacts entre l'enfant et ses parents, si ces derniers sont incapables de se reprendre en main rapidement mais ont un lien significatif avec leur enfant, ou une adoption.

À la même époque, les mentalités et les pratiques, tant sociales que judiciaires, évoluent: garantir à l'enfant le droit à un projet de vie lui assurant sécurité, stabilité et permanence est de plus en plus reconnu comme essentiel à son développement. Les rapports Harvey (1991), Bouchard (1991) et Jasmin (1992), la jurisprudence en matière d'abandon et d'adoption, le développement de la programmation et de la pratique en enfance abandonnée confirment le courant vers le dépistage précoce de l'abandon et l'élaboration d'un projet de vie pour les enfants le plus tôt possible.

 ## FT 1.2 CENTRE JEUNESSE DE MONTRÉAL– INSTITUT UNIVERSITAIRE

Les centres jeunesse (CJ) sont créés au Québec en 1993 dans le cadre d'une vaste réforme du réseau de services du ministère de la Santé et des Services sociaux (MSSS), qui vise à mieux répondre aux besoins de la population et à mettre en place « des services intégrés, continus et complémentaires » sur des bases à la fois locales et régionales (Centre jeunesse de Montréal–Institut universitaire, 2002, p. 11). Dans chacune des régions administratives[166] du Québec est créé un centre jeunesse, sauf dans la région de Montréal où on en forme deux[167], à cause de son haut taux de population et de sa diversité culturelle. La mission de ces centres est « d'offrir des services psychosociaux et de réadaptation spécialisés à des jeunes, à leurs parents et à des mères en difficulté d'adaptation qui [...] sont référés principalement en fonction de la *Loi sur la protection de la jeunesse* (LPJ) » (Idem, p. 12), mais aussi en fonction de la *Loi sur le système de justice pénale pour les adolescents* (LSJPA) et de la *Loi sur les services de santé et les services sociaux* (LSSSS).

---

166. Les dix-sept régions administratives du Québec sont: 01 Bas-Saint-Laurent, 02 Saguenay-Lac-Saint-Jean, 03 Capitale-Nationale, 04 Mauricie, 05 Estrie, 06 Montréal, 07 Outaouais, 08 Abitibi-Témiscamingue, 09 Côte-Nord, 10 Nord-du-Québec, 11 Gaspésie-Îles-de-la-Madeleine, 12 Chaudière-Appalaches, 13 Laval, 14 Lanaudière, 15 Laurentides, 16 Montérégie, 17 Centre-du-Québec. [http://www.gouv.qc.ca/portail/quebec/pgs/commun/portailsregionaux]. (Date de consultation: 2007.12.27.)
167. Le Centre jeunesse de Montréal–Institut universitaire (CJM–IU) dessert principalement la population francophone de l'île de Montréal et une partie de sa population allophone alors que le Centre pour la jeunesse et la famille Batshaw dessert principalement la population anglophone.

La création du Centre jeunesse de Montréal (CJM–IU) se caractérise par le regroupement de treize établissements: le Centre de services sociaux du Montréal métropolitain (CSSMM), le Centre de réadaptation pour mères en difficulté d'adaptation (CRMDA) Rosalie Jetté et onze centres[168] de réadaptation pour jeunes en difficulté d'adaptation (CRJDA) (Idem, p. 11). Cette création implique une restructuration profonde tant sur le plan culturel que sur le plan organisationnel. En 1996, le Centre jeunesse de Montréal est désigné institut universitaire dans un secteur de pointe, celui de la violence chez les jeunes. Il doit donc s'acquitter d'une mission additionnelle de recherche, de développement, d'enseignement et d'innovation dans ce domaine (Thomassin et Poupart, 2004, p. 6).

La population que dessert le CJM–IU est caractérisée par une grande diversité: l'île de Montréal comporte au moins quatre-vingt-dix communautés culturelles parlant plus de 140 langues, outre le français et l'anglais; 26 % de la population est composée d'immigrants dont le quart sont des immigrants nouvellement arrivés; 70 % des immigrants du Québec sont concentrés à Montréal. C'est aussi une région où la pauvreté sévit: 9 des 10 districts les plus pauvres du Québec se situent à Montréal. La criminalité en général et la violence conjugale en particulier sont plus élevées à Montréal que dans le reste du Québec, et il y a de 5 000 à 10 000 sans-abri dont 30 % seraient âgés de moins de trente ans (Idem, p. 63-64).

Actuellement, le CJM–IU emploie près de 3 000 personnes grâce à un budget, pour l'année 2006-2007[169], de plus de 212 millions de dollars. Il donne des services à plus de 14 000 personnes par année dont près de 7 000 jeunes âgés de moins de dix-huit ans[170]. Ces services sont offerts sur une base territoriale, pour les jeunes qui sont maintenus dans leur milieu d'origine ou placés dans des ressources de type familial ou intermédiaire, et sur une base régionale, pour les jeunes qui doivent être admis dans l'un des services de réadaptation

---

168. Les onze CRJDA concernés sont les suivants: Mont Saint-Antoine, Cité des Prairies, Boscoville, Marie-Vincent, Villa Notre-Dame-de-Grâce, Dominique-Savio-Mainbourg, Rose-Virginie Pelletier, Habitat-Soleil, Carrefour des jeunes de Montréal, La Clairière, Centre d'orientation et de réadaptation de Montréal.

169. L'année fiscale du MSSS commence le 1er avril d'une année et se termine le 31 mars de la suivante. En conséquence, les statistiques sont compilées en fonction de cette période.

170. Les autres personnes qui reçoivent des services du CJM–IU sont des adultes: parents des jeunes suivis au CJM–IU, postulants à l'adoption, personnes qui font une démarche de recherche d'antécédents, parents en instance de séparation ou de divorce qui consultent le service de médiation familiale, personnes qui font l'objet d'une expertise psychosociale (CJM–IU, 2006, p. 26).

du CJM–IU (Idem, p. 71). Ils touchent sept domaines : l'adaptation sociale chez les jeunes, les services sociaux et de réadaptation, la délinquance, la protection, les services particuliers, les réseaux de milieux de vie substituts et la violence chez les jeunes (Idem, p.10).

Un des services offerts au CJM–IU est l'adoption, particulièrement l'adoption de type Banque-mixte, qui concerne à la fois le domaine de la protection, celui des services particuliers et celui des réseaux de milieux de vie substituts, et qui touche en grande majorité des enfants de moins de cinq ans.

Étant donné son jeune âge, cette clientèle est particulièrement vulnérable. Elle est aux prises avec « sept problématiques dominantes : la négligence, la maltraitance physique et psychologique, la maltraitance sexuelle, l'abandon, les retards de développement, les désordres de conduite et les troubles de l'attachement » (Thomassin et Poupart, 2004). De ces sept problématiques, la négligence et les troubles de l'attachement sont reconnus comme « particulièrement néfastes » à court et à long termes sur le développement global de l'enfant et de l'adulte qu'il deviendra. Il est donc recommandé « de travailler à contrer ces deux problématiques avec une intensité accrue de même qu'avec des moyens davantage diversifiés » (Idem). Et s'il est nécessaire de faire un choix entre ces deux problématiques, la recommandation clairement formulée est « de prioriser le développement d'activités destinées à prévenir, dépister et traiter la problématique des troubles de l'attachement » (Idem, p. 66-67).

En ce sens, le programme Banque-mixte, parce qu'il donne à l'enfant la possibilité de grandir dans un milieu plus favorable au développement d'une relation d'attachement sécurisante et parce qu'il cible les enfants très tôt dans leur vie[171] avant que trop de dommages n'aient été faits, est un excellent moyen de contrer les troubles de l'attachement. Il se situe par le fait même tout à fait dans le continuum d'intervention de ces deux problématiques principales.

---

171. Fiche technique 3.3 : 50 % des enfants orientés dans une ressource de type Banque-mixte le sont avant l'âge de un an.

FT 1.3 *LOI SUR LA PROTECTION*
DE LA JEUNESSE

Lorsque la *Loi sur la protection de la jeunesse* est adoptée en 1977[172], elle prône comme « objectif fondamental » « le maintien de l'enfant dans son milieu familial » et « réaffirme la primauté de la responsabilité parentale dans la mesure où elle s'exerce dans le respect des droits de l'enfant ». Il s'agit d'une « loi d'exception » qui s'applique dans des situations particulières, lorsque le développement de l'enfant est menacé, alors que « les droits fondamentaux des enfants sont assurés par la *Charte des droits et libertés de la personne* » adoptée peu de temps auparavant. Certains points saillants de la loi sont à mentionner:

* l'enfant devient « sujet de droit », il « ne peut plus être considéré comme un objet » et la notion de droit des enfants est introduite;

* « [l']antériorité de l'intervention sociale sur l'intervention judiciaire » est affirmée;

* la Chambre de la jeunesse est créée: « l'enfant pourra être représenté par un avocat, le juge doit s'assurer que les intérêts de l'enfant sont défendus, le droit d'appel est institué, l'accès au dossier de la Cour est permis, les jugements devront être écrits et motivés d'où l'ouverture vers une jurisprudence propre aux problèmes des jeunes »;

* le poste de Directeur de la protection de la jeunesse est créé (Malo, 2000, p. 7-10).

 FT 1.4 DISPOSITIONS DU *CODE CIVIL*
DU QUÉBEC EN MATIÈRE D'ADOPTION

Chaque province canadienne a sa propre législation concernant l'adoption. Contrairement aux autres provinces canadiennes où l'adoption est régie par le *Common Law*, l'adoption au Québec est régie par le *Code civil du Québec*, qui découle du *Code civil* français utilisé aux débuts de la colonie. L'adoption dont il est question dans

---

172. Date d'entrée en vigueur: 15 janvier 1979; modifications importantes en 1984, 1994 et 2006.

ce livre concerne seulement les enfants domiciliés[173] au Québec: c'est ce qu'on appelle l'adoption nationale par opposition à l'adoption internationale[174]. Dans les dispositions du *Code civil du Québec*, il y a trois étapes légales pour la réalisation d'une adoption nationale: l'admissibilité de l'enfant à l'adoption, l'ordonnance de placement en adoption suivie d'une période de probation de six mois et le jugement final d'adoption (figure 2).

FIGURE 2

ÉTAPES LÉGALES D'UNE ADOPTION AU QUÉBEC

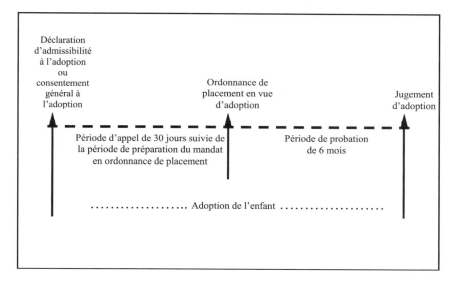

Admissibilité à l'adoption

L'admissibilité à l'adoption peut se réaliser de trois manières. La première est le **consentement spécial** à l'adoption signé par le ou les parents d'origine en faveur d'un membre de la famille d'origine en

---

173. La notion de domicile en droit se distingue du lieu de naissance et du lieu de résidence. Dans certaines situations, ces trois lieux se confondent en un seul, mais ils sont parfois différents et cela entraîne des débats qui relèvent alors du droit international privé.

174. Puisque l'adoption au Canada est de juridiction provinciale, l'adoption d'un enfant domicilié dans une province par des parents adoptifs domiciliés dans une autre province est traitée comme une adoption internationale.

lien direct avec l'enfant (oncle, tante, grands-parents ou conjoint du parent...). Ces adoptions sont rarement référées aux services sociaux et les procédures légales sont généralement réalisées en privé.

La deuxième manière de devenir admissible à l'adoption est par un **consentement général** à l'adoption signé par le ou les parents d'origine en faveur du Directeur de la protection de la jeunesse. Celui-ci devient alors le tuteur de l'enfant jusqu'à l'ordonnance de placement en vue d'adoption. Le consentement doit être libre et éclairé. Un consentement libre signifie, d'une part, qu'aucune pression ne peut être faite sur les parents d'origine pour les obliger à signer le consentement et que, d'autre part, les parents d'origine ne peuvent mettre de condition à ce consentement, par exemple exiger d'avoir des contacts avec l'enfant après l'adoption. Un consentement éclairé signifie que le signataire est informé des conséquences de sa signature et en mesure de les comprendre, car, après le jugement d'adoption, le parent n'aura plus aucun droit ni aucune responsabilité envers son enfant. Après la signature d'un consentement à l'adoption, un parent a trente jours pour revenir sur sa décision, annuler son consentement et demander que l'enfant lui soit remis. À la fin de ces trente jours et jusqu'à l'ordonnance de placement en vue d'adoption, le parent doit s'adresser à un juge de la Chambre de la jeunesse s'il désire reprendre son enfant. Le juge prendra en considération entre autres les raisons qui ont fait que le parent n'a pas annulé son consentement durant la période de trente jours et l'intérêt de l'enfant. Après l'ordonnance de placement en vue d'adoption, la Cour ne peut plus restituer l'enfant à son parent d'origine.

La troisième manière pour qu'un enfant devienne admissible à l'adoption est par une **déclaration d'admissibilité à l'adoption** prononcée par un juge de la Cour du Québec, division de la Chambre de la jeunesse. La décision du juge est alors basée sur la recommandation d'un intervenant de la DPJ, qui constate que, pour une période d'au moins six mois, le ou les parents, ou le tuteur, n'ont pas assumé de fait le soin, l'entretien et l'éducation de l'enfant. Plusieurs aspects sont considérés: l'improbabilité de reprise en main des parents, l'intérêt de l'enfant... Après ce jugement, le parent d'origine a trente jours pour faire appel. S'il ne fait pas appel, ou si son appel est rejeté, il perd tous ses droits et toutes ses responsabilités envers son enfant, et l'exercice de l'autorité parentale est habituellement confié au DPJ.

L'enfant peut donc devenir admissible à l'adoption dès la naissance par un consentement général à l'adoption signé par ses parents d'origine, ou plus tard dans sa vie par un consentement général à l'adoption ou par une déclaration d'admissibilité à l'adoption prononcée par un juge de la Chambre de la jeunesse. Les enfants orientés vers un projet de type Banque-mixte deviennent en règle générale légalement adoptables par une déclaration d'admissibilité à l'adoption et ils font pratiquement tous l'objet d'une décision en matière de protection de la jeunesse.

Il est important de mentionner que la pratique a beaucoup évolué dans les dernières années: l'impact de l'instabilité et de la carence affective sur le développement de l'enfant est de plus en plus reconnu. De même, la théorie de l'attachement, qui est actuellement l'une des bases théoriques les plus importantes de l'intervention dans les centres jeunesse, est aussi prise en considération. En conséquence, offrir à l'enfant, tôt dans sa vie, un projet de vie stable est devenu une préoccupation aiguë des intervenants de la DPJ. C'est pourquoi une aide intensive est fournie aux parents d'origine afin de leur donner les meilleures conditions possible pour qu'ils se reprennent en main rapidement.

Ordonnance de placement en vue d'adoption, période de probation et jugement d'adoption

Une fois l'enfant admissible à l'adoption, une **ordonnance de placement en vue d'adoption**, par opposition à l'ordonnance de placement en protection, est prononcée par un juge de la Chambre de la jeunesse. Suit une **période de probation** de six mois[175] permettant aux parents de confirmer leur désir d'adoption et à l'intervenant de s'assurer que la relation entre les parents et l'enfant est harmonieuse et bénéfique à ce dernier. Puis, le **jugement d'adoption** officialise le lien. Après ce jugement, le service d'État civil est informé de la nouvelle identité de l'enfant et les changements nécessaires sont faits à son acte de naissance. Rien n'indique, sur ce nouvel acte de naissance, que l'enfant concerné a été adopté.

À noter que, lorsque la *Loi sur la protection de la jeunesse* et les dispositions du *Code civil du Québec* en matière d'adoption ont été adoptées, le programme Banque-mixte n'existait pas. Sa création a entraîné des aménagements nécessaires entre autres pour ce qui est de la confidentialité: en effet, les dispositions du *Code civil du Québec* en matière d'adoption impliquent la confidentialité de l'adop-

---

175. Cette période peut être réduite à trois mois pour des motifs extraordinaires, mais la Cour a discrétion pour l'accorder ou non. Un débat jurisprudentiel existe sur le moment où cette réduction peut être demandée, soit à l'étape de l'ordonnance de placement, soit à l'étape de l'adoption.

tion. C'est-à-dire que les parents d'origine et les parents adoptifs ne connaissent pas leur identité réciproque. Or, dans les projets de type Banque-mixte, il arrive fréquemment qu'ils se rencontrent, lors des contacts entre l'enfant et ses parents d'origine par exemple.

 FT 1.5 THÉORIE DE L'ATTACHEMENT

Le programme Banque-mixte a été mis sur pied en 1988 pour éviter des déplacements de milieux d'accueil aux enfants à haut risque d'abandon ou dont les parents ont un pronostic de reprise en main très incertain. Depuis cette date, une théorie importante concernant le développement de l'enfant confirme le bien-fondé de cette décision : il s'agit de la théorie de l'attachement[176]. Cette théorie, d'abord conçue par le psychanalyste et psychiatre anglais John Bowlby (Bowlby, 1945, 1969, 1988) dans les années 1950, a été approfondie à partir des années 1960 par Mary Ainsworth (Ainsworth, 1978, 1984). Cette psychologue, qui travaillait aux États-Unis, a formé de nombreux étudiants, dont Mary Main (Main et Solomon, 1990), qui continuent les recherches sur l'attachement. Cette dernière s'est particulièrement attardée au style d'attachement dit *désorganisé*. Grâce à ses études, la théorie de l'attachement est devenue moins théorique et plus pratique : les utilisations cliniques par les intervenants sont plus accessibles. Enfin, vers les années 1990, des études sur le développement du cerveau des jeunes enfants, devenues possibles grâce aux nouvelles technologies permettant d'étudier le cerveau d'un être vivant en action et en interaction, confirment l'influence du style d'attachement sur le développement du cerveau de l'enfant.

On sait maintenant que le jeune bébé a absolument besoin d'un lien sélectif, d'une relation stable, chaleureuse et sensible avec au moins une personne significative pour se développer de manière harmonieuse. Cette personne est le plus souvent sa mère, mais, si celle-ci est empêchée de remplir ce rôle, tout adulte répondant aux critères mentionnés plus haut peut la remplacer. Grâce à cette relation, l'enfant se construit un style d'attachement. C'est ce que John Bowlby appelle un « modèle opérationnel internalisé », c'est-à-dire un cadre de référence sur lequel l'enfant se base pour entrer en relation avec les autres : si cette première relation est harmonieuse, l'enfant

---

176. Voir le premier livre de l'auteure, *Je m'attache, nous nous attachons : le lien entre un enfant et ses parents*, paru en 2003 chez Éditions Sciences et Culture, collection Centre jeunesse de Montréal–Institut universitaire.

s'attend à ce que ses relations avec les autres le soient aussi et il a tendance à aller vers eux avec confiance; si elle est perturbée, il a tendance à aller vers les autres avec méfiance.

Le développement de la personnalité de l'enfant, son style relationnel, son estime de lui-même, ses capacités d'autorégulation, son évolution en général et la nature de son ajustement à l'environnement sont directement tributaires de la qualité de cette relation. Selon la qualité de ce lien se développent également les facultés de mentalisation de l'enfant, et de l'adulte qu'il deviendra, et que Fonagy décrit comme « une fonction réflective permettant la compréhension de ses propres comportements et des comportements des autres en termes d'états mentaux » (Fonagy, 1999).

Différents styles d'attachement ont été classifiés. Le style d'attachement *sécurisant* est le plus souhaitable pour favoriser un développement harmonieux de l'enfant, et de l'adulte qu'il deviendra. Les styles d'attachement *insécurisant évitant* et *insécurisant résistant* permettent quand même à l'enfant de développer des modes de relation stables et organisés même si ces modes ne sont pas les plus favorables.

Le style d'attachement *désorganisé* par contre est très néfaste : l'enfant est beaucoup plus vulnérable au stress et aux difficultés de la vie, et plus susceptible de développer un problème de santé mentale. Enfin, certains enfants, s'ils sont laissés trop longtemps dans une situation perturbatrice, renoncent à s'attacher. Ces deux dernières situations peuvent amener l'enfant à développer un déficit sévère d'attachement qui aura des conséquences sérieuses à court, moyen et long termes. Outre l'impact sur le mode relationnel de l'enfant, un déficit d'attachement peut perturber le développement de la personnalité, la socialisation, le développement intellectuel et physique (Paquette, St-Antoine et Provost, 2000, p. 39-43).

Sur le plan de la personnalité, certains enfants réagissent par une dépression qui peut aller jusqu'à l'apathie ou par de grandes difficultés d'autocontrôle, des passages à l'acte où ils expriment leur détresse par des comportements désorganisés ou agressifs. D'autres ressentent une rage persistante et diffuse qu'ils arrivent difficilement à cerner et à expliquer. D'autres encore n'arrivent jamais à développer une réelle autonomie émotionnelle, leurs capacités d'exploration sont tronquées, ils n'ont pas de sens critique et sont très vulnérables aux influences extérieures (Idem, p. 39-43).

Sur le plan de la socialisation, le fait de ne pas développer de lien sélectif durant la petite enfance peut entraîner le développement de comportements sociaux inadéquats ayant des conséquences graves sur l'adaptation sociale de l'enfant, de l'adolescent puis de l'adulte, et conduire même à la délinquance et à la criminalité. En effet, c'est grâce au lien sélectif que l'enfant développe des qualités d'empathie, de motivation, d'autocontrôle… (Idem, p. 39-43).

En ce qui a trait au développement intellectuel, ce qui motive l'enfant à apprendre est en grande partie son désir d'exploration du monde, sa curiosité. Or, les comportements d'exploration sont en grande partie influencés par l'attachement: pour s'ouvrir au monde extérieur, pour prendre le risque de l'exploration, l'enfant doit avoir intégré le sentiment qu'il a une base sécurisante vers laquelle il peut se replier si des problèmes se présentent. Entre zéro et trois ans, les retards de développement dans l'apprentissage de la marche et du langage sont les premiers symptômes indiquant que le développement intellectuel de l'enfant risque d'être entravé (Idem, p. 39-43).

Sur le plan du développement physique, les enfants qui présentent des déficits d'attachement sont aussi des enfants qui ressentent énormément de stress sur des périodes prolongées. L'effet de ce stress sur la croissance est maintenant bien connu: les enfants peuvent voir leur croissance ralentie et parfois même arrêtée. Dans les situations où l'enfant subit des abus ou traumatismes, l'effet du stress est exacerbé (Idem, p. 39-43).

« Enfin, si la période durant laquelle l'enfant est laissé sans lien sélectif, c'est-à-dire dans "le vide de l'attente" ou dans l'absence de continuité, si cette période se poursuit trop longtemps, l'enfant se détache progressivement des relations. Ce vide et cette attente peuvent résulter des multiples déplacements imposés à l'enfant, de l'insuffisance ou de l'incohérence des soins apportés par les parents d'origine ou par les parents substituts. C'est comme si l'enfant développait une intolérance, une allergie aux relations. Il se détourne d'elles et ne compte plus que sur lui-même pour satisfaire ses besoins. Dans l'éventualité où on lui offre des parents substituts désireux de l'accueillir, ce vide peut devenir le principal obstacle à cette nouvelle relation. L'enfant a abandonné l'idée qu'on puisse répondre à ses besoins; il devient incapable de s'engager dans une relation, de demander de l'aide et de se laisser réconforter, car tout engagement comporte maintenant pour lui un risque d'abandon. » (Noël, 2003, p. 232. Cet extrait est fortement inspiré des écrits de Steinhauer; voir plus particulièrement Steinhauer, 1996, p. 48-50.)

En dépistant très tôt dans leur vie les enfants qui risquent d'être placés dans ces situations et en les orientant vers des parents d'accueil stables, chaleureux, sensibles et désireux de les adopter si cela est possible, le programme Banque-mixte prévient, ou minimise selon le cas, les problèmes décrits plus haut. Ces enfants ont alors plus de chances de développer une relation d'attachement qui, si elle n'est pas toujours parfaite, est beaucoup plus favorable à leur développement.

 FT 1.6 À *CHAQUE ENFANT*
SON PROJET DE VIE PERMANENT :
UN PROGRAMME D'INTERVENTION – 0 À 5 ANS

En 2004, le CJM–IU, de concert avec les autres centres jeunesse du Québec, termine la mise sur pied du programme d'intervention *À chaque enfant son projet de vie permanent*. Le terme « projet de vie » signifie « une situation dans laquelle l'enfant est stabilisé de façon permanente » et qui comporte deux dimensions: une « dimension physique » (milieu de vie, lieu d'appartenance) et une « dimension dynamique » (une personne significative avec qui l'enfant vit et peut développer un lien d'attachement). Ce programme s'adresse particulièrement à la clientèle des enfants âgés de moins de cinq ans et s'inscrit dans la lignée de la théorie de l'attachement. Il propose « des outils cliniques et administratifs pouvant servir au dépistage précoce du risque d'abandon et permettant de fournir une connaissance systématique de la situation des enfants à risque ou en voie d'abandon » (Paquette, 2004, p. 3-5).

> « L'objectif général du programme consiste à fournir aux enfants âgés de 0 à 5 ans, dans un délai de 1 an, un milieu de vie et un environnement humain stable et permanent qui soit apte à répondre à ses besoins — dont celui de développer un lien sélectif avec une personne significative (le parent dans les meilleures circonstances) — de manière à ce que l'enfant ait devant lui un avenir prévisible. » (Idem, p. 11.)

Dans le cadre de ce programme, des moyens cliniques et administratifs sont développés afin de prévenir la « dérive du projet de vie » des enfants.

- Sur le plan clinique:
  - transmettre aux intervenants sociaux et judiciaires les nouvelles connaissances sur l'attachement;

- offrir des critères clairs et validés permettant d'évaluer les capacités parentales des parents d'origine et le pronostic de changement;

- favoriser une prise de conscience quant à l'idéologie du lien de sang, une « croyance voulant que le rapport biologique entre le parent et son enfant ait une valeur sacrée qui doit être préservée quel qu'en soit le prix », même pour l'enfant;

- favoriser « la mise à distance thérapeutique essentielle au bon jugement clinique » afin que les intervenants sociaux et judiciaires puissent prendre des décisions objectives favorables à l'enfant en étant le moins possible influencés par leurs expériences et valeurs personnelles et par les émotions qu'ils ressentent face aux parents d'origine.

• Sur le plan administratif:

- offrir des conditions de pratique permettant « l'intensité d'intervention » qu'exige l'évaluation des jeunes enfants, « particulièrement vulnérables en raison de leur incapacité à communiquer verbalement », et la rapidité d'intervention nécessaire pour empêcher ou réduire le plus possible les dégâts causés par un déficit d'attachement: il est important d'agir rapidement, car il existe une période sensible pour le développement du lien d'attachement qui se situe entre zéro et trois ans;

- favoriser la continuité, tant dans la présence des intervenants que dans les actions prises, en installant des plans d'intervention, des balises et des révisions formelles et régulières. (Idem, p. 7-10.)

Selon la *Loi sur la protection de la jeunesse*, c'est aux parents qu'incombe, en premier lieu, « la responsabilité d'assumer le soin, l'entretien et l'éducation » de leur enfant « et d'en assumer la surveillance » (LPJ, 2006, article 2.2.). En ce sens, les parents d'origine, ou leurs proches, sont les personnes les plus souhaitables pour fournir à l'enfant un projet de vie favorable à son développement.

Lorsque, malheureusement, ces parents vivent des difficultés, il est important de pouvoir déterminer rapidement s'ils ont le désir et les capacités de les résoudre dans un temps convenant au rythme de développement de leur enfant, ou si un autre membre de la famille peut prendre la relève. Si c'est le cas, tout doit être mis en œuvre pour les aider.

Lorsque ce n'est pas le cas par contre, le développement de l'enfant doit être privilégié. Ainsi que le dit le juge impliqué dans le dossier de Frédéric[177], il n'est pas souhaitable « [...] de garder le bébé dans un vacuum, dans un *no-where* affectif où on éviterait qu'il crée des liens d'attachement avec des adultes qui se soucient de lui et veillent sur sa vie naissante sous prétexte que cet enfant doit être gardé en réserve pour le retour éventuel d'un parent aux prises avec de graves problèmes [...][178].

La clé de voûte, la partie essentielle et capitale des services offerts par les intervenants de la Direction de la protection de la jeunesse, est la capacité de poser un diagnostic juste et rapide et d'y greffer les services adéquats. Certains parents veulent et peuvent changer. D'autres ne le désirent pas ou en sont incapables. Les interventions doivent être faites en fonction de ce diagnostic et dans l'intérêt de l'enfant. Le programme *Projet de vie* offre aux professionnels des outils concrets et efficaces pour poser ce diagnostic et pour encadrer et soutenir l'intervention subséquente.

Ce programme et le programme Banque-mixte sont complémentaires: ce dernier fournit des ressources à la fois stables et dynamiques aux enfants identifiés par le programme *Projet de vie* comme étant à haut risque d'abandon ou dont les parents ont un pronostic de reprise en main très réservé; de son côté, le programme *Projet de vie*, par ses modalités cliniques et administratives plus claires et mieux encadrantes, facilite le dépistage et, lorsque c'est pertinent, la réalisation des projets d'adoption dans le cadre du programme Banque-mixte.

---

177. Quatrième récit.
178. Afin de respecter la confidentialité des personnes concernées, la référence de ce jugement n'est pas mentionnée.

SÉRIE 2

Types d'adoption nationale au Québec

L'adoption dite « nationale » concerne les enfants domiciliés au Québec[179]. Jusqu'en 1988, seulement trois types d'adoption nationale existent : l'adoption par un membre de la famille d'origine de l'enfant, l'adoption québécoise régulière et l'adoption par la famille d'accueil régulière. C'est en 1988 seulement que l'adoption de type Banque-mixte est mise sur pied. Contrairement à d'autres pays où se pratiquent des adoptions simples[180], toutes ces adoptions sont des adoptions dites « plénières », c'est-à-dire que tous les liens légaux entre l'enfant et les membres de sa famille d'origine sont rompus.

La deuxième série de fiches décrit les différents types d'adoption nationale au Québec, les compare avec l'adoption internationale et présente le service de recherche d'antécédents et de retrouvailles.

---

179. « Les règles relatives au consentement et à l'admissibilité à l'adoption d'un enfant sont celles que prévoit la loi de son domicile » (*Code civil du Québec*, article 3092).

180. Dans certains pays, la France par exemple, en plus de l'adoption dite « plénière », « qui donne à l'adopté les mêmes droits que l'enfant issu du couple, est irrévocable, fait que la filiation adoptive se substitue à la filiation d'origine, entraîne la rupture définitive des liens avec la famille d'origine et confère la nationalité française », il existe une adoption « simple ». Celle-ci « crée une filiation additive, ne coupant pas juridiquement les liens avec la famille d'origine. L'adopté hérite de ses parents d'origine et d'adoption, mais les grands-parents d'adoption peuvent l'écarter de la succession. Ce type d'adoption est révocable pour motif grave et l'obligation alimentaire subsiste dans les deux lignées. » [http://www.efa78.org/EFAframeJ.html]. (Date de consultation : 2007-08-07.)

FT 2.1 ADOPTION PAR UN MEMBRE DE LA FAMILLE D'ORIGINE DE L'ENFANT

Dans ce type d'adoption, l'enfant est adopté par un ou des membres en ligne directe de sa famille d'origine (grand-parent, oncle, tante…) après un consentement signé par le ou les parents d'origine en faveur de ces personnes. Un parent peut aussi signer un consentement « spécial » à l'adoption en faveur de son conjoint[181]. Ces adoptions sont rarement référées aux centres jeunesse, sauf dans les situations où le parent ne peut ou ne veut signer un consentement à l'adoption et que l'enfant doit alors être déclaré admissible à l'adoption par un juge de la Chambre de la jeunesse; le projet d'adoption des membres concernés de la famille est alors évalué par la DPJ.

 FT 2.2 ADOPTION QUÉBÉCOISE RÉGULIÈRE

L'adoption québécoise régulière touche les enfants légalement admissibles à l'adoption par consentement dès leur arrivée dans la famille adoptive. Ces enfants sont généralement très jeunes (quelques jours à quelques semaines); ils ont donc rarement subi des déplacements successifs, de la négligence, des abus physiques ou sexuels…

Le désir des postulants à l'adoption québécoise régulière est de prendre charge d'un enfant légalement admissible à l'adoption dès son arrivée dans leur famille. Il y a très peu d'enfants pour ce type d'adoption (tableau 1). En conséquence, la période d'attente pour cette catégorie de postulants est longue.

---

181. Un parent ne peut cependant signer un consentement à l'adoption en faveur d'un « ami ».

TABLEAU 1

NOMBRE D'ENFANTS PLACÉS EN ADOPTION QUÉBÉCOISE RÉGULIÈRE AU CJM–IU DEPUIS 2001

Année	Nombre d'enfants placés
2001-2002	10 enfants placés, dont un pour qui les parents sont revenus sur leur décision avant la fin des trente jours permis par le consentement général à l'adoption. Ils ont repris l'enfant.
2002-2003	8 enfants placés
2003-2004	5 enfants placés
2004-2005	8 enfants placés
2005-2006	8 enfants placés
2006-2007	3 enfants placés

SOURCE: Renseignements tirés des statistiques annuelles du Service adoption du CJM–IU.

En 2007, au CJM–IU, le temps d'attente pour adopter un enfant, garçon ou fille de race blanche, en adoption québécoise régulière est d'environ 6 ans.

Cette période peut être plus longue pour les postulants qui désirent précisément un garçon ou une fille.

 FT 2.3 ADOPTION PAR LA FAMILLE D'ACCUEIL RÉGULIÈRE

Les enfants adoptés par leur famille d'accueil régulière ne sont jamais admissibles à l'adoption au moment de l'arrivée dans cette famille. Ils sont considérés comme ayant de bonnes chances de retourner dans leur famille d'origine: leurs parents ont un potentiel de récupération suffisant pour leur permettre de régler leurs problèmes et de reprendre l'enfant dans un temps correspondant aux besoins de ce dernier. Une ordonnance de protection de durée variable est prononcée par un juge de la Chambre de la jeunesse afin que l'enfant soit placé dans une famille d'accueil régulière le temps que les parents corrigent leur situation.

Ces enfants peuvent devenir admissibles à l'adoption durant le suivi de protection parce que leurs parents d'origine en viennent à

signer un consentement général à l'adoption, après avoir pris conscience de leurs limites; ils peuvent aussi devenir admissibles à
l'adoption parce que leurs parents disparaissent graduellement de
leur vie, assumant de moins en moins leur soin, leur entretien et leur
éducation.

En général, les parents qui gèrent une famille d'accueil régulière
ne souhaitent pas, au départ, agrandir leur famille par l'adoption,
mais certains s'attachent à l'enfant durant son séjour chez eux et
décident de l'adopter lorsqu'il devient admissible. Il n'y a pas de
période d'attente pour ces parents d'accueil puisque l'enfant est déjà
chez eux au moment de la décision d'adoption[182].

 FT 2.4 ADOPTION DE TYPE BANQUE-MIXTE

Ce programme a d'abord été conçu pour offrir, durant la période où
les intervenants de la Direction de la protection de la jeunesse travaillent intensivement avec leurs parents et mettent tout en œuvre
pour les aider à développer ou retrouver leurs capacités parentales,
une alternative à un groupe d'enfants ciblés. Ces enfants ne sont
donc pas légalement admissibles à l'adoption au moment de leur
arrivée chez les parents du programme Banque-mixte. Ils sont
cependant très susceptibles de le devenir parce que leurs parents
d'origine connaissent de grandes difficultés, ont un potentiel réduit
de reprise en main et peu de chances de redevenir capables de les
assumer ou parce qu'ils se désintéressent d'eux.

Du point de vue des postulants à l'adoption, le programme
Banque-mixte permet à ceux qui le désirent de se voir confier un
enfant plus rapidement que s'ils étaient inscrits pour une adoption
régulière. Il s'adresse à des couples et à des individus qui désirent
principalement aider un enfant et, le cas échéant, l'adopter. À ce
titre, ils sont inscrits comme postulants à l'adoption. Ils acceptent
cependant de jouer temporairement le rôle de parents d'accueil
auprès d'un enfant pour qui le projet de vie pourrait devenir l'adoption. Leur capacité d'accepter que l'enfant ait des contacts avec sa
famille biologique et leur capacité de l'accompagner lors de ces contacts, tant sur le plan des déplacements que sur le plan de l'accompagnement émotif, est une dimension importante de leur rôle.

---

182. À noter qu'il y a un manque important de familles d'accueil régulières pour les
     enfants de tout âge.

Les postulants intéressés à ce programme sont donc évalués et accrédités à la fois comme parents d'adoption et comme parents d'accueil (d'où le nom de Banque-mixte). Ils ont ainsi un double statut: en tant que parents d'adoption, ce sont des « usagers » du centre jeunesse et, en tant que parents d'accueil, ce sont des « collaborateurs ». Comme usagers du centre jeunesse, ils ont le droit de recevoir des services de cet organisme: évaluation de leur projet d'adoption, jumelage avec un enfant et suivi, démarches légales d'adoption... En tant que collaborateurs, le centre jeunesse s'attend à ce qu'ils assument les responsabilités généralement confiées aux familles d'accueil régulières et qu'ils participent au plan d'intervention mis sur pied pour l'enfant.

FT 2.5 COMPARAISON ENTRE L'ADOPTION INTERNATIONALE, L'ADOPTION QUÉBÉCOISE RÉGULIÈRE ET L'ADOPTION DE TYPE BANQUE-MIXTE

Les Québécois qui le désirent peuvent aussi adopter un enfant par l'adoption internationale. Il en sera très peu question dans ce livre; cependant, il a été jugé utile de la comparer brièvement avec l'adoption québécoise régulière et l'adoption de type Banque-mixte (tableau 2).

TABLEAU 2

COMPARAISON ENTRE LES DIVERS TYPES D'ADOPTION

Adoption internationale	Adoption québécoise régulière	Adoption dans le cadre du programme Banque-mixte
Ce type d'adoption est maintenant régi par la *Convention de La Haye*[a]. Chaque pays a des modalités de jumelage et d'adoption différentes.	Ce type d'adoption est régi par les Services adoption des différents centres jeunesse du Québec.	Ce type d'adoption est régi par les Services adoption des différents centres jeunesse du Québec.
L'adoption internationale est le type d'adoption généralement le plus rapide, tant pour la période d'attente avant un jumelage que pour la finalisation des démarches légales.	L'attente avant un jumelage pour les postulants à l'adoption québécoise régulière inscrits au CJM–IU est actuellement d'environ six ans. Une fois amorcée, l'adoption se finalise en un an environ.	L'attente avant un jumelage pour les postulants du programme Banque-mixte inscrits au CJM–IU est actuellement d'environ un à deux ans, selon le type d'enfant désiré. Le processus complet permettant de réaliser l'adoption peut prendre quelques années, car l'enfant doit d'abord devenir légalement admissible à l'adoption.
Les enfants confiés sont admissibles à l'adoption dès le jumelage.	Les enfants confiés sont admissibles à l'adoption par consentement dès le jumelage.	Les enfants confiés ne sont pas admissibles à l'adoption au moment du jumelage.

Il ne s'agit pas de nourrissons, mais d'enfants âgés d'au moins plusieurs mois ou de quelques années.	Les enfants sont âgés de quelques jours à quelques semaines.	Les enfants sont âgés de quelques semaines à plusieurs années. Les deux tiers ont moins de deux ans.
Il y a rarement de contacts avec les parents d'origine, ceux-ci sont souvent inconnus et la confidentialité est assurée.	Les parents adoptifs ont très rarement de contacts avec les parents d'origine. La confidentialité est assurée en tout temps sauf, exceptionnellement, lorsque les deux parties sont d'accord pour se rencontrer.	Les postulants qui participent à ce programme doivent accepter que l'enfant ait des contacts avec ses parents d'origine. Ces derniers doivent savoir que leur enfant est placé dans une famille qui peut lui offrir une stabilité à long terme et qui veut l'adopter le cas échéant. L'identité des parents d'origine et des parents Banque-mixte peut être connue de part et d'autre, à moins d'une ordonnance de confidentialité prononcée par un juge de la Chambre de la jeunesse. Cette ordonnance peut être révoquée en tout temps par le juge.

Adoption internationale	Adoption québécoise régulière	Adoption dans le cadre du programme Banque-mixte
Le jumelage entre l'enfant et les parents est fait généralement sur papier seulement, à partir du rapport d'évaluation psychosociale des postulants et par les organismes du pays de résidence de l'enfant. Ces organismes fonctionnent souvent avec des ressources limitées.	Le jumelage entre l'enfant et les postulants est fait par l'intervenant du Service adoption qui a procédé à l'évaluation des postulants à partir des caractéristiques du bébé et des particularités des postulants. Comme les enfants sont de tout jeunes bébés, le jumelage est généralement assez simple, car ceux-ci n'ont pas vécu d'événements difficiles après leur naissance.	Le jumelage est fait par l'intervenant du Service adoption qui a évalué les postulants et par l'intervenant de prise en charge. Lorsque les enfants sont de jeunes bébés, le jumelage est généralement assez simple, car les enfants ont moins de risque d'avoir vécu des événements difficiles après la naissance. Lorsque les enfants sont déjà âgés de plusieurs mois ou de quelques années, le jumelage est plus complexe et plus risqué, car les enfants peuvent avoir vécu des événements traumatisants depuis leur naissance.

Les parents adoptifs ont généralement très peu d'information sur les antécédents sociobiologiques*, sur les conditions dans lesquelles la grossesse s'est déroulée, sur la naissance et sur les premiers mois de vie de l'enfant.	Les parents adoptifs reçoivent de l'information sur les antécédents sociobiologiques*, sur les conditions dans lesquelles la grossesse s'est déroulée, sur la naissance et sur les premiers jours de vie de l'enfant.	Les parents adoptifs reçoivent beaucoup d'information sur les antécédents sociobiologiques*, sur les conditions dans lesquelles la grossesse s'est déroulée, sur la naissance et sur les premiers mois ou premières années de vie de l'enfant.
Les parents des enfants peuvent avoir une maladie mentale, être atteints de déficit intellectuel ou d'autres problèmes de santé. Les enfants peuvent avoir été exposés à des substances[b] ou conditions** à des substances, à des virus (VIH, tératogènes, à des virus (VIH, hépatite...) ou autres.	Les parents des enfants peuvent avoir une maladie mentale, être atteints de déficit intellectuel ou d'autres problèmes de santé. Les enfants peuvent avoir été exposés à des substances[c] ou conditions** à des substances, à des virus (VIH, tératogènes, à des virus (VIH, hépatite...) ou autres.	Les parents des enfants peuvent avoir une maladie mentale, être atteints de déficit intellectuel ou d'autres problèmes de santé. Les enfants peuvent avoir été exposés à des substances[d] ou conditions** à des substances, à des virus (VIH, tératogènes, à des virus (VIH, hépatite...) ou autres.
Les enfants plus âgés peuvent avoir vécu des abandons, des abus ou être victimes de carences alimentaires, affectives ou autres.	Il n'y a presque jamais d'enfants âgés de plus six mois dans ce type d'adoption.	Les enfants plus âgés peuvent avoir vécu des abandons, des abus ou être victimes de carences alimentaires, affectives ou autres.

Adoption internationale	Adoption québécoise régulière	Adoption dans le cadre du programme Banque-mixte
L'intervention auprès des parents d'origine dépend des politiques sociales des pays où vivent ces parents. Plusieurs pays n'ont pas les ressources et l'organisation nécessaires pour offrir de l'aide aux parents d'origine.	Les parents d'origine sont généralement suivis dans un contexte d'intervention assez court, qui peut commencer à partir du suivi de grossesse et se terminer à la signature du consentement à l'adoption sauf pour ceux qui souhaitent un soutien après la signature du consentement.	L'intervention auprès des parents d'origine peut s'échelonner sur quelques années, depuis le signalement qui alerte la DPJ de la situation de compromission dans laquelle est placé l'enfant jusqu'à la déclaration d'admissibilité à l'adoption. Durant cette période, les parents du programme Banque-mixte doivent collaborer avec les intervenants.

C'est le seul type d'adoption qui ne comporte pas de risque de perdre l'enfant après l'arrivée de celui-ci dans la famille.	Pendant les trente jours qui suivent la signature du consentement à l'adoption, les parents d'origine peuvent revenir sur leur décision, annuler leur consentement à l'adoption et demander à reprendre l'enfant. Entre le trentième jour et l'ordonnance de placement en vue d'adoption, les parents d'origine peuvent s'adresser à un juge de la Chambre de la jeunesse pour demander de reprendre leur enfant. Le juge prendra en considération, entre autres, les raisons qui ont fait que le parent n'a pas annulé son consentement durant la période de trente jours et l'intérêt de l'enfant.	Les possibilités que les parents d'origine reprennent l'enfant sont réelles mais minimes[e].

* Il s'agit surtout des antécédents sociobiologiques de la mère, car les pères sont souvent absents ou inconnus.
** Les conditions tératogènes sont principalement le stress, les mauvaises conditions de vie ou même la violence auxquels la mère peut avoir été exposée durant la grossesse.

a) Pour plus d'information sur la *Convention de La Haye*, voir le site du Secrétariat à l'adoption internationale du Québec: [http://www.adoption.gouv.qc.ca/site/index.php?accueil]. (Date de consultation: 2007-08-07.)
b) Substances tératogènes: annexe 2.4.
c) Renseignements tirés des statistiques annuelles du Service adoption du CJM–IU.
d) Renseignements tirés des statistiques annuelles du Service adoption du CJM–IU.
e) Statistiques: fiche technique 3.17.

FT 2.6 RECHERCHE D'ANTÉCÉDENTS ET RETROUVAILLES

Selon l'article 583 du *Code civil du Québec* en vigueur depuis le 1er janvier 1994, l'adopté majeur ou l'adopté mineur de quatorze ans ou plus a le droit d'obtenir les renseignements lui permettant de retrouver ses parents, si ces derniers y ont préalablement consenti. Il en va de même des parents d'origine d'un enfant adopté, si ce dernier, devenu majeur, y a préalablement consenti. L'adopté mineur de moins de quatorze ans a également le droit d'obtenir les renseignements lui permettant de retrouver ses parents d'origine, si ces derniers ainsi que ses parents adoptifs y ont préalablement consenti. Ces consentements ne doivent faire l'objet d'aucune sollicitation; un adopté mineur ne peut être informé de la demande de renseignements de son parent.

En conséquence, le Service adoption des différents centres jeunesse du Québec offre les services suivants: la transmission des antécédents non confidentiels aux personnes confiées pour adoption, qu'elles aient été adoptées ou non, la transmission des renseignements non confidentiels aux parents d'origine concernant leur enfant confié jadis à l'adoption et un service de recherches et d'accompagnement en vue de retrouvailles entre les enfants et leurs parents d'origine.

Ce dernier service comprend l'identification et la localisation de la personne recherchée, les contacts préliminaires avec la personne qui recherche et la personne recherchée, la préparation des retrouvailles proprement dites, l'accompagnement et le soutien.

Série 3

Programme Banque-mixte

Les fiches de cette série décrivent en détail les objectifs, le fonctionnement et l'évolution du programme Banque-mixte.

 ## FT 3.1 Objectifs du programme Banque-mixte

Certains enfants sous la protection de la DPJ et dont les parents n'arrivent pas à en assumer la responsabilité deviennent admissibles à l'adoption tard dans leur vie, et ce retard peut avoir de sérieuses conséquences sur leur développement et leur bien-être. Plusieurs de ces enfants peuvent être adoptés par la famille d'accueil régulière chez qui ils habitent, mais pour d'autres cela est impossible. Différentes raisons empêchent alors la réalisation d'une adoption: absence de motivation à l'adoption chez un ou les deux parents d'accueil, manque de disponibilité pour une garde à long terme, limites quant à l'âge des parents d'accueil, quant au revenu, aux capacités parentales, à l'attachement envers l'enfant...

Lorsque l'adoption par la famille d'accueil régulière n'est pas envisageable, une décision difficile doit être prise en tenant compte du meilleur intérêt de l'enfant et, principalement, de la qualité des liens établis entre celui-ci et les parents d'accueil. Deux possibilités sont à considérer: laisser l'enfant dans cette famille jusqu'à l'âge de dix-huit ans, sans adoption[183], ou lui trouver une famille adoptive. Cette dernière option est risquée.

Il y a d'abord la difficulté de trouver des parents adoptifs pour un enfant plus âgé, la majorité des postulants préférant adopter de très jeunes enfants. Il y a ensuite la difficulté de trouver des parents ayant la capacité de prendre soin de ces enfants souvent très perturbés. En effet, les enfants plus âgés peuvent avoir vécu plusieurs événements négatifs, des mauvais traitements ou des déplacements successifs par exemple, et ainsi avoir développé des déficits émotifs. Selon la théorie de l'attachement, un enfant qui n'a pas connu de vie stable à l'âge de deux ou trois ans, qui n'a pas connu une relation privilégiée avec au moins un adulte significatif, est un enfant qui risque de développer des troubles de l'attachement, ce qui peut amener des conséquences graves et permanentes sur son développement. D'autres enfants, par contre, font preuve d'une résilience étonnante. Il est souvent difficile d'évaluer avec justesse la manière dont chaque enfant évoluera, et les parents qui les accueillent doivent être outillés pour le plus grand nombre d'éventualités possibles.

Enfin, si la difficulté de trouver une famille capable de répondre aux besoins de l'enfant est surmontée, on se heurte, plus souvent qu'autrement, à un traumatisme causé par la séparation de l'enfant d'avec la famille d'accueil chez qui il habite, parfois depuis plusieurs années, suivi d'une période cruciale d'ajustement dans la nouvelle famille, avec toutes les difficultés que cela implique.

En 1988, la plupart des enfants susceptibles de devenir tardivement admissibles à l'adoption sont placés dans des familles d'accueil régulières. Plusieurs intervenants sont préoccupés par ces enfants souvent abandonnés et surtout par ceux qui ne peuvent être adoptés par leur famille d'accueil régulière. S'il est difficile de trouver une solution pour ces enfants déjà âgés, il n'en est pas de même pour les jeunes bébés qui arrivent tout juste dans le système de la protection de la jeunesse et pour qui le pronostic de retour dans leur famille d'origine est incertain.

---

183. Malgré leur engagement, les familles d'accueil régulières sont rarement en mesure d'offrir aux enfants qu'elles accueillent la permanence et l'appartenance à une famille: lorsque les parents de ce type de famille prennent leur retraite, tombent malades ou, tout simplement, ne désirent plus faire ce travail, l'enfant doit être retiré et placé dans une autre famille; de même, lorsque l'enfant atteint l'âge de 18 ans, ces parents n'ont plus de responsabilité envers lui et il bénéficie rarement de leur soutien durant sa vie adulte.

En effet, à cette époque, les intervenants du Service adoption constatent qu'un grand nombre de postulants à l'adoption sont en attente d'un enfant depuis plusieurs années[184] à cause, entre autres, du petit nombre de jeunes enfants légalement admissibles à l'adoption dès la naissance. L'idée de joindre le besoin des enfants et celui des adoptants se présente alors, et c'est dans ce contexte que des intervenants du Service adoption du CJM–IU créent un troisième type d'adoption: l'adoption dans le cadre du programme Banque-mixte.

L'objectif est d'intervenir tôt dans la vie de certains enfants, idéalement lorsqu'ils sont âgés de quelques mois ou, même, de quelques semaines, en leur fournissant une alternative, un plan B comprenant, entre autres, un milieu de vie adéquat et stable, et une perspective d'adoption si le plan A, qui est le retour dans la famille d'origine, ne se réalise pas. On vise alors à éviter le plus possible à ces enfants des déplacements préjudiciables à leur développement. Les enfants ciblés par ce programme ne sont pas légalement admissibles à l'adoption, mais la probabilité qu'ils le deviennent est très forte parce que leurs parents d'origine présentent un pronostic sombre quant à la récupération de leurs capacités parentales.

 ## FT 3.2 DESCRIPTION DES PARENTS D'ORIGINE DES ENFANTS ORIENTÉS VERS UN PROJET DE TYPE BANQUE-MIXTE

Les parents d'origine des enfants orientés vers un projet de type Banque-mixte sont, en majorité, aux prises avec plusieurs difficultés découlant de leur parcours de vie très particulier. Ce sont généralement des personnes ayant vécu dans des familles dysfonctionnelles où elles ont connu de l'instabilité et des abus divers, de la négligence, du rejet et, parfois même, de l'abandon. Les assuétudes (alcool, drogues, médicaments, jeu...) occupent souvent une place importante dans leur vie. Certains ont développé des problèmes de santé mentale ou un déficit intellectuel pouvant découler de leur histoire familiale antérieure gravement perturbée ou d'un désordre endogène. Ils sont souvent isolés socialement et très instables à tous points de vue.

---

184. En 1988, date à laquelle le projet Banque-mixte a été créé, il y avait au CJM–IU environ 250 couples de postulants en attente d'un projet d'adoption québécoise régulière et 250 couples en attente d'une adoption internationale.

Toutes ces caractéristiques constituent des indicateurs importants à prendre en considération par les intervenants impliqués lors d'une demande de placement. En effet, plus les difficultés sont nombreuses et graves, plus le pronostic de récupération des parents est réservé et moins ils risquent de redevenir capables d'assumer la garde de leur enfant.

Au départ, ces parents ne choisissent pas l'adoption pour leur enfant. Ils acceptent le placement ou s'y voient contraints par une mesure judiciaire. Ils ont le désir, plus ou moins formulé, de régler leurs difficultés et de reprendre l'enfant. Ce désir est réel et sincère, mais leur mobilisation concrète, continue et rapide est plus difficile. Ils sont aidés à concrétiser et à réaliser ce souhait. Leurs droits sont reconnus et respectés, mais ils sont aussi confrontés à leurs responsabilités.

Certains, conscients de leurs difficultés et des impacts de celles-ci sur l'enfant, rassurés de connaître les parents substituts engagés auprès de leur enfant et réconfortés d'avoir pu constater la bonne évolution de ce dernier, en viennent à consentir à son adoption. D'autres maintiennent des contacts plus ou moins réguliers. Enfin, un dernier groupe de parents s'impliquent peu ou pas du tout et, finalement, ne contestent pas la démarche judiciaire en déclaration d'admissibilité à l'adoption. Un très petit pourcentage de parents réussissent, avec l'aide intensive apportée par les intervenants de la DPJ, à surmonter leurs difficultés et à reprendre leur enfant[185].

 FT 3.3 DESCRIPTION DES ENFANTS ORIENTÉS VERS UN PROJET DE TYPE BANQUE-MIXTE

Tous les enfants orientés vers un projet de type Banque-mixte ne présentent pas nécessairement les problèmes énumérés ici. De même, tous les parents Banque-mixte ne vivent pas ces difficultés de la même manière: par exemple, certains peuvent très bien cohabiter avec un enfant hyperactif alors que d'autres trouvent cela très perturbant.

Cela dit, il reste que les enfants dont la DPJ est responsable et qui sont orientés vers un projet Banque-mixte peuvent porter un lourd bagage. Les premiers éléments à considérer sont reliés à l'hérédité de l'enfant: y a-t-il dans sa famille d'origine des maladies menta-

---

185. Statistiques concernant les dénouements possibles des projets d'adoption de type Banque-mixte au CJM–IU: fiche technique 3.17.

les héréditaires[186], des déficits intellectuels[187] ou d'autres conditions connues transmissibles par les gènes?

D'autres éléments sont reliés aux conditions dans lesquelles la gestation s'est déroulée. La mère a-t-elle eu un suivi de grossesse, s'est-elle bien alimentée, a-t-elle eu un régime de vie sain, a-t-elle consommé des substances tératogènes[188], a-t-elle été victime de violence physique ou psychologique, a-t-elle vécu des stress importants... Si les conditions de la grossesse sont déficientes, l'enfant peut, mais pas toujours, en ressentir les conséquences: certains bébés naissent prématurément, sont à la naissance d'un poids inférieur à la normale, sont atteints d'un syndrome d'alcoolisation fœtale[189], d'hépatite[190], de sevrage aux drogues[191]... D'autres enfants, assez nombreux, ne présentent aucun de ces problèmes, peut-être parce que le corps de la mère et le placenta ont protégé le fœtus (Noël, 2003, p. 112-142).

Une troisième catégorie d'éléments concerne les conditions de la naissance. Celle-ci s'est-elle déroulée dans un endroit adéquat et sous assistance médicale? On voit encore aujourd'hui des mères qui ne sont pas conscientes de leur corps et des signaux que celui-ci leur envoie ou qui ne veulent pas se rendre à l'hôpital et qui accouchent dans des conditions tout à fait inadéquates. Lorsque l'enfant naît à l'hôpital, le dossier médical des enfants est demandé à l'hôpital de naissance. Cela permet d'avoir de l'information sur les points suivants: y a-t-il eu des complications à la naissance (détresse fœtale, anoxie...), l'enfant est-il né à terme, avec un APGAR[192] satisfaisant, quel est son poids de naissance, sa taille, son périmètre crânien[193]...

Il faut aussi prendre en considération les conditions de vie de l'enfant après sa naissance. Elles peuvent avoir une influence sur l'état de santé physique, intellectuelle et émotionnelle de l'enfant. Certains enfants sont victimes d'abus physiques ou sexuels, d'autres,

---

186. Certaines maladies telles la schizophrénie et la maladie bipolaire peuvent être génétiquement transmissibles à l'enfant: annexe 2.3.
187. Il est souvent impossible de dire si un parent d'origine qui semble fonctionner à un niveau intellectuel limité a un déficit intellectuel inné et génétiquement transmissible ou un déficit intellectuel acquis par un manque de stimulation par exemple. Dans ce dernier cas, le déficit n'est pas transmissible à l'enfant, surtout si ce dernier n'est pas élevé par ce parent: annexe 2.1.
188. Substances tératogènes: annexe 2.4.
189. Idem.
190. Hépatite B, hépatite C et VIH: transmission mère-enfant: annexe 2.2.
191. Substances tératogènes: annexe 2.4.
192. Voir note 27.
193. Voir note 28.

de négligence moyenne ou sévère. Des enfants passent de mains en mains, se font garder par plusieurs personnes inconnues d'eux, vivent de nombreux placements en famille d'accueil avec des allers et retours chez leurs parents ou des déplacements de famille d'accueil[194]. Enfin, si certaines conséquences relatives au mode de vie des parents et de l'enfant après sa naissance peuvent être visibles par son comportement ou lors d'un examen médical ou d'une évaluation psychologique, d'autres se révèlent plus tard seulement.

Et il y a une part d'inconnu: les intervenants ne connaissent pas tout de la vie des enfants dont ils s'occupent, bien que beaucoup de travail soit fait pour recueillir l'information pertinente. Il arrive souvent que le père ne soit pas connu et que, par conséquent, aucun renseignement le concernant ne soit disponible. Il arrive que la mère n'ait plus de contact avec sa famille et qu'elle ne soit pas au courant de ses propres antécédents familiaux. Enfin, certains événements de la vie de l'enfant, abus, traumatismes, négligence sévère, ne sont tout simplement pas connus des intervenants et l'enfant peut être trop jeune pour en parler[195].

Il y a généralement plus de garçons que de filles qui reçoivent des services du CJM–IU[196]. À cause de l'augmentation de l'immigration, il y a de plus en plus d'enfants de races ou d'ethnies différentes. Il arrive aussi qu'il y ait des fratries: frères et sœurs ou demi-frères et demi-sœurs qui ne sont pas nécessairement placés ensemble, car « le fait d'être frère et sœur ne permet pas de conclure qu'il y ait attachement entre des enfants ni que ce lien joue un rôle positif au niveau de la structuration de la personnalité de l'enfant » (Paquette, St-Antoine et Provost, 2000).

Au cours des années, les enfants âgés de moins de un an représentent toujours environ 50 % des enfants placés en Banque-mixte. Les enfants âgés de un à deux ans représentent le deuxième groupe important. Les autres enfants placés ont de deux à sept ans environ (tableau 3).

---

194. C'est le cas de Michel, le père de François, dans le premier récit, et de Bruno dans le troisième.
195. Bruno, dans le troisième récit, a été victime d'abus sexuels à l'âge de deux ans et demi. Cet événement n'était pas connu des intervenants au moment du jumelage. Bruno n'a été capable de le révéler à ses parents du programme Banque-mixte qu'à l'âge de quatre ans.
196. Pour les années 2001-2002, 2002-2003 et 2003-2004, la proportion des garçons (57 %) et des filles (43 %) qui reçoivent des services du CJM–IU se maintient (CJM–IU, 2004, p. 8). Cette information n'est pas disponible pour les années subséquentes.

TABLEAU 3

ÂGE DES ENFANTS PLACÉS EN FAMILLES DE TYPE BANQUE-MIXTE AU CJM–IU

Âge	Du 1er avril au 31 mars			
	2003-2004	2004-2005	2005-2006	2006-2007
0 à 6 mois	16	23	21	13
6 mois à 1 an	11	15	13	4
1 an à 2 ans	14	15	14	8
2 ans à 3 ans	3	8	7	3
3 ans à 4 ans	4	3	2	2
4 ans et plus	5	11	2	6
Total	**53**	**75[a]**	**59**	**36[b]**

a) Renseignements tirés des statistiques annuelles du Service adoption du CJM–IU. À noter que le nombre d'enfants placés en 2004-2005 a augmenté de façon importante grâce à la collaboration d'autres centres jeunesse qui ont collaboré à la recherche de familles, surtout pour certains enfants plus âgés qui attendaient une ressource depuis de nombreux mois.

b) Au cours de la dernière année, 36 enfants ont fait l'objet d'un placement en Banque-mixte. Ce nombre représente une diminution de 39 % par rapport à l'année précédente. Cette baisse pourrait être liée à la période de rodage qui accompagne les nouvelles modifications (fiche technique 3.19) à la *Loi sur la protection de la jeunesse* adoptées le 15 juin 2006 et entrées en vigueur le 9 juillet 2007. Il n'y a pas d'autre explication à ce phénomène actuellement. Par contre, depuis le 1er avril 2007, on constate une augmentation importante des enfants orientés vers le programme comparativement aux mois correspondants de l'année précédente.

FT 3.4 DESCRIPTION DES POSTULANTS QUI S'ORIENTENT VERS UN PROJET DE TYPE BANQUE-MIXTE

Les couples qui s'orientent vers un projet de type Banque-mixte vivent, en majorité, un problème de fertilité. Pour plusieurs, il s'agit d'une stérilité complète et expliquée: leur situation est claire et ils savent qu'ils doivent envisager un autre moyen pour fonder une famille. D'autres ne réussissent pas à concevoir, mais aucune cause explicite n'a été décelée: ils restent avec la possibilité d'une conception éventuelle mais incertaine. Quelques-uns réussissent à concevoir, mais la grossesse ne peut être menée à terme. D'autres encore ont eu un premier enfant avec difficulté et la probabilité qu'ils en aient un deuxième est peu élevée. Enfin, pour certains couples, un des conjoints peut avoir un enfant issu d'une union précédente, mais les deux conjoints actuels ne peuvent concevoir.

Les postulants qui ont un problème de fertilité n'optent pas nécessairement pour une tentative de procréation assistée. Les contingences financières, les résultats que plusieurs considèrent comme limités, l'aspect mécanique de ce type de conception, les risques inhérents à ces procédures intrusives et leurs valeurs personnelles sont différentes raisons pouvant amener un couple à l'éviter. Ceux qui décident d'y avoir recours peuvent faire face à des difficultés ou à une succession d'échecs. Lorsqu'ils s'orientent vers l'adoption, c'est souvent leur dernier espoir de fonder une famille. Enfin, une minorité de postulants sont fertiles: ils ont déjà des enfants et choisissent l'adoption parce qu'ils désirent aider un enfant dans le besoin.

Les personnes aux prises avec un problème de fertilité vivent des pertes importantes, entre autres parce que les êtres humains tiennent généralement pour acquis dès leur enfance qu'ils pourront concevoir des enfants. Ces pertes touchent au moins deux aspects de leur vie. Le premier concerne l'intégrité physique, puisqu'un individu qui ne parvient pas à concevoir a un déficit de nature organique. Le deuxième aspect touché est celui des aspirations personnelles: chacun imagine l'enfant qu'il aura un jour, un enfant qui lui ressemblera, qui sera porteur de ses gènes et de ses rêves.

Toutes les personnes confrontées à une perte significative doivent vivre un deuil. Or, le deuil est un processus comportant plusieurs étapes et dont le déroulement nécessite du temps. Surmonter un deuil important peut prendre plusieurs années. Lorsque cela est réussi, ce n'est pas parce que la perte est oubliée, mais parce que les personnes concernées ont appris « à vivre avec », ont réorganisé leur vie en tenant compte de cette perte.

Un deuil peut aussi être réactivé plus tard dans l'existence, à l'occasion de certains événements. Ainsi, l'arrivée d'un enfant en vue d'une adoption peut raviver chez les individus concernés les émotions difficiles déjà éprouvées au moment de la découverte du problème de fertilité. L'arrivée d'un enfant peut donc à la fois être source de joie et rappel de tristesse.

Dans un projet d'adoption, les membres de la famille étendue sont généralement très impliqués. Les grands-parents, qui ont eux aussi ressenti de la peine face aux problèmes de fertilité de leur enfant et qui ont hâte d'avoir des petits-enfants, sont vulnérables. Ils craignent entre autres que leur enfant soit à nouveau déçu et blessé. Les futurs oncles et tantes, parrain et marraine sont aussi touchés.

Les personnes qui vivent une perte importante conservent généralement une vulnérabilité relative à cette perte, et cette vulnérabilité les accompagne lorsqu'elles décident d'adopter un enfant. Elles vivent aussi de l'impuissance, entre autres parce qu'elles ne peuvent choisir seules le moment où elles auront un enfant ni le nombre d'enfants qu'elles auront. Elles doivent aussi composer avec un organisme d'adoption, leur projet doit être évalué et accepté.

S'ils choisissent le programme Banque-mixte, les postulants doivent accepter de prendre un risque plus grand qu'en adoption internationale ou en adoption québécoise régulière[197]: un risque minime, mais réel[198], que l'enfant retourne dans sa famille d'origine. De plus, ils ont à tolérer le stress inhérent à ce risque sur une période plus longue: actuellement, le temps moyen requis entre le jumelage dans la famille Banque-mixte et l'admissibilité à l'adoption dans ce type de projet est d'environ vingt-huit mois[199]. Enfin, ils n'ont aucun pouvoir sur le processus d'admissibilité à l'adoption. Ils ne peuvent s'adresser directement au juge de la Chambre de la jeunesse et ont rarement à témoigner lors de l'audience.

Les parents du programme Banque-mixte doivent aussi accepter la présence des parents d'origine dans la vie de l'enfant. En effet, la majorité des enfants ont des contacts plus ou moins réguliers avec leurs parents d'origine. Généralement, ces contacts sont supervisés et se déroulent dans un milieu neutre: les bureaux du CJM–IU ou d'un organisme qui offre un lieu de rencontre entre parents et enfants. Les parents du programme Banque-mixte assistent rarement à ces rencontres. Ce sont eux cependant qui amènent l'enfant à l'endroit où se déroule la visite, et il peut arriver qu'ils croisent les parents dans la salle d'attente. Ils doivent aussi composer avec les réactions de l'enfant qui peuvent se manifester immédiatement après la visite ou dans les jours qui suivent.

---

197. En adoption internationale, il n'y a aucun risque de retour dans la famille d'origine. En adoption québécoise régulière, le risque est minime: les parents qui signent un consentement général à l'adoption ont trente jours pour revenir sur leur décision. Après cette période, ils doivent s'adresser à la Chambre de la jeunesse et leur requête est très rarement acceptée.
198. Statistiques concernant les dénouements possibles des projets d'adoption de type Banque-mixte au CJM–IU: fiche technique 3.17.
199. Idem: tableau 4.

Les postulants sont souvent peu familiers avec le fonctionnement des organismes voués à la protection de la jeunesse. En s'engageant dans un tel projet, ils sont appelés à être en contact avec plusieurs intervenants: principalement l'intervenant du Service adoption et l'intervenant de prise en charge responsable du dossier de l'enfant, mais aussi le psychoéducateur, le psychologue, le médecin et d'autres membres de l'équipe d'intervention selon les besoins de l'enfant. Comme ils ont peur de perdre l'enfant, ils peuvent être sur leurs gardes, sur la défensive. Il leur arrive de ne pas parler des difficultés éprouvées craignant que les intervenants les considèrent incapables de s'occuper de l'enfant et le leur retirent[200].

Ces parents ont généralement beaucoup d'initiative, ils sont proactifs: ils s'impliquent rapidement auprès de l'enfant, veulent l'aider, le « réparer » si nécessaire. Ils sont vulnérables à l'échec: le leur en tant que parents et celui du projet d'adoption. Comme tout nouveau parent, ils peuvent vivre des difficultés dans l'exercice de leur rôle parental. Il peut y avoir un grand écart entre le vécu d'un enfant confié dans le cadre du programme Banque-mixte et celui des postulants à l'adoption qui ont eu, durant leur enfance et leur jeunesse, une vie de famille généralement adéquate. Il ne s'agit pas toujours d'un coup de foudre entre eux et l'enfant. Celui-ci, surtout s'il a vécu des traumatismes affectifs, peut être sur la défensive. Les parents peuvent rencontrer des embûches qu'ils n'avaient pas prévues. Il y a des moments où ils peuvent remettre en question leur projet, éprouver des doutes légitimes[201].

Ils sont aux aguets, entre autres, quant à l'admissibilité à l'adoption de l'enfant. Ils tentent ainsi de reprendre un certain contrôle sur leur situation, mais aussi de protéger l'enfant auprès duquel ils se sont engagés sans réserve. Pour toutes ces raisons, certains peuvent être difficiles d'approche, méfiants ou abrupts. Ils ont besoin d'être informés de l'évolution de la situation, d'exprimer leurs peurs et leurs critiques et d'être conseillés.

Les postulants qui s'engagent dans un projet d'adoption n'ont souvent plus que ce seul moyen pour fonder une famille. Ceux qui s'engagent dans un projet de type Banque-mixte acceptent de jouer d'abord le rôle de famille d'accueil, c'est-à-dire de mettre leur projet d'adoption en veilleuse pour offrir à un enfant non encore admissible à l'adoption la possibilité de vivre, aussi longtemps que nécessaire,

---

200. Quelques pièges de la parentalité Banque-mixte: fiche technique 3.15.
201. Idem.

dans une famille stable, impliquée, capable de répondre à ses besoins et désireuse de l'adopter si cela devient possible.

 ## FT 3.5 Fonctionnement du programme Banque-mixte et étapes de réalisation

La philosophie du programme Banque-mixte est de trouver des parents pour un enfant et non pas un enfant pour des parents. L'intérêt de l'enfant est privilégié. La décision d'orienter un enfant vers une ressource Banque-mixte se prend en collégialité par les membres du Comité aviseur clinique[202]. Celui-ci est composé de l'intervenant de prise en charge et de l'adjoint clinique de l'équipe ou du chef de service, du réviseur[203], qui représente le directeur de la protection de la jeunesse, d'un représentant du Service adoption et de toute autre personne concernée (éducateur, psychologue, infirmière, médecin, avocat...). Le dossier de l'enfant et de ses parents est étudié afin d'apprécier, entre autres, l'évolution de la situation depuis la naissance de l'enfant, les services qui ont été offerts, les progrès réalisés par les parents pour régler la situation de compromission, la probabilité qu'ils se reprennent en main, l'évolution et les besoins de l'enfant, le choix du milieu de vie le plus susceptible de lui offrir sécurité et stabilité, et, si pertinent, les perspectives de réalisation d'une adoption...

Dès le signalement, un suivi serré auprès des parents d'origine est organisé afin de dresser pour l'enfant, le plus vite possible, un plan réaliste. Plusieurs choix sont possibles: un retour rapide dans sa famille d'origine, une tutelle ordonnée par la Cour supérieure[204], une tutelle ordonnée par la Chambre de la jeunesse[205], une adoption par des parents d'accueil ou des parents du programme Banque-mixte... Durant cette période, l'intervenant de prise en charge offre de l'aide aux parents d'origine. Cette aide vise à leur permettre de régler leurs difficultés, de stabiliser leur mode de vie, de développer ou de récupérer leurs capacités parentales... Des contacts sont orga-

202. Voir note 35.
203. Intervenants participant à un projet de type Banque-mixte: fiche technique 3.6.
204. Dans ce cas, le tuteur est généralement un membre de la famille étendue.
205. Il s'agit d'une nouvelle possibilité offerte depuis les nouvelles modifications à la *Loi sur la protection de la jeunesse*. Dans ce cas, le tuteur peut être un membre de la famille étendue, mais aussi un parent d'une famille d'accueil régulière ou d'une famille Banque-mixte.

nisés entre l'enfant et ses parents. Ces contacts sont supervisés[206] afin d'observer l'interaction entre eux, l'attitude des parents et la réaction de l'enfant, d'apporter des correctifs ou suggestions et de protéger l'enfant si le besoin s'en fait sentir.

Après avoir offert plusieurs formes d'aide aux parents, avoir constaté leur difficulté à se mobiliser rapidement et de façon continue, avoir observé et qualifié le lien de l'enfant avec ses parents d'origine et avec ses parents substituts, et une fois qu'il semble clair que le parent a très peu de chance de se reprendre en main, la décision de déposer une requête en déclaration d'admissibilité à l'adoption est étudiée par les membres du comité d'adoptabilité. Les personnes qui forment ce comité sont: l'intervenant de prise en charge, son chef de service, le réviseur, représentant du Directeur de la protection de la jeunesse, l'intervenant adoption responsable de la famille du programme Banque-mixte où est placé l'enfant et un avocat. Le comité est présidé par le consultant clinique du Service adoption. L'objectif de ce comité est de s'assurer que sont présents tous les éléments nécessaires pour établir que les parents ne peuvent assumer la charge de leur enfant et pour confirmer l'improbabilité de retour de celui-ci chez eux. Les éléments nécessaires pour démontrer le tout au juge sont alors consignés.

Les dernières étapes du processus sont la déclaration d'admissibilité à l'adoption proprement dite et, si elle est prononcée, les démarches d'adoption. Pour la réalisation de ces deux dernières étapes, le dossier de l'enfant est transféré du Service de prise en charge au Service adoption où l'intervenant responsable de la famille du programme Banque-mixte se charge de déposer une requête d'ordonnance de placement en vue d'adoption. Cette étape sera suivie d'une période de probation de six mois[207], puis du jugement d'adoption final.

---

206. Contacts entre l'enfant et ses parents d'origine durant la période de suivi: médiation versus supervision: fiche technique 4.11.

207. Cette période de probation peut être réduite à trois mois pour des motifs extraordinaires, mais la Cour a discrétion pour l'accorder ou non. Un débat jurisprudentiel a lieu actuellement sur le moment où cette réduction peut être demandée, soit à l'étape de l'ordonnance de placement, soit à l'étape de l'adoption.

FIGURE 3

ÉTAPES LÉGALES D'UNE ADOPTION QUÉBÉCOISE DE TYPE BANQUE-MIXTE

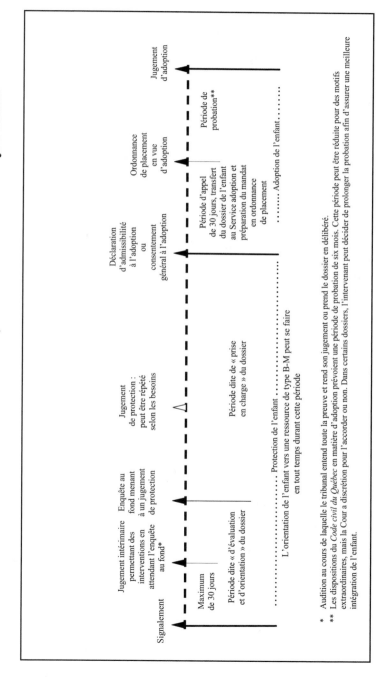

* Audition au cours de laquelle le tribunal entend toute la preuve et rend son jugement ou prend le dossier en délibéré.
** Les dispositions du *Code civil du Québec* en matière d'adoption prévoient une période de probation de six mois. Cette période peut être réduite pour des motifs extraordinaires, mais la Cour a discrétion pour l'accorder ou non. Dans certains dossiers, l'intervenant peut décider de prolonger la probation afin d'assurer une meilleure intégration de l'enfant.

**FT 3.6 INTERVENANTS PARTICIPANT
À UN PROJET DE TYPE BANQUE-MIXTE**

Plusieurs intervenants participent directement à la réalisation d'un projet de type Banque-mixte. Voici les principaux:

- L'intervenant adoption évalue les postulants, détermine quel type d'enfant ils pourront accueillir en fonction de leurs capacités et tout en tenant compte de leurs aspirations, collabore au jumelage entre les postulants et l'enfant, assure le suivi de la famille durant la période où les postulants agissent comme parents d'accueil et réalise l'adoption[208] si l'enfant y devient admissible. Cet intervenant siège aussi au comité aviseur clinique et au comité d'adoptabilité.

- L'intervenant de prise en charge assume le suivi de l'enfant et de sa famille d'origine, fait, s'il y a lieu, la demande de placement Banque-mixte, collabore au jumelage entre l'enfant et la famille ciblée, assure le suivi tant que l'enfant n'est pas déclaré admissible à l'adoption, fait tout ce qui est possible pour aider les parents d'origine à se reprendre en main, prépare le dossier et témoigne à l'audition de la requête en admissibilité à l'adoption. Cet intervenant siège aussi au comité aviseur clinique et au comité d'adoptabilité. Certains enfants sont orientés vers le programme Banque-mixte dès l'évaluation du signalement. Dans ces conditions, c'est l'intervenant responsable de l'évaluation qui entreprend le processus et fait la demande de famille Banque-mixte. Il transfère ensuite le dossier de l'enfant et de sa famille d'origine à l'intervenant de prise en charge.

- Le réviseur représente le Directeur de la protection de la jeunesse, entérine l'orientation de l'enfant vers une ressource de type Banque-mixte et s'assure que l'orientation est maintenue. Si cette orientation n'est pas maintenue, le réviseur doit entériner le changement d'orientation. Cet intervenant siège aussi au comité aviseur clinique et au comité d'adoptabilité. Étant donné sa présence, les orientations prises à ces comités sont décisionnelles.

- Le conseiller au programme adoption préside le comité d'adoptabilité. Il agit comme consultant auprès des intervenants et, au nom

---

208. Fonctionnement du programme Banque-mixte et étapes de réalisation: fiche technique 3.5.

du DPJ, présente à la Chambre de la jeunesse une requête en admissibilité à l'adoption, si cela est pertinent.

- L'avocat du Service du contentieux du CJM–IU représente le Directeur de la protection de la jeunesse et son délégué devant la Chambre de la jeunesse. Il siège aussi au comité d'adoptabilité.

La supervision et la gestion du programme Banque-mixte sont assumées par le chef du Service adoption. Ce service relève directement du Directeur de la protection de la jeunesse.

 ## FT 3.7 ÉVOLUTION DU PROGRAMME BANQUE-MIXTE DEPUIS 1988

Depuis la création du programme en 1988, plusieurs changements sont survenus.

- La théorie de l'attachement[209] est venue soutenir les objectifs du programme au plan théorique et pratique.

- Le CJM–IU a mis sur pied le programme *Projet de vie*[210] qui a, entre autres, pour effet d'encadrer et de soutenir le programme Banque-mixte.

- Le CJM–IU offre des programmes de formation favorables à la clarification des projets de vie: l'évaluation des capacités parentales selon la grille de Steinhauer[211], la théorie de l'attachement...

- Les enfants sont plus nombreux à être orientés vers le programme. Avec le temps, les intervenants de prise en charge ont constaté les avantages d'un placement de type Banque-mixte pour le bien-être des enfants et pour favoriser le déploiement d'un lien d'attachement essentiel à un développement harmonieux[212].

- Le type d'enfants orientés vers ce programme a aussi changé.

  – Au début du programme, il s'agissait surtout d'enfants abandonnés ou à haut risque d'abandon. Les parents disparaissaient

---

209. Théorie de l'attachement: fiche technique 1.5.
210. *À chaque enfant son projet de vie permanent: un programme d'intervention – 0 à 5 ans*: fiche technique 1.6.
211. *Grille de dépistage des situations à risque de dérive de vie pour les enfants âgés entre 0 et 5 ans* (Paquette, 2004, p. 87-92) et *Guide d'évaluation des capacités parentales: adaptation du guide de Steinhauer 0 à 5 ans* (Bouchard et al., 2003).
212. Avenir du programme Banque-mixte: fiche technique 3.20.

souvent de la vie de l'enfant. Ils ne se présentaient plus aux visites avec lui ni aux rencontres de suivi avec l'intervenant de prise en charge, et il arrivait même que ce dernier ne soit plus capable de les joindre.

— Aujourd'hui, la notion d'abandon au sens du *Code civil du Québec* a évolué: un parent qui n'exerce pas de fait le soin, l'entretien et l'éducation de son enfant, même s'il le visite régulièrement, peut être considéré comme ayant placé son enfant en situation d'abandon. Ainsi que le mentionne le juge impliqué dans la situation de Rosie et Clara[213]:

> « [...] Également, le tribunal a pu noter autant dans la preuve écrite que lors du témoignage de la mère, l'admission qu'elle fait de sa difficulté à exprimer des sentiments chaleureux à l'égard de l'enfant [Rosie]. Tous ces détails et bien d'autres concourent à convaincre le tribunal qu'en l'espèce, il y a eu sur le plan psychologique et surtout affectif un abandon de l'enfant.

> « [...] les contacts que les parents ont pu avoir avec l'enfant au cours des trois dernières années ont non seulement été insuffisants en quantité, mais plus encore en qualité. C'est à cette échelle, compte tenu des connaissances actuelles sur le développement des enfants, qu'il faut juger de l'état d'abandon. »

Les parents de cette catégorie ont généralement des problèmes graves et multiples: déficit d'attachement majeur, assuétudes, déficit intellectuel, maladie mentale..., qui perturbent de manière importante leurs capacités parentales et rendent incertain leur pronostic de récupération.

• Les modalités de contacts entre les parents d'origine et l'enfant évoluent.

— Au début du programme, les contacts entre l'enfant et ses parents d'origine se faisaient principalement dans la famille du programme Banque-mixte chez qui l'enfant était confié et sans supervision par un intervenant.

— Aujourd'hui les contacts entre l'enfant et les membres de sa famille d'origine se font dans un endroit neutre (bureau du CJM–IU ou autre) et sont supervisés par un intervenant (l'intervenant de prise en charge, un éducateur, un psycho-

---

213. Deuxième récit.

logue...). Les raisons principales qui motivent ce changement
sont de trois ordres.

° Protéger le milieu de vie de l'enfant qui est son refuge, permettre à l'enfant, et aux gens qui prennent soin de lui dans le
  quotidien, d'avoir un endroit privilégié où ils peuvent se
  détendre et être bien ensemble.

° Sur le plan clinique, médiatiser ou superviser[214] ces visites
  qui, selon Berger et Rigaud, devraient avoir lieu « essentiellement pour favoriser le développement psychique de l'enfant »
  (2001, p. 165-166). L'intervenant peut aussi préparer l'enfant
  avant la rencontre et en discuter avec lui ensuite. Dans certaines situations, les parents d'origine sont perturbés et peuvent être perturbateurs pour l'enfant. Ils ne lui donnent pas
  toujours des messages adéquats (promesses irréalistes de
  retour à la maison, incitation à la méfiance envers la famille
  où vit l'enfant...) et ils peuvent même, comme dans l'histoire
  de Rosie et de Clara, manifester du rejet ou du dénigrement à
  son égard. Les intervenants, lorsqu'ils sont présents, peuvent
  assurer un certain contrôle, corriger les messages (« Tu sais,
  Michel, que tu ne peux pas reprendre François en ce
  moment. ») et protéger l'enfant durant la rencontre. Certains
  enfants ont vécu des traumas lorsqu'ils habitaient avec leurs
  parents et, parfois, la seule présence ou même la voix de leurs
  parents suffit pour leur faire revivre ces traumas. Ces reviviscences sont comparables aux *flash-back* que vivent les personnes victimes du syndrome de stress post-traumatique
  (SSPT)[215].

° Sur le plan légal, permettre que les visites, qui, toujours
  selon Berger et Rigaud, « représentent le meilleur lieu
  d'observation de la relation parent-enfant », soient observées
  par un intervenant. En étant présents durant la rencontre,
  les intervenants peuvent témoigner, lors de l'audition à la
  Chambre de la jeunesse, du comportement des parents
  durant les visites.

– Une conséquence de ces nouvelles modalités de contacts est que
  les parents du programme Banque-mixte ne se retrouvent presque jamais seuls avec les parents d'origine: un intervenant est

---

214. Contacts entre l'enfant et ses parents d'origine durant la période de suivi:
     médiation versus supervision: fiche technique 4.11.
215. Voir note 108.

toujours présent. Certains, même, ne rencontrent jamais les parents d'origine de l'enfant ou les croisent seulement, dans la salle d'attente par exemple. Dans d'autres cas, si des contacts formels entre les parents du programme et les parents d'origine sont organisés, il s'agit alors de rassurer les parents d'origine sur le développement de leur enfant et sur le lien qu'il a créé avec les parents du programme Banque-mixte.

– À certaines occasions, le juge de la Chambre de la jeunesse ordonne que la confidentialité de la famille Banque-mixte soit respectée. Il s'agit généralement de situations où les parents d'origine peuvent présenter certains comportements dangereux. Les postulants Banque-mixte ne peuvent cependant exiger cette confidentialité au moment de leur inscription au programme, car il est impossible de savoir à l'avance si elle s'avérera nécessaire ou si elle sera maintenue durant toute la durée du suivi de prise en charge.

• Le recrutement se modifie.

– Au début du programme, il y avait un bassin de 500 couples de postulants en adoption québécoise régulière et en adoption internationale. Ces personnes ont été contactées et nombreuses sont celles qui se sont inscrites au programme. Il n'était alors pas utile de faire de recrutement.

– Vers 1995, cette réserve a été épuisée et des démarches de recrutement ont dû être faites, entre autres avec l'aide des médias.

– Depuis 2000 environ, il n'est plus indispensable de faire de démarches de recrutement dans les médias: le programme Banque-mixte semble mieux connu de la population québécoise et les inscriptions sont constantes. Il peut être nécessaire cependant de faire du recrutement pour les enfants qui présentent des caractéristiques particulières: enfants âgés de plus de deux ans, enfants atteints d'un déficit physique, sensoriel, intellectuel ou d'un déficit d'attachement.

• Les intervenants de prise en charge connaissent mieux les enjeux du programme Banque-mixte.

– Au début du programme, il fallait convaincre les intervenants de prise en charge de l'utilité de ressources de type Banque-mixte pour l'enfant.

– Aujourd'hui, ce type de ressources est apprécié et reconnu. Les intervenants de prise en charge ont appris à travailler avec les parents du programme, qui sont différents des parents de familles d'accueil régulières. Ils ont reçu les diverses formations offertes par le CJM–IU et ont développé une meilleure expertise pour sélectionner les enfants orientés vers le programme, pour travailler avec les parents d'origine, pour leur faire prendre conscience de l'intérêt de l'enfant et, selon l'évolution, pour réaliser le retour dans la famille d'origine ou le détachement.

• Les intervenants du Service adoption sont maintenant beaucoup plus nombreux à travailler presque exclusivement sur les projets de type Banque-mixte. Actuellement, dix intervenants du service sont impliqués presque à temps plein dans le programme. Au fil du temps, les intervenants adoption ont développé une meilleure expertise sur l'évaluation de ce type de postulants et le suivi des familles du programme.

• La *Loi sur la protection de la jeunesse*[216] vient d'être révisée: les modifications ont été adoptées le 15 juin 2006 et sont entrées en vigueur le 9 juillet 2007[217].

 ## FT 3.8 COMPARAISON ENTRE LE RÔLE DE FAMILLE D'ACCUEIL ET LE RÔLE DE FAMILLE DE TYPE BANQUE-MIXTE

Voici quelques points de comparaison entre les familles d'accueil régulières et les familles du programme Banque-mixte.

Similitudes

Plusieurs des qualités recherchées chez les parents Banque-mixte sont les mêmes que celles recherchées chez les parents de familles d'accueil régulières, car ces deux types de ressources ont au départ les mêmes rôles, les mêmes responsabilités et les mêmes règles de fonctionnement.

• Les parents des familles d'accueil régulières comme ceux des familles de type Banque-mixte doivent accepter d'être bousculés dans leur quotidien, leurs habitudes, leur vie de couple et de famille.

---

216. *Loi sur la protection de la jeunesse*: [http://www.publicationsduquebec.gouv.qc.ca/accueil.fr.html]. (Date de consultation: 2007-08-07.)
217. *Loi sur la protection de la jeunesse* telle que modifiée en 2006: fiche technique 3.19.

- Ils doivent accepter de collaborer avec les intervenants du réseau :

  - l'intervenant de prise en charge responsable de l'enfant et de sa famille et qui a pour rôle, entre autres, de bâtir un plan d'intervention auquel les parents d'accueil ou les parents Banque-mixte doivent collaborer quant aux objectifs visés pour l'enfant et aux contacts avec le milieu naturel ;

  - l'intervenant adoption ;

  - et, parfois, d'autres intervenants impliqués auprès de l'enfant : éducateur, psychologue, médecin…

- Ils doivent accepter l'éventualité que l'enfant retourne dans sa famille d'origine et, si c'est le cas, être capables de l'accompagner dans cette réinsertion.

- Les parents de familles Banque-mixte, comme les parents de familles d'accueil régulières, se voient verser par le CJM–IU une allocation *per diem* leur permettant de subvenir aux besoins de l'enfant. Il ne s'agit pas d'un salaire et cette pension n'est pas imposable. Les médicaments et les soins médicaux destinés à l'enfant sont assumés par la Régie de l'assurance-maladie du Québec. Une allocation de deux dollars par jour est ajoutée pour les enfants de zéro à un an pour le lait et une autre est destinée aux enfants de zéro à deux ans pour les couches. D'autres dépenses sont remboursées par le CJM–IU, selon les besoins de l'enfant : kilométrage pour amener l'enfant aux visites, soins dentaires, lunettes… En fait, les parents du programme Banque-mixte bénéficient de tous les avantages accordés aux parents d'accueil, tant au plan financier qu'au plan de la formation et du soutien.

- Les parents du programme Banque-mixte comme les parents de familles d'accueil régulières qui adoptent peuvent bénéficier de l'Aide financière à l'adoption offerte par le gouvernement du Québec, qui vise à aider les parents d'accueil à adopter l'enfant dont ils s'occupent depuis au moins un an (six mois pour les enfants avec déficit). Cette aide financière a une durée de trois ans : la première année, les postulants reçoivent 100 % de l'allocation visant à couvrir les frais de famille d'accueil, la deuxième, 75 %, et la troisième année, 50 %[218].

---

218. Avec les modifications à la *Loi sur la protection de la jeunesse* entrées en vigueur en juillet 2007, les modalités d'aide financière à l'adoption pourraient être sujettes à changement.

Différences

Il y a deux différences principales entre ces deux types de ressources : le genre d'enfants orientés vers chacune et le genre de postulants recherchés.

L'enfant

- L'enfant placé en famille d'accueil régulière :
  - a souvent des contacts très étroits et significatifs avec les membres de son milieu d'origine (parents, grands-parents, fratrie...) ;
  - les contacts entre l'enfant et les membres de son milieu d'origine visent un retour le plus rapide possible dans son milieu.
- L'enfant placé dans une famille de type Banque-mixte :
  - a généralement peu de liens significatifs avec les membres de son milieu familial d'origine ;
  - les contacts avec les membres concernés (généralement les parents seulement) de ce milieu ont pour objectifs :
    - ° de permettre à l'intervenant de prise en charge de vérifier la qualité du lien entre l'enfant et les membres concernés du milieu d'origine ;
    - ° de leur donner la chance de s'impliquer activement ;
    - ° de les rassurer sur l'évolution de l'enfant ;
    - ° de respecter le contexte légal en vigueur.

Les parents d'accueil

- Les parents d'une famille d'accueil régulière :
  - sont prêts à vivre un engagement temporaire, plus ou moins long, selon le plan d'intervention ;
  - ont, dans la plupart des cas, des enfants et ne souhaitent pas agrandir leur famille ;
  - ont par conséquent été évalués et acceptés au départ, sous un seul aspect, celui de famille d'accueil ;
  - doivent être évalués par le Service adoption s'ils souhaitent adopter un des enfants qui leur a été confié.

- Les parents du programme Banque-mixte:

  - ne souhaitent pas vivre un engagement temporaire, même s'ils sont sensibilisés au fait que cela pourrait se produire;

  - désirent tous fonder ou compléter leur famille;

  - ont par conséquent été évalués et acceptés, dès le départ, sous deux aspects:

    ° leur capacité à jouer le rôle de parents d'accueil;

    ° leur capacité à devenir parents d'adoption.

 FT 3.9 RECRUTEMENT ET ÉVALUATION DES POSTULANTS POUR LE PROGRAMME BANQUE-MIXTE

Le recrutement de postulants pour le programme Banque-mixte peut être difficile. Beaucoup de postulants potentiels s'orientent vers l'adoption internationale. D'autres, malgré la longue attente, préfèrent l'adoption québécoise régulière, qui comporte moins de risques de retour de l'enfant dans sa famille d'origine et qui est moins complexe dans sa réalisation que l'adoption de type Banque-mixte. Depuis 1995, le Service adoption est plus présent dans les médias. Ceux-ci ont accepté à plusieurs reprises de parler du programme Banque-mixte et de faire savoir aux Québécois que non seulement l'adoption d'un enfant québécois est possible, mais qu'il y a constamment plusieurs enfants en attente d'une famille. Alors qu'en 1995 il y avait tout au plus une quinzaine de couples en attente d'évaluation pour un projet de ce type, en 2006, il y en a eu une cinquantaine[219].

Au CJM–IU, les postulants en adoption québécoise régulière doivent absolument être domiciliés sur l'île de Montréal; par contre, les postulants au programme Banque-mixte peuvent exceptionnellement provenir d'un autre territoire du Québec en autant que leur candidature fasse l'objet d'une entente avec le centre jeunesse du territoire concerné. Pour les enfants plus âgés ou avec une particularité,

---

219. Renseignements tirés des statistiques annuelles du Service adoption du CJM–IU.

il est possible de faire appel aux autres centres jeunesse: un comité interrégional a été mis en place afin de faciliter le jumelage de ces enfants avec une famille[220, 221].

Les postulants qui s'orientent vers un projet de type Banque-mixte vivent presque tous en couple. Depuis environ six ans, les candidatures de personnes célibataires, femmes ou hommes, sont acceptées. Ces candidatures sont évaluées avec encore plus de soins puisqu'un projet de type Banque-mixte est très exigeant en termes de stress et d'investissement et, qu'entre autres, le réseau de soutien d'une personne seule est, par définition, plus restreint que celui d'un couple. Enfin, depuis trois ans, des couples homosexuels sont aussi retenus. Il faut cependant mentionner que pour ces deux derniers types de candidature, les temps d'attente sont généralement plus longs. En effet, les intervenants préfèrent généralement que l'enfant soit placé chez un couple hétérosexuel afin qu'il ait un père et une mère.

Les critères de base sont les suivants:

- au moins trois ans de vie commune pour les couples[222];

- pour au moins un des conjoints, des revenus d'emploi stables permettant de faire vivre un enfant[223];

- un maximum de quarante-cinq ans entre chacun des adoptants et l'enfant[224].

Avant de s'inscrire officiellement au programme, les postulants doivent assister à deux rencontres d'information: la première décrit les modalités générales d'un placement de type Banque-mixte et la seconde s'attarde sur les particularités des enfants orientés vers ce type de ressource. Par la suite, tous les postulants sont convoqués à une rencontre de qualification avec le chef du Service adoption et un

---

220. À noter cependant que les enfants qui ont des contacts réguliers avec leurs parents d'origine ne peuvent être placés dans une famille qui habite un territoire éloigné: la présence aux visites est essentielle pour le respect de l'ordonnance du tribunal.

221. Il est de plus en plus difficile pour le CJM–IU d'obtenir un prêt de postulants des autres centres jeunesse: ceux-ci préfèrent, à juste titre, conserver ces postulants pour répondre aux besoins des enfants de leur territoire.

222. Le mariage n'est pas exigé.

223. Les personnes bénéficiant de l'aide sociale ne sont pas retenues.

224. Lors de la rencontre de qualification avec les personnes de 44 ans ou plus, le type (âge, particularités…) d'enfant qu'ils désirent et ce qu'ils peuvent lui offrir sont particulièrement considérés. Dès ce moment, il est possible que leur candidature ne soit pas retenue.

intervenant afin de s'assurer qu'ils comprennent bien les modalités du programme. Le cas échéant, ils peuvent être orientés vers un autre type de projet.

Les postulants qui s'engagent dans un projet de type Banque-mixte sont évalués sur deux aspects: leur capacité à jouer le rôle de parents d'accueil et leur capacité à devenir parents adoptifs. Le processus d'évaluation est donc plus complexe que pour les postulants en adoption québécoise régulière[225]. Les postulants de type Banque-mixte ont l'adoption comme principal objectif et cela est pris en compte. Pour réaliser leur projet, ils doivent cependant avoir les capacités nécessaires pour être parents d'accueil. Ils doivent aussi savoir tolérer le stress inhérent à un projet de type Banque-mixte lié à la possibilité que l'enfant retourne dans sa famille d'origine. Ils doivent être capables de partager l'enfant avec ses parents d'origine, d'accepter leur présence dans la vie de l'enfant, de préparer celui-ci aux visites et de le soutenir lorsqu'il vit des émotions difficiles reliées à ces contacts. Ils doivent aussi accepter de collaborer avec les intervenants.

L'évaluation a de plus pour objectif de connaître leurs particularités, leurs forces et leurs limites. Il s'agit d'un placement avec possibilité d'adoption. En ce sens, il est important de savoir avec quel type d'enfant ils seront le plus à l'aise non seulement pour quelques mois, comme s'ils étaient uniquement parents d'accueil, mais pour toute la vie.

En règle générale, il est relativement facile de recruter des postulants pour les jeunes bébés de race blanche et en bonne santé. Il est plus difficile de recruter pour les enfants ayant des antécédents familiaux de maladie mentale avec incidence héréditaire ou de déficit intellectuel et pour ceux nés de parents porteurs du VIH[226]. Il est aussi plus difficile de recruter pour les enfants de race noire, les

---

225. L'évaluation psychosociale: les critères de base élaborés pour répondre au mandat d'évaluation inscrit à l'article 72.3 de la *Loi sur la protection de la jeunesse:* annexe 3.

226. Tous les enfants orientés vers l'adoption ne peuvent être testés pour le VIH et les hépatites. Il faut l'autorisation des parents d'origine pour ce faire et certains refusent. À défaut de cette autorisation, il faut celle d'un juge de la Chambre de la jeunesse. Certains juges se rangent à la décision des parents et refusent l'autorisation. Dans ces conditions, il est nécessaire de recruter des postulants qui acceptent des enfants non testés. À noter que, malgré la population à risque du CJM–IU (parents d'origine qui consomment des drogues par intraveineuse, qui ont plusieurs partenaires...), très peu d'enfants sont atteints. Hépatite C, hépatite B et VIH: transmission mère-enfant: annexe 2.2.

enfants âgés de plus vingt-quatre mois, et ceux porteurs d'une maladie ou d'un déficit. Enfin, rechercher des parents pour les enfants
marqués par un passé d'instabilité, de négligence et d'abus divers
s'avère très exigeant: il faut s'assurer que les postulants retenus ont
non seulement le désir d'accueillir un enfant de ce type, mais aussi
les capacités parentales nécessaires pour répondre à leurs besoins
particuliers.

Le processus d'évaluation consiste généralement en une série de
quatre rencontres: une première rencontre avec le couple, une rencontre avec chacun des conjoints et une visite à domicile. Si nécessaire, d'autres rencontres peuvent être demandées. Si le couple a
déjà des enfants, ceux-ci sont rencontrés.

Au cours de ces rencontres, l'intervenant adoption s'assure que
les deux membres du couple ont autant l'un que l'autre le désir
d'adopter. Il évalue leur maturité et leur stabilité personnelle ainsi
que celle de leur couple: de la même manière qu'on ne conçoit pas un
enfant pour régler des problèmes conjugaux, on adopte encore moins
un enfant pour cette raison. Dans l'éventualité où les postulants
s'orienteraient vers ce type de projet à cause d'un problème de fertilité, ils doivent avoir fait, jusqu'à un certain point, le deuil d'un
enfant né d'eux: la blessure, si elle n'est jamais oubliée, ne doit pas
être à vif. Les postulants doivent aussi avoir la capacité d'accueillir
un enfant qui n'est pas de leur sang, qui vient de l'extérieur de leur
famille et qui de ce fait sera différent, et de s'y attacher.

L'intervenant s'assure aussi que les postulants se sentiront à
l'aise de parler d'adoption avec leur enfant[227]. Encore aujourd'hui,
des personnes adoptées apprennent leur situation tardivement, parfois même à l'âge adulte. Le sentiment de trahison qu'ils ressentent
alors envers leurs parents adoptifs peut être dévastateur. Il est préférable que l'enfant grandisse avec cette idée, qu'il apprenne de ses
parents le sens positif du mot adoption, qu'il en discute avec eux et
qu'il comprenne le contexte dans lequel il est devenu leur enfant.

Puisque, dans le contexte du programme Banque-mixte, l'enfant
n'est pas admissible à l'adoption au moment du jumelage et que certains membres de sa famille d'origine sont encore présents dans sa
vie, les postulants doivent être capables, si nécessaire, d'avoir des
contacts avec ces personnes. Ils doivent être capables de les traiter
avec respect. Il est de plus important que les postulants soient sou-

---

227. Parler d'adoption avec son enfant: annexe 1.

cieux de respecter la confidentialité de l'enfant et de sa famille d'origine lorsqu'ils parlent d'eux aux membres de leur entourage.

En ce qui concerne l'évaluation des postulants qui désirent accueillir un enfant dit « plus âgé », c'est-à-dire un enfant qui peut avoir connu de l'instabilité depuis sa naissance, de la négligence, des abus, différents abandons, des qualités particulières sont nécessaires. Les postulants doivent être habiles à parler avec l'enfant et capables de l'entendre exprimer des émotions difficiles (tristesse, colère...). Ces gens doivent être conscients que le passé de l'enfant a des conséquences sur son vécu actuel. Il sera important de savoir décoder le sens de certains comportements de l'enfant pour saisir les implications émotives sous-jacentes de telle ou telle conduite plus ou moins acceptable. L'amour ne suffit pas à tout réparer: les postulants qui désirent accueillir un enfant plus âgé doivent s'en souvenir et être capables d'accepter leurs limites en tant que parents et les limites de l'enfant qu'ils accueillent.

Souvent trahi dans ses affections, l'enfant adopté tardivement risque de ne jamais réussir à établir avec ses nouveaux parents une relation d'intimité telle que ces derniers l'avaient rêvée. Certains devront peut-être rajuster leurs attentes et accepter d'être des accompagnateurs, des guides, des appuis solides. Dans certaines situations, il est avantageux, pour des parents désireux de s'impliquer auprès d'un enfant plus vieux, d'avoir de grands enfants avec lesquels ils ont connu des succès. En effet, souvent les enfants qui ont connu de multiples abandons ou qui présentent des déficits d'attachement confrontent leurs nouveaux parents à des difficultés et même à des remises en question de leurs capacités parentales. Il est bon à ce moment-là que les parents puissent se référer aux succès déjà vécus avec leurs autres enfants afin de mieux réussir à départager ce qui appartient à l'enfant de ce qui leur appartient.

FT 3.10 Dépistage des enfants orientés vers un projet de type Banque-mixte

Soucieux de faire le meilleur jumelage possible entre un enfant et des postulants au programme Banque-mixte, un jumelage qui répond à la fois aux besoins de l'enfant et aux capacités des postulants, les intervenants du Service adoption recherchent toute l'information disponible sur l'enfant et sur sa famille d'origine. Ils doivent aussi prendre en considération le fait que les postulants qui s'engagent dans un projet de type Banque-mixte désirent ardemment adopter l'enfant qui leur sera confié.

En conséquence, les enfants qui y sont orientés doivent être très bien ciblés. Les intervenants désirent éviter le plus possible un échec de jumelage qui entraînerait pour l'enfant une nouvelle séparation pouvant être accompagnée d'un sentiment de rejet et pour les postulants, un échec du projet qui, de leur point de vue, est un projet d'adoption. Enfin, un trop grand nombre « d'échecs »[228] de ce genre augmenterait les difficultés de recrutement des postulants et pénaliserait ainsi les enfants qui peuvent bénéficier de ce programme.

Une liste d'indicateurs est utilisée pour aider les intervenants à « déceler les signes prédictifs de l'abandon d'un enfant » (Québec, 1994, p. 32).

Les indicateurs sont :

- antécédents de placements et de délaissement dans la fratrie ;
- négation de la grossesse, absence de préparation pour recevoir l'enfant ;
- projet d'avortement non réalisé à cause des pressions de l'entourage ;
- demande de placement dès les premiers mois de vie de l'enfant ;
- comportement de rejet ouvert envers l'enfant dès la naissance ;
- absence d'implication significative et constante des parents auprès de l'enfant ;
- absence ou rareté des visites, des contacts ;
- absence de plan concret pour reprendre l'enfant placé ;
- prolongation et répétitions du placement ;
- peur, refus de l'enfant d'avoir des contacts avec ses parents.

Une deuxième liste d'indicateurs permet cette fois-ci d'évaluer la capacité des parents d'assumer le soin, l'entretien et l'éducation de leur enfant et leur pronostic de reprise en main :

---

228. Du point de vue de personnes qui désirent adopter, un retour de l'enfant dans sa famille d'origine ou un placement en famille d'accueil qui se prolonge sans possibilité d'adoption est considéré comme un échec.

- Chez l'enfant:
  - qualité précaire des deux premières années de vie: gardiennes successives, manque de personnes stables et significatives pour l'enfant;
  - retards de développement;
  - problèmes de santé nombreux ou récurrents;
  - déficit d'attachement.
- Chez les parents:
  - présence de carences affectives importantes subies dans leur enfance;
  - placements multiples, abandon, négligence, abus dans leur histoire personnelle;
  - présence, depuis plusieurs années, d'assuétudes (alcoolisme, toxicomanie, consommation abusive de médicaments, jeux de hasard…), cures diverses entreprises mais non complétées;
  - présence depuis plusieurs années de maladie mentale;
  - présence d'un déficit intellectuel;
  - absence de réseau social ou réseau social déficient;
  - instabilité chronique: revenus précaires, changements fréquents de domicile, itinérance, organisation matérielle insuffisante;
  - manque de reconnaissance de leurs limites et de leurs difficultés et, de ce fait, refus de l'aide proposée.

 FT 3.11 JUMELAGE D'UN ENFANT AVEC UNE FAMILLE DE TYPE BANQUE-MIXTE

C'est le comité aviseur clinique[229] qui décide si un enfant peut être orienté vers une ressource de type Banque-mixte. Ce comité multidisciplinaire a pour rôle de déterminer le pronostic de retour de l'enfant dans sa famille d'origine et de faire les recommandations relatives à l'établissement d'un plan de vie pour l'enfant.

---

229. Fonctionnement du programme Banque-mixte et étapes de réalisation: fiche technique 3.5.

Plusieurs aspects sont considérés. Du côté du ou des parents d'origine, selon le cas, sont pris en compte: leur présence et la qualité de cette présence dans la vie de l'enfant; leur désir et leur motivation à s'impliquer auprès de leur enfant; leur capacité à reprendre leur vie en main et la durée[230] nécessaire pour ce faire; la qualité de leurs aptitudes parentales et, si ces aptitudes sont déficientes ou inexistantes, leur capacité à améliorer, ou développer, leurs aptitudes à assumer le soin, l'entretien et l'éducation de leur enfant ainsi que le temps nécessaire pour améliorer ou développer ces aptitudes. Une évaluation de l'aide qui leur a été offerte et des résultats atteints est aussi réalisée de même qu'une exploration des ressources de leur réseau familial.

Du côté de l'enfant, son âge, son développement, la qualité des liens qu'il a avec ses parents d'origine et la qualité des liens qu'il a peut-être développés avec d'autres personnes significatives, un oncle ou une tante par exemple, sont appréciés. Si le pronostic de retour s'avère incertain ou sombre, le comité aviseur propose un type de ressource correspondant aux besoins de l'enfant. La principale préoccupation des membres du comité est de répondre aux besoins de l'enfant.

Une alternative pourrait être l'évaluation d'une personne du milieu familial d'origine de l'enfant, un oncle ou une tante, un grand-parent... Il peut aussi être décidé de maintenir l'enfant dans sa famille d'accueil régulière actuelle s'il a développé des liens significatifs avec les parents d'accueil et si ceux-ci sont désireux de lui offrir un projet de vie permanent: ce projet de vie peut être un placement de l'enfant dans cette famille jusqu'à sa majorité[231] ou une adoption. Enfin, un placement chez des postulants du programme Banque-mixte est aussi possible[232].

Dans cette dernière éventualité, la situation des enfants concernés est présentée aux intervenants du Service adoption. Les souhaits des postulants en ce qui concerne l'âge, le sexe, l'origine ethnique et les caractéristiques (antécédents, conditions de gestation, absence de déficit particulier, santé...) de l'enfant sont respectés le plus possible.

Les capacités parentales des postulants sont prises en considération en lien avec les besoins particuliers de l'enfant. La capacité des

---

230. Temps des adultes versus temps de l'enfant: fiche technique 4.4.
231. Au Québec, l'âge de la majorité est dix-huit ans.
232. Avec les modifications à la *Loi sur la protection de la jeunesse,* une nouvelle possibilité est la tutelle ordonnée par la Chambre de la jeunesse.

FICHES TECHNIQUES

postulants à tolérer le stress inhérent à un projet de ce type est aussi appréciée, car certains projets semblent, au départ, comporter moins de risques. À noter cependant que le niveau de risque présent au moment du jumelage peut s'élever ou s'abaisser par la suite et qu'il est impossible de donner une garantie en ce qui concerne l'obtention d'une admissibilité à l'adoption et le temps requis pour obtenir cette admissibilité.

Si une famille évaluée et acceptée au programme Banque-mixte semble convenir aux besoins de l'enfant, elle est contactée et la situation de l'enfant lui est d'abord présentée verbalement. Une rencontre entre les postulants et l'intervenant de prise en charge est organisée par l'intervenant adoption. Les renseignements nécessaires pour permettre aux parents de prendre leur décision sont présentés. S'ils le désirent, ils peuvent prendre un temps de réflexion, se renseigner sur d'éventuelles maladies ou sur les antécédents de l'enfant. Dans certains cas, des photographies de l'enfant leur sont remises.

En tout temps, les postulants peuvent suspendre ou arrêter le processus de jumelage s'ils ressentent un malaise quelconque en rapport avec l'enfant ciblé. S'ils décident de poursuivre leurs démarches[233], une rencontre avec l'enfant est organisée, le plus souvent dans la famille d'accueil régulière où il habite, mais parfois dans un endroit neutre (un parc par exemple...). Par la suite, la durée et la complexité des démarches de jumelage dépendent de l'enfant.

Un tout jeune bébé peut être intégré dans sa nouvelle famille rapidement, après deux ou trois visites. Un enfant plus âgé, qui a développé un lien significatif avec la famille d'accueil régulière où il réside déjà depuis plusieurs mois, peut avoir besoin d'être apprivoisé par les postulants. Des rencontres fréquentes durant lesquelles l'enfant reçoit des soins de la part des postulants (bain, repas, changement de couches...) et participe avec eux à des activités de jeu, à des sorties ou à des visites de la résidence des postulants peuvent alors être nécessaires. L'enfant est le chef d'orchestre de ce processus : lorsqu'il semble suffisamment à l'aise avec les postulants, le jumelage proprement dit peut être réalisé.

Certaines conditions facilitantes sont à noter concernant le jumelage. La première est que, si les postulants ont déjà des enfants, que ceux-ci soient biologiques ou adoptés, l'enfant qui leur sera confié sera au moins deux ans plus jeune que le plus jeune de leurs enfants.

---

233. Si le malaise des postulants persiste, le jumelage avec l'enfant concerné est abandonné, mais un autre jumelage pourra être fait avec un autre enfant.

Cette règle a été instaurée afin de respecter le droit d'aînesse, pour aider les enfants du couple à accueillir positivement le nouvel enfant et pour éviter que l'enfant placé, qui a souvent des retards, ne se trouve en compétition avec un enfant trop proche de lui par l'âge. De même, si les postulants ont fait une première adoption, dans le cadre du programme Banque-mixte ou autrement, et qu'ils désirent réaliser un nouveau projet, une période de deux ans est souhaitable entre l'arrivée des deux enfants afin de s'assurer que l'intégration du premier est complétée et qu'il a développé un lien de confiance avec ses nouveaux parents.

Un principe particulièrement important est d'éviter les jumelages d'urgence. Il arrive que des demandes de ressource Banque-mixte soient faites parce qu'à l'endroit où est l'enfant au moment de la demande on ne veuille ou ne puisse plus le garder et qu'un déplacement rapide soit nécessaire. Or, un jumelage de type Banque-mixte est un jumelage pour la vie: dans la grande majorité des cas, l'enfant sera adopté par les postulants qui l'accueillent. Il est donc particulièrement important de prendre le temps de réaliser le meilleur jumelage possible: des postulants capables de répondre aux besoins de l'enfant et un enfant convenant aux aspirations et capacités des postulants ciblés. Il est important aussi que les postulants aient le temps d'apprivoiser l'enfant et que ce dernier se familiarise avec eux avant d'être intégré dans leur famille.

 ## FT 3.12 PLACEMENT D'UNE FRATRIE DANS UNE MÊME FAMILLE

Plusieurs personnes sont surprises lorsqu'elles constatent que le placement d'une fratrie dans une même famille n'est pas automatiquement encouragé au Service adoption du CJM–IU. Après quelques échecs, les intervenants ont réfléchi à cette question. Leur conclusion est la suivante: il peut être préférable de séparer les enfants et de les intégrer dans des familles différentes qui maintiendront le contact l'une avec l'autre après l'adoption afin de permettre aux enfants de se voir.

Plusieurs raisons expliquent cette décision. La première est de permettre à chacun des enfants de recevoir une attention personnalisée de la part de ses nouveaux parents. Cette règle est particulièrement respectée lorsqu'il y a un bébé dans la fratrie. D'une part, le bébé étant nouvellement arrivé dans la vie de l'enfant plus âgé, le lien récent entre les deux est souvent peu ou pas significatif. D'autre part, un bébé est généralement plus facile à aimer qu'un enfant plus âgé qui a connu des difficultés dans son existence et développé des problèmes de comportement. Afin de rassurer l'enfant plus âgé, si cela s'avère nécessaire, des contacts entre les deux familles peuvent être organisés quelques fois par année, et ce, même après l'adoption.

Une fratrie implique non seulement plusieurs enfants, mais aussi la relation que ces enfants ont développée entre eux. Lorsqu'une fratrie est intégrée dans une même famille, les parents d'accueil doivent être capables de prendre en considération en même temps les besoins de chacun des enfants et, en plus, savoir composer avec la relation qui existe déjà entre ces enfants. Or, cette relation s'est construite dans la famille d'origine et avec des parents généralement très perturbés. Dans un tel contexte, les enfants peuvent avoir développé une relation dysfonctionnelle, parfois basée sur la compétition. En effet, lorsque des enfants vivent avec des parents sévèrement négligents et qu'ils doivent lutter quotidiennement pour obtenir l'attention de leurs parents, les paroles et gestes de dénigrement ou de violence entre eux ne sont pas exclus. Ils peuvent aussi développer une relation pathologique où, par exemple, il y a des abus de la part d'un des enfants envers l'autre. Il est très difficile pour des parents d'accueil de gérer ce genre de relation.

Il arrive aussi, pour toutes sortes de raisons, que l'un des enfants soit plus facile à aimer alors que l'autre semble tout faire pour attirer le rejet. Ces attitudes sont généralement la conséquence du type de relation que leurs parents d'origine ont eu avec eux. Plusieurs des placements de ce type se sont terminés par le départ d'un des enfants qui a dû être retiré de la famille pour être placé ailleurs. Il s'agit généralement de celui qui attire le rejet. C'est pour lui un échec de plus, particulièrement douloureux, puisqu'il n'est pas choisi alors que son frère ou sa sœur l'est. C'est aussi très déchirant pour les parents qui ont accueilli ces enfants. Enfin, l'enfant qui reste peut aussi être blessé et en vouloir à ses parents de n'avoir pas gardé son frère ou sa sœur. Certains craignent même d'être la cause de l'échec et sabotent, par culpabilité, leur relation future avec leurs parents.

Une autre forme de relation qui peut être développée par ces enfants est celle où l'aîné se rend responsable du plus jeune au point où il joue le rôle de parent substitut auprès de ce dernier au détriment de son propre développement en tant qu'enfant. C'est le cas de Rosie dans le deuxième récit. Les parents qui l'accueillent doivent intervenir de façon particulière pour réussir à corriger, en partie, cette relation.

Pour toutes ces raisons, la situation de chaque fratrie est toujours discutée. Le lien d'attachement entre les enfants est pris en considération de même que la nature et la dynamique de ce lien. S'il est jugé préférable de placer les enfants ensemble, on cherchera une famille en mesure de relever ce défi. Si cette recherche s'avère infructueuse ou s'il est préférable de séparer les enfants, on cherchera deux familles qui accepteront d'être en lien l'une avec l'autre de manière à ce que les enfants ne se perdent pas de vue.

 FT 3.13 DÉNOUEMENTS POSSIBLES D'UN PROJET DE TYPE BANQUE-MIXTE

Dans un projet Banque-mixte, trois types de dénouements[234] sont possibles après un jumelage.

- L'enfant devient légalement admissible à l'adoption et il est adopté par la famille de type Banque-mixte qui l'héberge en famille d'accueil depuis le jumelage. C'est la situation la plus fréquente.

- L'enfant ne devient jamais légalement admissible à l'adoption, mais il est maintenu dans la famille de type Banque-mixte qui joue auprès de lui le rôle de famille d'accueil jusqu'à sa majorité[235]. Jusqu'en 2004, cela était rare. Depuis cette date, une légère augmentation de ces situations est observée. Les raisons qui motivent ce dénouement sont généralement que les parents d'origine entretiennent une relation significative avec l'enfant sans être capables de l'assumer à plein temps. Les intervenants ou le juge estiment qu'il serait préjudiciable à l'enfant de couper les liens qui le relient à ses parents d'origine. À noter que, lorsqu'il atteint l'âge de quatorze ans, l'enfant peut demander à être adopté par les parents du programme Banque-mixte sans le consentement de ses parents d'origine. Il peut également présenter lui-même une déclaration d'admissibilité à l'adoption s'il est âgé de plus de quatorze ans, mais cela est rare[236].

---

234. Statistiques concernant les dénouements possibles des projets d'adoption de type Banque-mixte au CJM–IU : fiche technique 3.17.
235. C'est la situation de Frédéric et de Mariesol dans le quatrième récit.
236. Les intervenants hésitent à faire porter à l'enfant une démarche pouvant s'apparenter à un rejet de ses parents d'origine et qui pourrait entraîner chez lui des sentiments de culpabilité.

- Le retrait de l'enfant de la famille de type Banque-mixte pour l'une de ces trois raisons :

  - les parents d'origine réussissent à surmonter leurs difficultés. Les indicateurs démontraient un pronostic de reprise en main très incertain des parents d'origine au moment du jumelage, mais la situation a évolué dans un sens qui n'était pas prévisible ;

  - les parents du programme Banque-mixte demandent le départ de l'enfant :

    ° parce qu'ils connaissent des difficultés personnelles ou conjugales imprévues qui les empêchent de maintenir leur engagement ;

    ° parce qu'ils sont incapables de répondre aux besoins de l'enfant ;

    ° parce que l'enfant présente des difficultés qui n'étaient pas prévisibles au moment du jumelage et avec lesquelles ils sont incapables de composer ;

  - les intervenants décident de retirer l'enfant parce que les parents du programme Banque-mixte présentent des difficultés qui n'étaient pas prévisibles au moment de l'évaluation de leur projet.

Dans ces deux dernières situations, l'enfant peut être placé dans une autre famille de type Banque-mixte, dans une famille d'accueil régulière ou dans une ressource mieux à même de l'aider à résoudre ses difficultés.

 FT 3.14 CONDITIONS DE SUCCÈS D'UN PROJET DE TYPE BANQUE-MIXTE

L'expérimentation de ce programme depuis sa création permet d'établir les éléments suivants comme conditions de succès :

- les intervenants et cadres impliqués doivent croire aux objectifs de ce programme et en porter le leadership ;

- ils doivent travailler en étroite collaboration ;

- les intervenants du Service adoption doivent bien connaître les deux rôles (parents d'accueil et parents d'adoption) joués par les postulants, tant dans leurs ressemblances que dans leurs différences ;

• les intervenants de prise en charge doivent bien connaître les enjeux d'un projet de type Banque-mixte, ils doivent être capables d'évaluer avec justesse les chances de reprise en main des parents d'origine et de retour de l'enfant avec ses parents, et les risques d'abandon ;

• les intervenants de prise en charge qui demandent un placement pour un enfant dans ce type de ressource doivent avoir une bonne connaissance de l'enfant et de sa famille d'origine afin d'assurer un jumelage avec la famille du programme répondant le mieux aux besoins de l'enfant ;

• lors des réunions du comité aviseur clinique[237], les intervenants adoption doivent questionner l'intervenant de prise en charge quant à son plan d'intervention auprès des parents d'origine et quant aux étapes à venir en prévision d'une éventuelle admissibilité à l'adoption: une bonne connaissance de ce plan favorise un meilleur jumelage ;

• ce plan d'intervention doit être partagé avec la famille du programme Banque-mixte ciblée pour accueillir l'enfant ;

• les parents d'origine doivent être informés du placement de leur enfant dans ce type de ressource: dans un but de transparence, les enjeux d'une telle orientation, dont la possibilité d'adoption de l'enfant par les parents du programme, doivent être discutés avec eux ;

• il est important d'assurer un suivi régulier auprès de l'enfant, de ses parents d'origine, mais aussi auprès de la famille Banque-mixte ;

• des révisions régulières de l'évolution de la situation doivent être effectuées.

---

237. Fonctionnement du programme Banque-mixte et étapes de réalisation: fiche technique 3.5.

FT 3.15 QUELQUES PIÈGES DE LA PARENTALITÉ BANQUE-MIXTE[238]

Cette fiche technique concerne particulièrement les postulants à l'adoption qui accueillent un enfant dans le cadre du programme Banque-mixte. Devenir parent en réalisant un tel projet est une expérience très enrichissante et valorisante, mais une expérience qui peut aussi être difficile et semée d'embûches. Voici quelques pièges recensés depuis que ce programme existe.

La peur de rater sa chance...

Il y a très longtemps qu'ils attendent. Un enfant leur est présenté et, pour toutes sortes de raisons qui leur sont personnelles et légitimes, les postulants ne ressentent pas d'élan vers lui. De la même façon que certains adultes ne sont pas engageants, certains enfants aussi ne le sont pas. Il est important que les postulants le disent franchement et il est important de le dire le plus tôt possible afin que l'enfant ne vive pas un deuil supplémentaire et pour éviter toutes sortes d'angoisses.

Cela s'applique aussi si les postulants ont le sentiment que la personne qui a procédé à l'évaluation de leur projet d'adoption n'a pas bien compris leurs attentes.

Les postulants ne seront pas pénalisés: il y a dans le programme Banque-mixte toutes sortes d'enfants qui ont besoin de toutes sortes de parents. Si les postulants désirent s'engager auprès d'un enfant pour la vie, cela ne vaut-il pas la peine d'attendre un peu?

Être parent n'est pas toujours une partie de plaisir...

Les parents ont un grand désir d'enfant et en rêvent depuis longtemps. Les voici maintenant avec un bébé dans les bras... il est minuit et il pleure depuis une heure... Dans quoi se sont-ils engagés!

Il y aura des moments où ils vont remettre en question leur décision, tout comme si cet enfant était né d'eux, mais encore plus parce qu'il vient de l'extérieur de leur famille et qu'ils ne sentent pas

---

238. Ce texte a déjà été publié sous le même titre en 2001 dans la revue *Défi jeunesse* (vol. VII, no 2, p. 19-20). Il s'adressait alors directement aux postulants du programme Banque-mixte. Des corrections et des ajouts ont été faits.

encore d'attachement envers ce petit étranger. C'est normal. L'attachement n'est pas automatique et spontané. Il se construit au jour le jour, par les petits plaisirs quotidiens et par les nuits blanches...

Le piège de la performance...

Au cours de l'évaluation, les postulants ont mis toute leur énergie à démontrer leurs capacités parentales. Leur projet a été accepté. L'intervenant est donc d'accord avec eux en ce qui concerne ces capacités. Mais ne voilà-t-il pas que se présentent des difficultés et ils hésitent à en parler. Ils attendent, les difficultés s'accumulent, et tout à coup ils n'en peuvent plus et ça explose!

Il ne faut pas attendre: il est normal de vivre des difficultés. L'enfant ne sera pas retiré à cause de cela... Il faut en parler, car il est préférable de régler les problèmes au fur et à mesure plutôt que d'attendre qu'ils s'accumulent...

Le piège de vouloir faire mieux que les parents précédents...

Certains parmi les parents du programme Banque-mixte désirent s'engager auprès d'un enfant plus âgé. Dans la plupart des cas, cet enfant aura connu d'autres familles, que ce soit sa famille d'origine ou une famille d'accueil. Cet enfant aura aussi fort probablement des retards dans son développement ou des difficultés. Il est tentant pour les parents du programme Banque-mixte de penser qu'ils pourront faire mieux que ces familles. N'ont-ils pas été évalués et reconnus capables?

Mais il est important pour l'enfant qu'ils sachent respecter le milieu d'où il provient et auquel il s'identifie encore. Et s'il préfère la nourriture de l'autre famille, s'il s'ennuie d'elle, il est important qu'il se sente accueilli et réconforté, qu'il sache qu'il peut leur en parler sans les heurter: ces enfants ont de longues antennes...

Le piège de tout faire en même temps...

S'ils reçoivent un enfant qui a des retards et des difficultés, dans l'enthousiasme de leur nouveau rôle de parent, ils peuvent tenter de tout résoudre en même temps. Voilà un excellent moyen de faire un *burnout*... et pour eux et pour l'enfant! Cet enfant, qui ne les connaît pas, a besoin de sentir qu'ils l'acceptent tel qu'il est, avec ses difficultés, et qu'ils lui reconnaissent des côtés positifs. Si les parents essaient de tout changer en même temps, que va-t-il comprendre? Et, après quelques mois à cette cadence, les parents ne risquent-ils pas de s'épuiser?

Il faut prendre le temps de vivre avec cet enfant, de savourer les petits plaisirs. Se souvenir que « le mieux est l'ennemi du bien », considérer l'immense énergie nécessaire à un jeune enfant simplement pour s'adapter à une nouvelle famille. Il faut aussi prendre soin de soi, se réserver des moments de ressourcement, « prendre de l'air! ». Et ne pas oublier sa relation de couple.

Le piège de travailler sur les problèmes au lieu de bâtir une relation satisfaisante...

Lorsqu'un enfant qui a vécu plusieurs déplacements arrive dans une nouvelle famille, il est méfiant et c'est normal. Il a déjà été abandonné par plusieurs parents. Pourquoi ceux-ci seraient-ils différents? Et, s'il a été abandonné, il se dit que c'est sûrement de sa faute... En effet, les jeunes enfants se sentent généralement responsables des mauvaises choses qui leur arrivent. Seuls le temps et la constance peuvent amener cet enfant à changer sa manière de penser. De là l'importance de préserver ses forces afin de développer la relation à long terme. De là aussi l'importance d'accepter l'enfant tel qu'il est: il a déjà trop tendance à se déprécier lui-même. Il est préférable de laisser passer certaines choses, que les parents n'accepteraient peut-être pas d'un enfant qui aurait toujours vécu avec eux, afin de mettre l'accent sur la relation de confiance qu'ils sont en train de développer avec leur nouvel enfant. À long terme, cette relation sera leur outil principal pour résoudre les difficultés.

Les « renoncements nécessaires[239] »...

Il y a des moments où les parents se demandent pourquoi ils se sont engagés dans une pareille aventure. Surtout en ce qui concerne les enfants qui ont des déficits d'attachement importants, ils ne pourront probablement pas tout régler. Il est possible que l'enfant reste avec des séquelles qui limiteront sa capacité à s'attacher à eux avec toute la confiance et la simplicité qu'ils souhaiteraient. Il faut se souvenir que pour un enfant « handicapé du cœur », cet attachement qu'il tente d'établir, avec toutes ses lacunes et sa maladresse, exige un effort immense et qu'il est d'autant plus précieux. De toute façon, n'avons-nous pas tous des limites? Le rôle des parents est d'outiller

---

239. L'auteure fait référence ici au livre de Judith Viorst, *Les renoncements nécessaires: tout ce qu'il faut abandonner en route pour devenir adulte*, Laffont, 1988.

leur enfant pour qu'il puisse pallier le mieux possible ses lacunes personnelles.

 FT 3.16 DÉROULEMENTS DES PROJETS D'ADOPTION DE TYPE BANQUE-MIXTE

Le déroulement de projets d'adoption de type Banque-mixte peut suivre différents scénarios. Voici quelques exemples:

- Le premier scénario est celui où les parents d'origine sont conscients de l'ampleur de leurs difficultés; ils acceptent de signer un consentement à l'adoption généralement après avoir rencontré les parents du programme Banque-mixte à qui leur enfant est confié. Ils constatent la qualité des liens entre leur enfant et les parents du programme, ils s'assurent que le développement de l'enfant est harmonieux, ils sont rassurés et acceptent que l'enfant soit adopté par ces parents[240].

- Le deuxième scénario est celui où les parents d'origine ne veulent pas signer de consentement à l'adoption, mais ne s'impliquent d'aucune manière. Ils sont très peu présents, sinon complètement absents, auprès de l'enfant malgré les relances faites auprès d'eux et le soutien offert. Une fois que l'absence des parents est constatée depuis au moins six mois, si l'enfant est placé chez des parents qui sont désireux de l'adopter et avec lesquels il a tissé des liens d'attachement et d'appartenance, l'intervenant de prise en charge dépose une requête en déclaration d'admissibilité à l'adoption à la Chambre de la jeunesse. Cette requête est le plus souvent acceptée, et l'enfant est adopté par les parents du programme Banque-mixte à qui il est confié[241].

- Un troisième scénario, plus complexe et fréquent dans un projet de type Banque-mixte, est le suivant: les parents d'origine ne veulent pas l'adoption et sont présents plus ou moins régulièrement tout en ayant des capacités parentales limitées. Dans cette dernière situation, l'intervenant de prise en charge doit à la fois:

  - continuer à offrir aide, soutien et assistance aux parents d'origine afin de travailler leurs difficultés personnelles et le développement de leurs capacités parentales;

---

240. C'est le cas de Michel dans le premier récit.
241. C'est le cas d'Hélène dans le premier récit.

- amener les parents à prendre graduellement conscience de leurs limites ou de leurs difficultés et, si la récupération est peu probable, voir si un consentement à l'adoption est possible;

- documenter les éléments pouvant conduire à une éventuelle demande d'admissibilité à l'adoption[242].

 ## FT 3.17 STATISTIQUES CONCERNANT LES DÉNOUEMENTS POSSIBLES DES PROJETS D'ADOPTION DE TYPE BANQUE-MIXTE AU CJM–IU[243]

Depuis le début du programme Banque-mixte, le 1er octobre 1988, jusqu'au 31 mars 2007, 716 enfants ont été placés dans une famille de type Banque-mixte. De ce nombre:

- 559 (78 %) enfants sont devenus admissibles à l'adoption.

- 22 (3 %) enfants sont retournés dans leur famille d'origine.
  Depuis 1995, 10 enfants ont fait l'objet d'un tel retour (environ 1 enfant par année). Ultérieurement, 3 d'entre eux sont revenus dans le réseau de placement, dont une fillette qui a été replacée dans la même famille[244].

- 28 (4 %) enfants ont quitté la famille du programme Banque-mixte parce que le jumelage n'a pas fonctionné. Certains de ces enfants ont été placés dans une autre famille du programme, d'autres ont été placés dans une famille d'accueil régulière et certains dans un centre de réadaptation.

- 9 (1,3 %) enfants ont vu leur dossier Banque-mixte fermé pour d'autres motifs. Six de ces enfants sont demeurés dans la famille du programme, mais sans projet d'adoption. Un enfant est décédé du syndrome de mort subite du nourrisson. Deux dossiers ont été transférés au Centre jeunesse de Laval.

- Enfin, au 31 mars 2006, le dossier de 98 enfants était encore en cours. Quarante font l'objet d'un mandat en déclaration d'admissibilité devant la Cour du Québec au 28 juin 2007. Les autres sont en cours pour une des raisons suivantes:

---

242. C'est le cas de Mélanie et de Paul dans le deuxième récit.
243. Information tirée des statistiques du Service adoption du CJM–IU.
244. Il s'agit de Mariesol, dans le quatrième récit.

- une requête en déclaration d'admissibilité à l'adoption a été déposée à la Chambre de la jeunesse, mais l'audition est à venir;

- le comité d'adoptabilité a décidé de déposer une requête en déclaration d'admissibilité à l'adoption et le dossier est en préparation;

- la décision du comité d'adoptabilité est à venir dans les prochains mois;

- le jumelage de l'enfant dans la famille du programme Banque-mixte est trop récent et le suivi de sa famille d'origine trop court pour que le comité d'adoptabilité soit en mesure de déposer une requête en admissibilité à l'adoption.

Parmi les enfants placés au cours des dernières années, 61 sont devenus légalement adoptables, dont 5 après un consentement signé par les parents. Ce nombre d'enfants adoptables se compare à la moyenne des années antérieures (61 enfants en 2004, 49 enfants en 2005 et 53 enfants en 2006). Par ailleurs, 2 requêtes en déclaration d'admissibilité ont été refusées par la Cour du Québec dont l'une fait actuellement l'objet d'une procédure d'appel présentée par le DPJ[245].

Entre le 1er avril 2006 et le 31 mars 2007, 61 des enfants placés en Banque-mixte par le Service adoption du CJM–IU, au cours des mois et années précédentes, sont devenus légalement adoptables. Le tableau suivant illustre le délai écoulé entre la date du placement de l'enfant et la date de son admissibilité à l'adoption.

Dans 67,2 % des situations, l'admissibilité à l'adoption est obtenue dans un délai de 2 ans ou moins de la date du placement: une baisse par rapport à 2005-2006 (75,5 %). Par ailleurs, le pourcentage d'admissibilité en 12 mois ou moins a significativement baissé, passant de 30,2 % en 2005-2006 à 16,4 % en 2006-2007. Le pourcentage d'admissibilité en 3 ans ou moins a aussi connu une baisse, passant de 94,3 % à 83,6 %. Il faut noter également que dans 13,1 % des situations, le délai a dépassé 4 ans[246].

---

245. Au moment d'aller sous presse, l'auteure apprend que le jugement dans la procédure d'appel présentée par le DPJ à la Cour supérieure tranche en faveur du DPJ.

246. Cette prolongation du délai entre le jumelage Banque-mixte et l'admissibilité à l'adoption pourrait être liée à la période de rodage qui accompagne les nouvelles modifications (fiche technique 3.19) à la *Loi sur la protection de la jeunesse*, adoptées le 15 juin 2006 et mises en vigueur le 9 juillet 2007.

TABLEAU 4

**DÉLAI ENTRE LE JUMELAGE BANQUE-MIXTE
ET L'ADMISSIBILITÉ À L'ADOPTION**

Délai	2006-2007		2005-2006	
	Nombre	**%**	**Nombre**	**%**
0-12 mois	10	16,4	16	30,2
13-24 mois	31	50,8	24	45,3
25-36 mois	10	16,4	10	18,8
37-48 mois	2	3,3	3	5,7
48 mois et plus	8	13,1	0	0,0
Total	**61**	**100**	**53**	**100**

SOURCE: Information tirée des statistiques du Service adoption du CJM-IU.

 **FT 3.18 LE PROGRAMME BANQUE-MIXTE
DANS LES AUTRES RÉGIONS DU QUÉBEC**

Le programme Banque-mixte a été conçu et mis sur pied en 1988 par
le CSSMM (devenu plus tard le CJM–IU) à partir d'une proposition
de Léonard Lavoie, conseiller à la DPJ, et de Christine Maraval, chef
du Service adoption du CSSMM à cette époque.

D'autres centres jeunesse du Québec ont graduellement adopté
ce programme dont le développement et l'organisation peuvent
varier d'une région à l'autre. Il serait souhaitable, à la fois pour les
enfants eux-mêmes et pour la société en général, que tous les enfants
du Québec ayant besoin de ce type de ressources puissent en profiter,
quelle que soit leur région de résidence.

 **FT 3.19 *LOI SUR LA PROTECTION DE
LA JEUNESSE* TELLE QUE MODIFIÉE EN 2006**

Le 15 juin 2006, l'Assemblée nationale du Québec adoptait des modifications importantes à la *Loi sur la protection de la jeunesse*. Ces

modifications sont presque toutes entrées en vigueur le 9 juillet 2007 (sauf certaines dispositions) et poursuivent six objectifs principaux:

- assurer la stabilité des enfants;

- miser davantage sur des approches consensuelles et ainsi recourir aux tribunaux uniquement lorsque nécessaire;

- baliser les conditions de recours à l'hébergement dans une unité d'hébergement en encadrement intensif;

- concilier la protection des enfants et le respect de la vie privée;

- promouvoir la participation active de l'enfant et de ses parents aux décisions et au choix des mesures;

- préciser davantage les situations qui requièrent l'intervention du DPJ.

Selon l'esprit de la *Loi sur la protection de la jeunesse* entrée en vigueur en 1979, un enfant doit, idéalement, vivre auprès de ses parents. Si ceux-ci éprouvent des difficultés qui menacent cet objectif, tout doit être mis en œuvre pour les aider à se reprendre en main afin que l'enfant puisse retourner dans sa famille. Dans la loi initiale (1979), les délais accordés aux parents pour se reprendre en main étaient cependant imprécis; si le retour dans la famille n'était pas possible, il était prévu que le DPJ devait assumer la responsabilité de trouver une famille de substitution pour l'enfant.

> « Toute décision prise en vertu de la présente loi doit tendre à maintenir l'enfant dans son milieu familial. Si, dans l'intérêt de l'enfant, un tel maintien ou le retour dans son milieu familial n'est pas possible, la décision doit tendre à lui assurer la continuité des soins et la stabilité des conditions de vie appropriées à ses besoins et à son âge et se rapprochant le plus d'un milieu familial normal. » (*Loi sur la protection de la jeunesse telle que modifiée par le Projet de loi 125: Tableau comparatif avec commentaires*, mars 2007, article 4.)

De plus, si un retrait du milieu familial de l'enfant est nécessaire et qu'un retour n'est pas possible, l'enfant doit, autant que faire se peut, être confié à des personnes qui lui sont déjà significatives comme à des membres de la famille élargie, si ces personnes ont les qualités et aptitudes voulues pour assumer l'enfant. Depuis 1979, les intervenants de la DPJ travaillent déjà dans cet esprit afin de restaurer les capacités parentales des parents. Avec l'entrée en vigueur des dernières modifications, en 2007, le législateur précise les obligations du DPJ.

« Toute décision prise en vertu de la présente loi doit tendre à maintenir l'enfant dans son milieu familial.

« Lorsque, dans l'intérêt de l'enfant, un tel maintien dans son milieu familial n'est pas possible, la décision doit tendre à lui assurer, dans la mesure du possible auprès des personnes qui lui sont les plus significatives, notamment les grands-parents et les autres membres de la famille élargie, la continuité des soins et la stabilité des liens et des conditions de vie appropriées à ses besoins et à son âge et se rapprochant le plus d'un milieu familial. De plus, l'implication des parents doit toujours être favorisée dans la perspective de les amener et de les aider à exercer leurs responsabilités parentales.

« Lorsque, dans l'intérêt de l'enfant, le retour dans son milieu familial n'est pas possible, la décision doit tendre à lui assurer la continuité des soins et la stabilité des liens et des conditions de vie appropriées à ses besoins et à son âge de façon permanente. »

Par ailleurs, les délais accordés aux parents pour se reprendre en main sont beaucoup plus précis :

« Lorsqu'à l'intérieur de la durée maximale prévue à l'article 53, une ou plusieurs ententes comportent une mesure d'hébergement visée au paragraphe j du premier alinéa de l'article 54, la durée totale de cet hébergement ne peut excéder, selon l'âge de l'enfant au moment où est conclue la première entente qui prévoit une mesure d'hébergement :

   a) 12 mois si l'enfant a moins de deux ans ;

   b) 18 mois si l'enfant est âgé de deux à cinq ans ;

   c) 24 mois si l'enfant est âgé de six ans et plus.

« Lorsqu'à l'expiration de la durée totale de l'hébergement prévu au premier alinéa, la sécurité ou le développement de l'enfant est toujours compromis, le directeur doit en saisir le tribunal. »

Les parents doivent donc se mobiliser beaucoup plus rapidement et s'impliquer intensivement auprès de leur enfant à tous les niveaux. Par conséquent, les intervenants doivent leur apporter une aide massive durant une période précise pour favoriser leur reprise en main.

Dans les situations où le maintien dans la famille d'origine est contraire à l'intérêt de l'enfant, voici quels sont les choix pour assurer en permanence la stabilité de l'enfant telle que l'exige maintenant la loi :

- le placement ou le maintien, s'il y est déjà, de l'enfant auprès d'une personne significative ou dans une famille d'accueil régulière avec une ordonnance de protection et le maintien des contacts entre l'enfant et ses parents d'origine;

- le maintien dans la famille d'accueil régulière avec une éventuelle tutelle ordonnée par la Chambre de la jeunesse[247];

- le maintien dans la famille d'accueil régulière avec une éventuelle adoption par celle-ci;

- l'orientation ou le maintien, s'il y est déjà, de l'enfant dans une famille du programme Banque-mixte avec une éventuelle adoption si cela devient possible...

Les nouvelles modifications apporteront sûrement d'autres ajustements au déroulement des projets de type Banque-mixte. Toutes ne sont pas connues mais quelques-unes sont envisagées:

- À ce jour, dans le cadre du programme Banque-mixte, les enfants de moins de un an ont toujours représenté 50 % des enfants placés. Les nouvelles modifications pourraient avoir une influence sur ce fait: les enfants (surtout s'il s'agit du premier enfant d'un parent) pourraient être maintenus dans une famille d'accueil régulière durant la période de travail intensif auprès des parents et placés en Banque-mixte à un âge plus tardif. Si c'est le cas, le projet d'adoption devrait par contre être plus sûr puisque le constat d'incapacité des parents serait fait.

- Pour les enfants qui seront quand même placés tôt en famille Banque-mixte, les contacts entre l'enfant et ses parents risquent d'être plus soutenus: plusieurs fois par semaine, d'une durée plus longue et impliquant d'autres personnes que les parents d'origine (grands-parents, oncles, tantes...). Ils seront donc plus exigeants pour les parents du programme Banque-mixte.

Comme toute implantation d'une nouvelle loi, une période de rodage est nécessaire. Comment les intervenants ajusteront-ils leur intervention? Comment les juges interpréteront-ils les nouvelles modifications à la loi? Des ajustements et, peut-être même, des erreurs sont à prévoir. En conséquence, les postulants qui s'engagent dans un projet de type Banque-mixte en 2008, et dans les années qui suivront, devront être capables de tolérer un stress supplémentaire,

---

247. La tutelle ordonnée par la Chambre de la jeunesse est une nouvelle mesure prévue par les modifications à la *Loi sur la protection de la jeunesse* dont les dispositions ne sont cependant pas encore en vigueur.

inhérent à l'implantation des modifications. Durant l'année 2006-2007, le Service adoption du CJM–IU a constaté une baisse très importante (45 %) des enfants référés au programme. Durant les premiers mois de l'année 2007-2008, cette tendance semble se corriger, et on observe une augmentation sensible du nombre d'enfants orientés vers le programme Banque-mixte.

 ## FT 3.20 AVENIR DU PROGRAMME BANQUE-MIXTE

Il est important de mentionner que, pour continuer à offrir des ressources de type Banque-mixte aux enfants qui en ont besoin, les conditions dans lesquelles ce programme fonctionne doivent être maintenues ou améliorées.

Le premier aspect à considérer est l'engagement des postulants de type Banque-mixte, bien différent de celui des familles d'accueil régulières. Leur principal désir est d'adopter un enfant, de fonder ou de compléter leur famille. Ils acceptent de jouer d'abord le rôle de parents d'accueil, mais souhaitent que l'enfant qui leur est confié puisse être adopté. Ils comprennent que, s'il n'y a pas de garantie, les indicateurs[248] sur lesquels les intervenants se fient pour orienter un enfant vers une ressource Banque-mixte ont été éprouvés et validés depuis la création du programme en 1988.

Ces parents font confiance au programme en présumant que les intervenants disposent de tous les moyens nécessaires pour cibler adéquatement les enfants orientés vers un projet de ce type: ceux qu'ils pensent susceptibles de devenir admissibles à l'adoption. Dans leur grand désir de fonder ou de compléter leur famille, les postulants acceptent de courir ces risques, de payer le « prix » de ce type d'adoption. Il y a cependant des limites à leur résilience.

Depuis la création du programme en 1988, bien des efforts ont été investis pour informer le public de l'existence de ce type d'adoption et pour recruter des postulants qui acceptent de prendre ces risques. Aujourd'hui, il n'est plus nécessaire de s'adresser aux médias: le recrutement se fait de bouche à oreille, et les postulants qui s'inscrivent au programme sont généralement en nombre suffisant. Il est important cependant, du point de vue des postulants qui s'engagent

---

248. Dépistage des enfants orientés vers un projet de type Banque mixte: fiche technique 3.10.

dans un projet de type Banque-mixte, que les organismes impliqués s'assurent que les risques inhérents à un projet de type Banque-mixte n'augmentent pas: le recrutement deviendrait alors plus difficile et, en fin de compte, les principales victimes seraient les enfants pour lesquels ce type de ressource est essentiel.

Par contre, pour d'autres enfants dont les parents d'origine restent impliqués de manière significative, sans être cependant capables de reprendre leur enfant avec eux, il peut être possible de recruter une deuxième catégorie de postulants: des gens désireux d'aider un enfant et même de l'adopter dans l'éventualité, peu probable, où celui-ci deviendrait admissible à l'adoption, mais qui seraient mieux à même de composer avec une situation où les parents d'origine restent impliqués et qui pourraient même soutenir cette implication. Ces parents accepteraient de s'engager jusqu'à ce que l'enfant devienne autonome (peut-être même plus longtemps que l'âge de dix-huit ans...). Ce nouveau type de ressource assurerait une stabilité à l'enfant, mais mettrait de côté l'adoption, sauf si la situation de l'enfant et de sa famille d'origine se modifiait en cours de route[249].

Le second aspect à considérer est l'âge des enfants orientés vers une ressource de type Banque-mixte. Jusqu'ici, 50 % de ces enfants avaient moins de un an[250]. Avec les nouvelles modifications à la *Loi sur la protection de la jeunesse* qui recommandent un travail encore plus intensif auprès des parents d'origine, il ne faudrait pas que les enfants soient référés au programme Banque-mixte plus tard dans leur vie, car ils risqueraient davantage de connaître de l'instabilité résidentielle et relationnelle, avec les séquelles que cela implique.

Il est vrai que le projet d'adoption des enfants orientés vers une ressource de type Banque-mixte serait alors plus sûr puisque toutes les démarches possibles auraient été réalisées pour aider leurs parents à les assumer. Il pourrait cependant y avoir moins de postulants du programme Banque-mixte compétents et désireux de les accueillir à un âge plus avancé et avec les difficultés qu'ils pourraient présenter, puisque la majorité des postulants qui s'inscrivent au programme Banque-mixte souhaitent accueillir un bébé et que ceux qui s'inscrivent pour un enfant plus âgé n'ont pas toujours les compé-

---

249. Voir le texte *Pour une adoption québécoise à la mesure de chaque enfant* où sont suggérés de nouveaux types d'adoption (groupe de travail sur le régime québécois de l'adoption, mars 2007).
250. Description des enfants orientés vers un projet de type Banque-mixte: fiche technique 3.3.

tences nécessaires pour accompagner un enfant qui a vécu des coupures significatives dans sa vie[251]; ils doivent alors être orientés, sur le conseil de l'intervenant évaluateur, vers un projet pour un enfant plus jeune.

---

251. Objectifs du programme Banque-mixte: fiche technique 3.1; Recrutement et évaluation des postulants pour le programme Banque-mixte: fiche technique 3.9.

SÉRIE 4

Défis d'intervention reliés au programme Banque-mixte

La quatrième série de fiches traite de quelques défis d'intervention particulièrement sensibles dans le cadre d'un projet de type Banque-mixte.

 FT 4.1 ENFANTS BLESSÉS, PARENTS BLESSANTS ?

Un des objectifs de ce livre est d'illustrer les difficultés vécues par les parents d'origine des enfants orientés vers une ressource de type Banque-mixte. Il est important de comprendre que s'ils ne s'occupent pas de leurs enfants de manière adéquate, c'est parce qu'ils n'ont pas appris à le faire. Ils ont souvent eu une enfance perturbée et difficile, ont été mal aimés, rejetés ou victimes d'abus. S'ils ont réussi à développer une relation d'attachement avec leurs propres parents, cette relation n'est souvent pas favorable à leur épanouissement. C'est rarement une relation d'attachement sécurisante.

Ainsi, dans le deuxième récit de ce livre, Mélanie et Paul, les parents d'origine, sont très limités, entre autres sur le plan affectif. Si Mélanie n'aime pas son aînée, Rosie, ce n'est pas parce qu'elle ne veut pas l'aimer, mais parce qu'elle ne le peut pas, qu'elle n'a pas appris à le faire. Si elle préfère la cadette, Clara, c'est sûrement, en grande partie, relié à sa propre histoire. Il n'est cependant pas possible de tout expliquer, car plusieurs éléments de l'enfance de Mélanie et de Paul ne sont pas connus des intervenants.

On sait aujourd'hui, grâce à la théorie de l'attachement[252], qu'il y a une transmission intergénérationnelle (Ainsworth, Blehar, Waters et Wall, 1978; Bakermans-Kranenburg et van Ijzendoorn, 1993) des conduites parentales. L'histoire peut se répéter, les enfants blessés courent plus de risques de devenir des parents blessants. Cette transmission intergénérationnelle de l'attachement est maintenant clairement établie. Les travaux de Mary Ainsworth montrent qu'il y a un lien entre le comportement de la mère et le type d'attachement développé par le bébé. La réaction des bébés en *Situation étrangère*[253] est étroitement liée à la nature du maternage observé à la maison. Les différences chez les enfants ont été associées à des différences entre les mères quant à la façon plus ou moins sensible, plus ou moins rapide et plus ou moins appropriée avec laquelle elles répondent aux signaux de détresse du bébé, particulièrement au cours des premiers mois de vie (Ainsworth et coll., 1978). En général, les recherches mettent en évidence une correspondance de 68 % à 80 % entre la classification des styles d'attachement des adultes avec l'*Adult Attachment Interview*[254] et la classification des styles d'attachement de leurs enfants avec la *Situation étrangère* (Bakermans-Kranenburg et van Ijzendoorn, 1993).

« Il n'y a pas de cours pour développer des conduites parentales appropriées. Il y a des cours pour l'aspect technique: apprendre à changer des couches, à donner un boire. Il y a des cours pour améliorer la communication avec son enfant ou pour développer une discipline chaleureuse. Mais le style parental, la façon d'être avec son enfant, est en grande partie une reproduction de ce que le parent lui-même a observé et appris de son propre parent dans les premiers mois et les premières années de son existence. Tel parent, tel enfant: [...] la première relation d'attachement sert de

---

252. Théorie de l'attachement: fiche technique 1.5.
253. Mary Ainsworth a « mis au point un instrument appelé la « *Situation étrangère* » (*Strange Situation*) permettant l'identification de trois types principaux d'attachement entre l'enfant et la personne prenant soin de lui principalement. Cet instrument permet d'évaluer en laboratoire, donc dans un milieu contrôlé, la relation d'attachement. Il consiste en un scénario très précis tant sur le plan des activités impliquées, du lieu où elles se déroulent que du temps pour les réaliser. Son interprétation demande de la rigueur et les personnes effectuant ces interprétations sont des spécialistes qui ont reçu une formation approfondie. » (Noël, 2003, p.151-152.)
254. L'*Adult Attachment Interview* est « une entrevue semi-structurée d'environ une heure où on demande aux sujets de décrire les relations qu'ils ont eues avec leurs parents et de raconter des épisodes biographiques spécifiques pour étayer leur récit » (Georges, Kaplan et Main, 1985, cités par Paquette, St-Antoine et Prévost, 2000).

cadre de référence. C'est sur ce modèle que le parent base, souvent inconsciemment, la plupart des attitudes qu'il a avec son bébé. Il lui transmet ainsi, à son tour, un style d'attachement. » (Noël, 2003, p. 172.)

Toutefois, si l'histoire peut se répéter, elle ne se répète pas exactement de la même manière. Bien des éléments peuvent influencer le développement du style d'attachement et, de là, du style parental. Deux enfants élevés par les mêmes parents ne réagissent pas de la même manière et ne développent pas nécessairement le même style d'attachement. Une foule de variables influencent différemment leur devenir et, une fois adultes, les circonstances de leur propre vie infléchissent encore leur style parental. Si « un déficit d'attachement augmente de façon significative les risques de déficits de développement », il ne s'agit cependant pas d'une destinée à laquelle on ne pourrait échapper: « Un déficit d'attachement ne doit pas être perçu comme un déterminisme, c'est-à-dire un élément qui détruirait nécessairement tout le futur de l'enfant. » (Noël, 2003, p. 240.)

Enfin, s'il est possible de changer, de faire des apprentissages parentaux à l'âge adulte et qu'il existe des études démontrant l'utilité de certains types d'intervention[255], il est important cependant de prendre en considération certaines circonstances aggravantes. Des parents porteurs d'une maladie physique ou mentale, d'un déficit intellectuel ou d'un déficit cognitif, à la suite d'un accident ou à cause d'un syndrome d'alcoolisation fœtale par exemple, sont doublement hypothéqués lorsque vient le temps d'éduquer un enfant. Il en est de même pour certaines personnes qui ont développé des assuétudes. Dans ces situations, le pronostic de changement devient beaucoup plus incertain.

---

255. L'équipe d'Ellen Moss, professeure au Département de psychologie de l'Université du Québec à Montréal (UQAM), a obtenu des résultats très intéressants dans un projet d'intervention avec des parents d'origine en utilisant, entre autres, la rétroaction offerte par des enregistrements vidéo. Voir: Duchesne, Comtois-Dubois et Moss (sous presse) et Moss, Tarabulsy, St-Laurent, Bernier et Cyr.

🍃 FT 4.2 CONFLIT DE LOYAUTÉ ET IDÉOLOGIE DU LIEN DE SANG

Ainsi qu'on l'a vu dans un des récits qui précèdent[256], l'intervenant de prise en charge impliqué auprès de l'enfant et de sa famille est partagé entre sa compassion pour le parent et celle qu'il ressent pour l'enfant. Les intervenants se sentent souvent en conflit de loyauté entre ces deux intérêts. Ils peuvent aussi être confrontés à l'idéologie du lien de sang[257], c'est-à-dire à l'idée que les liens entre un enfant et ses parents ou les membres de sa famille d'origine doivent être préservés à tout prix. C'est pour eux un dilemme qui peut être en partie résolu par l'information. On sait maintenant que:

> « L'incapacité pour l'enfant d'établir un lien sélectif durant la petite enfance est associée à des troubles permanents et souvent irréversibles de la socialisation, elle entraîne plus tard toute une série de comportements sociaux inadéquats et compromet sérieusement l'adaptation sociale. » (Paquette, 2004, p. 5.)

C'est pourquoi l'impact des premiers liens d'attachement sur le développement cognitif, affectif et souvent même physique de l'enfant gagne à être mieux connu et diffusé:

> « Avant que la communauté scientifique ne fasse des avancées dans la compréhension du phénomène de l'attachement, les praticiens, souvent mis face à des situations d'enfants ayant développé des *troubles de l'attachement* (ensemble de symptômes associés à la perte partielle ou totale de la capacité d'attachement d'un enfant), comprenaient mal ce qui pouvait causer un tel état de détresse et une telle détérioration du comportement observé chez l'enfant. » (Paquette, 2004, p. 5.)

D'autres éléments aidants sont une politique claire de l'établissement et le soutien de personnes qui comprennent, partagent et appliquent cette politique. Plusieurs intervenants mentionnent que depuis 2003, moment où le programme *Projet de vie* a été instauré au CJM–IU, ils se sentent mieux encadrés et mieux soutenus parce qu'une orientation explicite et des moyens précis pour y arriver sont

---

256. Premier récit: François.
257. L'idéologie du lien de sang ou lien biologique, selon le pédopsychiatre français Maurice Berger, est « une théorie, un système d'idée que s'est forgé l'intervenant extérieur et qu'il considère comme généralisable, applicable à un certain nombre de situations auxquelles il trouve des caractéristiques communes » (Berger, 1992, p. 140).

maintenant offerts. Le travail en équipe multidisciplinaire pour revoir régulièrement le plan d'intervention en fonction de l'enfant et du respect des droits des parents d'origine est aussi très important.

 ## FT 4.3 IMPORTANCE DE CENTRER SUR L'ENFANT, DÈS LE DÉPART, LE TRAVAIL FAIT AVEC LES PARENTS D'ORIGINE

Il est important de clarifier avec les parents d'origine, dès le début, la raison d'être de l'intervention DPJ qui commence. C'est l'amélioration de la situation de leur enfant et sa protection qui sont visées. Si le ou les parents consultaient pour eux-mêmes ou pour leur couple, ils seraient référés au CLSC ou à une autre ressource spécialisée dans le traitement du problème qu'ils présentent (psychothérapie, centre de désintoxication, refuge pour itinérants...). C'est parce que la sécurité ou le développement de leur enfant est menacé qu'ils sont suivis en centre jeunesse et qu'un intervenant de la Direction de la protection de la jeunesse est assigné à leur dossier :

> « En centrant clairement sur l'enfant, dès le départ, le travail fait avec les parents, l'intervenant se protège de la culpabilité qu'il pourrait ressentir alors que, malgré la collaboration affichée par les parents et la bonne relation établie avec eux, la décision de procéder à un placement lui paraîtrait devoir s'imposer. Le travail de l'intervenant n'a pas comme finalité d'aider le parent comme individu, et s'il le fait, cela est toujours dans l'optique de contribuer au mieux-être de l'enfant.

> « Il s'avère important à cette étape d'aviser les parents qu'en raison de la très grande importance du temps qui passe pour l'enfant et des effets néfastes de la situation problématique sur son développement, une mobilisation rapide de leur part s'avère nécessaire. De même, il apparaît important de leur préciser que ce sont eux qui, par les gestes qu'ils poseront, détermineront si l'enfant sera maintenu ou non dans leur milieu. » (Paquette, St-Antoine, Provost, 2000, p. 50.)

Sylvie, l'intervenante du premier récit qui s'occupe de François et de ses parents d'origine, se trouve confrontée à l'idéologie du lien de sang. Il s'agit d'une jeune intervenante et François est le premier enfant dont elle s'occupe qui est orienté vers un projet de type Banque-mixte. C'est parce qu'elle a l'occasion de prendre du recul, dans le contexte d'un cours de déontologie sociale à l'université, qu'elle réussit à résoudre ce conflit.

> « [...] Dans mon cas, j'étais très mal à l'aise d'opter pour une orientation *Projet de vie* dans la situation d'un enfant en considérant que la volonté du parent était plus ou moins entendue. Toutefois, je fus rapidement rassurée [...] en réalisant que [la] priorité est donnée aux droits de l'enfant[258]. »

 FT 4.4 TEMPS DES ADULTES VERSUS TEMPS DE L'ENFANT

Les intervenants qui travaillent en prise en charge sont directement en contact avec les parents de l'enfant concerné. C'est avec eux surtout qu'ils travaillent, qu'ils échangent, et c'est de leur détresse dont ils sont principalement témoins. Dans ces conditions, il est normal qu'ils soient sensibles à ce que vivent les parents et qu'ils ressentent de la compassion pour eux.

L'enfant, pour sa part, est souvent placé dans une famille d'accueil ou dans une famille du programme Banque-mixte qui s'assure de répondre à ses besoins. Il est facile d'oublier que le temps passe plus vite pour un enfant que pour ses parents: six mois dans la vie d'un enfant de un an, c'est la moitié de sa vie; six mois dans la vie d'une personne de vingt ans, c'est un quarantième de sa vie.

De plus, le moment est aussi important: les deux premières années de vie de tout individu sont cruciales. C'est durant ces années qu'il développe un lien d'attachement avec un adulte significatif, ce qui l'amène à se créer une image de lui-même et des autres et à établir les fondations de ses relations futures. À travers ce lien se développent également ses facultés de mentalisation, « une fonction réflective permettant la compréhension de ses propres comportements et des comportements des autres en termes d'états mentaux » (Fonagy, 1999). Une intervention rapide est nécessaire pour au moins deux raisons: s'assurer que l'enfant développe un lien avec une personne compétente sur le plan des relations interpersonnelles et s'assurer que ce lien ne soit pas brisé inutilement.

Lorsqu'on évite de prendre une décision, « le flottement peut avoir pour effet de plonger l'enfant dans une attente équivalant à un

---

258. Pour le texte plus détaillé, voir le premier récit: Défis d'intervention.

temps mort. Il est donc essentiel de déterminer dès que possible si les parents sont capables d'apprendre à remplir leur rôle adéquatement » (Steinhauer, 1996, p. 93). Certains parents peuvent être aidés, ils peuvent encore changer. D'autres sont incapables de le faire. Mais que ces personnes puissent changer ou non, lorsqu'un enfant est impliqué, le temps et le moment doivent être pris en considération. Lorsqu'on comprend par où la plupart de ces parents sont passés, il est impossible de ne pas ressentir de la compassion pour eux. Mais lorsqu'on regarde ce que vivent leurs enfants, la compassion est accompagnée d'un sentiment d'urgence, surtout lorsque, pour ces enfants, il est encore temps d'intervenir.

 ## FT 4.5 INTERVENTION RAPIDE ET LIEN D'ATTACHEMENT

Dans le premier récit de ce livre, François, l'enfant concerné, a connu quatre milieux de vie entre sa naissance et l'âge de vingt et un mois: sa famille d'origine, deux familles d'accueil et la famille du programme Banque-mixte. C'est ainsi qu'à un âge où son énergie aurait dû être utilisée surtout pour créer un lien d'attachement sécurisant avec au moins une personne significative, François connaît déjà quatre milieux de vie, c'est-à-dire quatre personnes, ou plus, qui sont entrées en relation avec lui, chacune à sa manière.

À sa naissance, le bébé ne sait pas comment entrer en relation. Il doit l'apprendre et il le fait par imitation. Son modèle est la personne qui s'occupe de lui dans le quotidien, qui lui fournit les soins physiques et émotifs. Si ce modèle change fréquemment, l'enfant doit continuellement s'adapter. Il n'a pas le temps de commencer à apprendre la manière de faire d'une première personne que déjà celle-ci est remplacée. Si cela se produit trop souvent, l'enfant perd l'intérêt, il ne désire plus entrer en relation. Son développement est alors compromis, son image de lui-même et ses relations futures sont colorées négativement par ces premières expériences insatisfaisantes.

Les études sur le développement du lien d'attachement insistent sur l'importance de ce lien pour le développement physique, cognitif, intellectuel et émotif des bébés et des adultes qu'ils deviendront. Ce processus est essentiel pour l'adaptation de l'individu à son environnement. Chez les humains, le moment le plus propice pour le développement de ce lien se situe à partir de la naissance jusqu'à l'âge d'environ deux ou trois ans. L'enfant développe ce lien à partir des interactions quotidiennes et répétitives qu'il a avec la personne qui lui dispense les soins physiques, le réconfort et l'affection.

En général, c'est avec sa mère que l'enfant développe ce lien. Si elle ne peut être présente, comme dans la situation de François, il faut trouver une autre personne. Ce qui est important, c'est que la personne soit stable, c'est-à-dire à peu près toujours la même, qu'elle donne les soins avec congruence, à peu près toujours de la même manière et sans tomber dans la rigidité ou le contrôle, qu'elle soit sensible aux signaux de l'enfant, qu'elle ajuste ses réponses en fonction de ces signaux et qu'elle les accompagne de chaleur et d'affection.

Si l'on avait pu intervenir dès sa naissance, il aurait été possible d'éviter à François un ou deux de ces déplacements et leurs conséquences. En effet, lorsque les intervenants sont en contact avec des parents qui vivent d'aussi grandes difficultés et qu'ils sont au courant de la nouvelle grossesse, ils peuvent faire un « Avis de situation à risque ». Cet avis informe les centres hospitaliers de la naissance prochaine. Une intervention peut alors être entreprise dès la naissance du nouvel enfant.

 ## FT 4.6 IMPORTANCE D'ÉVALUER RAPIDEMENT LE LIEN D'ATTACHEMENT

Dans les situations de protection, la qualité des liens entre un enfant et les membres de son entourage doit être évaluée le plus rapidement possible afin d'ajuster l'intervention en conséquence. Il s'agit « de dégager les objectifs et moyens qui seront mis en place pour les améliorer ou, à défaut, pour permettre à l'enfant d'en établir avec d'autres adultes » (Paquette et coll., 2000, p. 48). Divers instruments pour guider l'intervenant ont été créés tels la *Grille de dépistage des situations à risque de dérive du projet de vie pour les enfants âgés entre 0 et 5 ans* (Paquette, 2004, p. 87-92) et le *Guide d'évaluation des capacités parentales,* adapté du guide de Steinhauer, pour les zéro à cinq ans (Bouchard et coll., 2003), qui est une des bases du programme *Projet de vie* au CJM–IU.

De plus, la structure du travail a été remaniée de façon à fournir des points de repère et des moments de réflexion et de concertation afin de réduire le plus possible les risques de dérive du projet de vie. Des limites de temps et de délais ont aussi été établies pour ne pas maintenir trop longtemps l'enfant dans une situation incertaine.

Enfin, des plans d'intervention ont été instaurés afin de pallier les changements éventuels d'intervenants.

Une évaluation rapide et claire conduit généralement à une intervention rapide et efficace. Cela donne plus de chances de limiter les dégâts et de réduire la détresse de l'enfant comme celle de ses parents d'origine, et ce, quelle que soit l'issue : un retour dans la famille d'origine ou un placement à long terme de l'enfant.

 FT 4.7 IMPORTANCE D'ÉVALUER DIRECTEMENT LE LIEN D'ATTACHEMENT

En ce qui concerne l'évaluation du lien d'attachement entre un enfant et ses parents (ou la personne qui s'occupe de lui dans le quotidien), un des éléments qu'il est important de prendre en compte est le suivant :

> « L'évaluation des capacités parentales et de l'attachement parent-enfant ne doit jamais se faire uniquement à partir d'entrevues avec les parents, même si celles-ci sont utiles pour connaître l'histoire de l'enfant et des parents, leur passé et leur histoire d'attachement avec l'enfant. L'observation directe de l'interaction entre les parents et l'enfant s'avère essentielle. En effet, le discours d'un parent quant à sa relation avec son enfant peut s'avérer très différent de l'observation qu'un intervenant peut en faire : certains parents idéalisent la relation à leur enfant, réitèrent leur amour à son égard, mais le négligent gravement dans la réalité. » (Paquette, St-Antoine et Provost, 2000, p. 49.)

En ce sens, il est préférable de rencontrer l'enfant et ses parents ensemble et à plusieurs reprises. Il est préférable aussi que ces rencontres soient organisées dans un lieu connu et familier de l'enfant.

FT 4.8 IMPORTANCE DE PRENDRE UNE DÉCISION

Ainsi qu'on l'a vu dans le récit de François, lorsqu'une séparation à but thérapeutique[259] est envisagée, en prendre la décision est très souvent déchirant. C'est à l'intervenant que revient cette responsabilité. Voici quelques questions pouvant soutenir sa décision :

- « Les parents d'origine sont-ils vraiment désireux de s'occuper de leur enfant ou souhaitent-ils s'en défaire sans oser l'avouer, par crainte du jugement familial ou social, par exemple ?

- S'ils sont désireux de s'en occuper, sont-ils capables de le faire rapidement, dans un intervalle de temps convenant aux besoins de l'enfant ?

- S'ils sont incapables de s'en occuper parce qu'ils n'ont pas les connaissances adéquates, peuvent-ils faire les apprentissages nécessaires rapidement, dans un temps convenant aux besoins de l'enfant ?

- Si c'est parce que leurs conditions de vie ne conviennent pas à l'enfant (assuétudes, itinérance, logement insalubre, violence conjugale et autres), sont-ils désireux et capables de faire les changements qui s'imposent dans un temps convenant à l'enfant ?

- S'ils sont désireux de s'occuper de leur enfant et s'ils sont capables de le faire ou de faire les apprentissages nécessaires, le font-ils ? C'est une chose de dire : "Je veux le faire, je vais le faire." C'en est une autre de passer à l'action et de le faire dans un temps convenant aux besoins de l'enfant. » (Noël, 2003, p. 248-249.)

Lorsqu'il devient clair que le ou les parents d'origine et les membres de leur famille ne désirent pas s'occuper de l'enfant, ou qu'ils sont incapables de le faire, ou qu'ils sont incapables de faire les apprentissages ou les changements nécessaires ou encore qu'ils sont incapables de passer à l'action dans un temps convenant aux besoins de l'enfant, la décision va de soi : un placement devient nécessaire.

---

259. On entend par séparation à but thérapeutique le retrait de l'enfant de sa famille d'origine le temps que ses parents se reprennent en main. L'enfant est alors placé en famille d'accueil régulière, en famille du programme Banque-mixte ou en centre de réadaptation, selon ses besoins. Cette expression est tirée du livre de Maurice Berger, *Les séparations à but thérapeutique,* publié chez Privat en 1992.

FT 4.9 Intégration graduelle

Un jumelage d'urgence dans une famille de type Banque-mixte n'est pas souhaitable. En effet, dans la grande majorité des cas, un jumelage Banque-mixte est un jumelage pour la vie. L'enfant sera adopté par cette famille, qui deviendra ainsi son milieu d'appartenance. Dans de telles circonstances, il est important que chaque jumelage soit personnalisé, qu'il soit réfléchi et soupesé, que les parents aient été choisis en fonction des besoins de l'enfant et que l'enfant, de son côté, ait été choisi en fonction des attentes et capacités des parents.

Une fois le choix déterminé, il est important de permettre à tous de se rencontrer et de se connaître dans un contexte favorable[260] : un lieu familier et sécurisant pour l'enfant, du calme et du temps sont des éléments essentiels à un bon jumelage. Les parents doivent sentir qu'il leur est possible de se désister s'ils ne sentent pas particulièrement d'attirance envers cet enfant, et ce dernier, surtout s'il est âgé de plus de quelques mois, doit se familiariser avec ces étrangers qui désirent devenir ses parents.

Dans les situations d'enfants assez âgés pour comprendre, il est souhaitable de procéder à une intégration graduelle afin de permettre à l'enfant de s'acclimater progressivement aux nouvelles personnes qui s'occuperont de lui et aussi de comprendre qu'il quitte le milieu auquel il s'est habitué. Par contre, il ne faut pas que cette intégration se prolonge, car l'enfant risque alors de ne plus comprendre ce qui se passe. Il peut penser que ce sont simplement des personnes qui viennent le visiter sans avoir l'intention de le prendre chez eux. La période d'intégration doit être adaptée aux besoins de l'enfant: c'est lui le chef d'orchestre. Le rythme des contacts doit être assez rapproché, car un jeune enfant oublie vite, et il est important d'être sensible au vécu de l'enfant afin de procéder à l'intégration dans le nouveau milieu au bon moment.

En fait, l'intégration graduelle devrait aussi s'appliquer lorsqu'un enfant vit quelque déplacement que ce soit vers un milieu qu'il ne connaît pas: de l'entrée à la garderie ou à l'école jusqu'au placement en famille d'accueil ou en institution. Dans le cas du placement en famille d'accueil régulière cependant, le placement se fait malheu-

---

260. Avant l'âge de six mois environ, selon chaque enfant, il est possible de procéder à une intégration assez rapide (de un à quelques jours). Plus tard, l'enfant devient graduellement capable de reconnaître les visages. Il doit alors être apprivoisé et se familiariser avec les nouvelles personnes qui s'occuperont de lui.

reusement souvent en urgence, sans que l'enfant ait été familiarisé avec son nouveau milieu de vie. Trop d'enfants ont été déplacés du jour au lendemain, sans avoir été préparés à ce déplacement, sans savoir qui sont les gens qui les accueillent et sans jamais revoir les personnes qu'ils quittent ou même avoir de leurs nouvelles. Dans l'imaginaire de l'enfant, c'est comme si ces personnes disparaissaient, n'avaient plus d'existence.

Une grande partie des enfants suivis par la DPJ vivent cette situation soit parce qu'ils doivent être retirés en catastrophe d'un milieu inadéquat, quelquefois même avec l'intervention des policiers, soit parce que les adultes qui les entourent manquent de sensibilité à leur vécu, soit encore parce qu'il est impossible de faire autrement: certaines situations sont incontrôlables. Plusieurs enfants conservent des traumatismes de ces déplacements. Certains n'ont pas de repères, de livre de vie[261], leur permettant de savoir à quelle époque ils ont commencé à marcher ou à parler, ils n'ont pas de photographies du temps où ils étaient bébés, ni de leurs parents et des diverses personnes qui ont pris soin d'eux au cours des années. D'autres n'ont pas d'objets personnels, de souvenirs ou, même, de vêtements à eux.

À noter que les parents adoptifs ou les parents d'accueil sont souvent surpris et heureux de voir qu'un enfant qui ne les connaît pas est capable d'aller vers eux et de s'adapter rapidement. Pour certains, ce phénomène semble s'apparenter à celui du « coup de foudre ». Ils ont l'impression que cette facilité d'approche est un signe que l'enfant « tombe en amour » avec eux instantanément ou encore qu'il a de bonnes capacités d'adaptation. On sait aujourd'hui, à partir des connaissances plus développées sur l'attachement, qu'un enfant qui va si facilement vers des étrangers est un enfant qui risque de n'avoir pas réussi à développer une relation d'attachement sécurisante avec au moins une personne significative. Tous les adultes sont pour lui interchangeables, il n'a pas développé de préférence parmi les adultes qui l'entourent, n'a pas acquis de sentiment d'appartenance ni la conscience du danger que représentent les étrangers.

Ce n'est donc pas un signe de préférence, mais plutôt un signe d'indifférence envers le ou les adultes qui l'approchent. Tant que ceux-ci ne lui font pas de mal ou ne le frustrent pas, en lui refusant

261. Livre de vie: cahier dans lequel sont consignés les événements marquants de la vie d'un enfant ou toute autre information pertinente, et où sont aussi rassemblées des photographies de lui à différents âges et des photographies de personnes significatives pour lui.

une gâterie par exemple, l'enfant accepte d'être en contact avec eux. Il accepte ce qu'ils lui donnent, mais avec le temps ces adultes pourraient développer le sentiment de n'être que des pourvoyeurs pour un enfant qui profite des biens et services qu'ils lui offrent. Ce sentiment est difficile à tolérer pour des adultes qui rêvent de créer une famille. Ceux-ci doivent faire preuve d'une grande maturité pour comprendre ce qui sous-tend ces comportements de l'enfant et pour maintenir leur engagement physique et psychique auprès de lui.

 FT 4.10 ADOPTION TARDIVE ET SUIVI POSTADOPTION

La situation est encore plus délicate lorsque l'enfant arrive tardivement dans la famille Banque-mixte ou dans la famille adoptive, selon le cas, ainsi qu'il est illustré dans le premier récit. Michel, le père de François, est arrivé à l'âge de neuf ans après avoir subi plusieurs déplacements, des abus, de l'injustice et du rejet. Les parents qui l'ont accueilli l'ont fait avec amour, générosité et constance. Ils auraient dû pouvoir compter sur l'aide de professionnels aptes à intervenir en troubles d'attachement et en adoption non seulement durant les processus de jumelage et d'adoption, mais aussi après que le jugement d'adoption final eût été prononcé.

Dans l'état actuel des choses au Québec, les parents adoptifs doivent, comme tout autre parent, s'adresser à leur CLSC lorsqu'ils ont besoin d'aide, et ce, même lorsque le problème soulevé est directement lié à l'adoption. À Montréal, une équipe d'intervenantes[262] offre un service d'aide pour les parents qui ont adopté dans le cadre de l'adoption internationale, mais ce service ne s'adresse pas aux parents qui adoptent un enfant québécois. Il serait souhaitable que les Services adoption des centres jeunesse puissent avoir le personnel en nombre suffisant pour offrir un suivi postadoption, surtout dans les situations d'adoption tardive ou lorsque l'enfant présente une particularité. Actuellement, ce n'est pas l'orientation du ministère de la Santé et des Services sociaux.

Par contre, depuis l'intégration de Michel dans sa famille, en 1977, l'état des connaissances dans le domaine du développement

---

262. Domenica Labasi et Hélène Duchesneau au CLSC Plateau Mont-Royal, un organisme du Centre de santé et de services sociaux (CSSS) Jeanne-Mance: [http://www.santemontreal.qc.ca/csss/jeannemance/fr/default.aspx]. (Date de consultation: 2007-08-07.)

des enfants a grandement évolué. En particulier, la théorie de l'attachement est maintenant beaucoup mieux connue des intervenants du Québec et d'ailleurs. L'impact du lien d'attachement sur le développement du bébé et du jeune enfant est aussi mieux documenté. Les intervenants sont donc plus sensibilisés aux difficultés des personnes qui accueillent ou accompagnent des enfants dont le parcours de vie a été interrompu à plusieurs reprises par des déplacements, des abandons ou des rejets.

 ## FT 4.11 CONTACTS ENTRE L'ENFANT ET SES PARENTS D'ORIGINE DURANT LA PÉRIODE DE SUIVI : MÉDIATION VERSUS SUPERVISION[263]

Durant la période suivant le jumelage et jusqu'à la déclaration judiciaire d'admissibilité à l'adoption, si elle se réalise, la plupart des enfants orientés vers une ressource de type Banque-mixte ont des contacts avec leurs parents d'origine et, parfois, avec d'autres membres de la famille. L'encadrement de ces contacts est une activité clinique très importante car il s'agit de moments privilégiés pour accompagner le parent et l'enfant dans la compréhension de leur situation. (Berger et Rigaud, 2001, p 159.)

En ce sens, ces contacts devraient :

- être déterminés en fonction des besoins et de l'intérêt de l'enfant ;

- être en lien avec l'ordonnance de la Cour du Québec, Tribunal de la jeunesse ;

- se faire dans le cadre d'une intervention planifiée avec des objectifs clairs ;

- être intégrés dans le plan d'intervention ;

- avoir un sens dans la vie de l'enfant ;

---

263. Pour cette section, l'auteure est particulièrement redevable au Dr Maurice Berger, pédopsychiatre français, de ses travaux sur les visites médiatisées. Pour les personnes qui désireraient en savoir plus sur les visites médiatisées, outre les titres mentionnés dans les références bibliographiques, sont aussi dignes d'intérêt les conférences (1999, 2003, 2007) prononcées par le Dr Berger au CJM–IU. Des enregistrements vidéo de ces conférences sont disponibles à la bibliothèque du CJM–IU.

- être préparés avec l'enfant et les parents séparément avant la rencontre;

- être revus avec l'enfant et le parent séparément après la rencontre. (Paquette, p. 59.)

De plus, dans certaines circonstances où le parent est très perturbé psychologiquement, ces contacts devraient être médiatisés par un intervenant. Que veut dire, dans ce contexte, le mot « médiatisé »? Selon Berger et Rigaud, les visites médiatisées ne sont pas « un acte social » mais bien « un dispositif qui consiste à ne faire se rencontrer des parents et leur enfant qu'en présence d'une tierce personne » et avec un objectif de « travail psychique ». (Berger et Rigaud, 2001, p 159.) Cela signifie qu'au moins une personne qualifiée, généralement un intervenant formé pour ce faire, est présente durant toute la durée de chacun des contacts, depuis l'arrivée de l'enfant jusqu'à son départ, afin de s'assurer que les messages transmis du parent à l'enfant et de l'enfant au parent soient en tout temps clairs, adéquats et soignants pour l'enfant.

Idéalement, deux médiateurs seraient préférables: un qui se centre sur l'enfant et l'autre, sur le parent. Le médiateur centré sur l'enfant s'assure que celui-ci comprend bien ce qui se passe, est en mesure de poser à son parent les questions qui le préoccupent, peut exprimer ses émotions... Ce médiateur peut aussi être utilisé par l'enfant comme protection, si ce dernier en sent le besoin. En effet, souvent les « ...enfants subissent la pathologie de leurs parents de plein fouet [...] et les effets sont souvent désastreux avec un recul des progrès précédents ». (Idem p. 133-134.) Enfin, le médiateur doit avoir « la capacité de s'identifier à l'enfant » et, si besoin est, avoir « le courage de s'opposer aux parents en expliquant pourquoi ». (Idem, p 166.) Par ailleurs, le médiateur centré sur le parent s'assure que celui-ci émet des messages à la fois conformes au plan d'intervention et soignants pour son enfant. Par exemple, des promesses non réalistes, étant donné le mode de vie du parent, de retour à la maison sont proscrites ou, si elles sont malgré tout mentionnées par le parent durant la rencontre, sont immédiatement rectifiées.

Ce type de visites vise plusieurs objectifs:

- « permettre de maintenir un lien avec les parents tout en protégeant l'enfant. [...] des visites médiatisées sont nécessaires chaque fois qu'un enfant est en danger physique ou psychique lorsqu'il est en contact avec un de ses parents. » (Idem, p. 159.) Par danger psychique on entend, entre autres, la situation de certains enfants qui vivent des reviviscences de traumas passés au contact de leur parent, la situation de parents qui ont développé une relation très symbiotique avec l'enfant, ou de parents qui induisent de la culpabilité chez lui...

- À noter que l'enjeu ici n'est pas seulement que l'enfant soit protégé mais aussi qu'il constate « qu'il peut avoir confiance dans la société qui le protège, représentée par le juge [du Tribunal de la jeunesse]. » (Idem, p. 165.)

• « éviter que l'enfant ne soit envahi par des angoisses d'abandon. » (Idem, p. 159.)

- « Un enfant a besoin de voir ses parents à intervalles réguliers mais pas forcément rapprochés pour vérifier qu'ils ne sont pas morts, qu'ils ne l'ont pas oublié et que lui-même ne les a pas oubliés. Il vérifie la trace qu'il a laissée en eux et la trace qu'ils ont laissée en lui. » (Idem, p. 166.) À noter que cela s'applique surtout pour les enfants qui ont vécu avec leurs parents durant une période significative. Les enfants qui ont peu vécu avec leurs parents n'ont généralement pas développé ce type de lien.

• « observer et comprendre la relation parent-enfant. C'est souvent au cours de telles visites qu'apparaissent les relations de séduction narcissique ou la manière dont l'enfant est "utilisé" par ses parents comme une partie mélancolique d'eux-mêmes dont ils se clivent, etc. » (Idem, p. 159). Voici ce que Berger entend par séduction narcissique (l'auteur parle ici d'une mère) : « Lorsqu'elle voit son enfant, elle établit une relation de grande intimité, excluant tout tiers, dans laquelle elle indique *qu'il est tout pour elle et qu'elle doit donc être tout pour lui* : "Est-ce que je t'ai manqué? Tu ne m'as pas fait un dessin?" (ceci étant vu comme un reproche). » Berger ajoute : « Mais la séduction s'accompagne d'abandon. Il est impossible pour l'enfant de comprendre comment peut disparaître une mère qui l'aime autant et qui le dit avec autant de charme. Ceci le laisse dans une attente permanente délétère qui l'empêche d'investir tranquillement d'autres liens, le fait se sentir lui-même mauvais — car si une mère aussi aimante ne vient pas, ce ne peut être que de sa faute —, et l'amène à éprouver une sorte de rage constante qu'il ne peut pas diriger contre sa mère, et qu'il exerce donc sur les objets et les personnes proches » (2005, p. 143-144).

- C'est pourquoi « ... la compétence parentale ne peut être déduite à partir d'entretiens avec les parents rencontrés *sans*[264] leur

---

264. En italique dans le texte original.

enfant [...] car les parents se présentent alors comme des parents imaginaires parfaitement compétents et attentifs s'occupant d'un enfant imaginaire parfait. Aucun fait réel ne vient plus contredire leurs discours excepté ce qui est observé au cours des visites médiatisées. Une observation précise de la relation parent-enfant représente donc la meilleure protection contre le retour de l'idéologie du lien familial. » (Idem, p. 166.)

- « évaluer la fragilité persistante de l'enfant face à ses parents ou au contraire sa solidité. » (Idem, p. 159.)

  – À noter qu'il existe « *un décalage entre la capacité de l'enfant de faire face au parent et les représentations qu'il en a*[265]. » Par exemple, un enfant peut avoir peur de son parent mais ne pas le manifester durant la visite.

- Enfin, ces visites peuvent être un lieu où « l'enfant montre au parent qu'il a perçu quelque chose de son fonctionnement psychique. [...] Même si le parent refuse de s'engager dans cette voie, ou dénie le mouvement psychique de l'enfant [...] cette séquence [se déroule] devant un intervenant 'témoin' qui pourra la reprendre avec l'enfant dans un moment d'entretien individuel. » (Idem, p. 167-168.)

  – En ce sens, « ...la visite médiatisée *diminue le mouvement d'idéalisation des parents que tout enfant séparé judiciairement met en place*[266], au prix d'un clivage très solide qui s'accompagne d'un déni de leurs aspects angoissants. » (Idem, p. 167.) Hors du contact avec son parent, l'enfant peut imaginer celui-ci comme un parent parfait. Il a besoin d'être en contact direct avec lui pour se rappeler ce qu'il est dans la réalité.

À noter que les visites médiatisées sont différentes des visites dites « supervisées ». Ce dernier mot signifie que les contacts en question sont « observés » : l'intervenant peut être dans la pièce où se déroule la visite ou « derrière le miroir » et, à moins que l'enfant ne soit en danger, participe peu ou pas du tout à l'échange entre l'enfant et son parent. L'enfant n'a donc pas l'occasion de faire de travail psychique et il peut plus facilement être désorganisé ou envahi par les aspects perturbateurs de ses parents.

Il va s'en dire que les contacts médiatisés sont très onéreux puisqu'ils exigent des intervenants disponibles pour tous les contacts

265. Idem.
266. Idem.

et formés pour ce type d'intervention spécialisée. En conséquence, il n'est pas toujours possible de les utiliser même s'ils seraient hautement souhaitables. Enfin, à noter que les parents d'accueil des enfants concernés, qu'ils soient des parents d'accueil réguliers ou des parents de type Banque-mixte, doivent aussi être outillés afin qu'ils puissent contribuer à soutenir l'enfant dans le cadre de ces visites.

 FT 4.12 CONTACTS POSTADOPTION AVEC DES MEMBRES DE LA FAMILLE D'ORIGINE

Dans le premier récit, les parents adoptifs acceptent de maintenir des liens avec les grands-parents d'origine de l'enfant. Dans le cadre du programme Banque-mixte, ceci est exceptionnel. Il est intéressant de considérer certaines des raisons qui expliquent pourquoi ces parents adoptifs se sont sentis suffisamment à l'aise et en confiance avec les grands-parents d'origine pour leur ouvrir leur porte et pour maintenir des liens au cours des années.

Une première raison est que les grands-parents d'origine de François sont soucieux des besoins de leur petit-fils, qu'ils mettent en priorité. Ils sont prêts à renoncer à le voir afin de lui assurer une vie stable avec des parents matures et chaleureux. De plus, durant les années qui ont précédé l'adoption de François, ils ont su créer avec celui-ci un lien significatif et favorable à son développement. L'attitude de Pierrette et de Frank envers François est une attitude saine et soucieuse de son bien-être. Les messages qu'ils lui donnent sont clairs et positifs, ils ne tentent pas de le mettre en conflit de loyauté ou de discréditer les parents Banque-mixte à ses yeux. De plus, ils ont du respect pour Isabelle et Vincent, pour leurs valeurs éducatives et pour le rôle que ceux-ci doivent jouer auprès de François. Ces derniers, de leur côté, sont conscients de l'importance de ce lien pour l'enfant et désirent le maintenir tant qu'il sera positif.

Une deuxième raison est qu'il est fort probable que l'incapacité de Michel à s'occuper de son fils trouve racine dans la part de son passé qui se situe avant son adoption. Celui-ci avait déjà neuf ans au moment de son arrivée chez Pierrette et Frank, il avait vécu de multiples rejets et abus, c'était un enfant gravement endommagé. L'amour ne suffit pas: malgré les soins dont ils l'entourent, ses parents adoptifs ne réussissent pas à « réparer » suffisamment Michel pour qu'il devienne capable de jouer son rôle de père de manière relativement adéquate. Malgré les erreurs qu'ils ont sûrement faites, comme tous les autres parents, et malgré ses échecs à répétition, Pierrette et Frank sont toujours restés présents dans la vie de Michel. L'amour et la constance dont ils sont capables envers celui-ci ne pourront qu'être bénéfiques pour François.

Sur le plan légal, il faut noter qu'une fois l'adoption réalisée, le maintien ou la suspension de ces liens est du seul ressort des parents adoptifs de François. Les grands-parents d'origine de l'enfant, pas plus que ses parents d'origine, n'ont aucun droit. Si Isabelle et Vincent décidaient, pour quelque raison que ce soit, d'y mettre fin, Pierrette et Frank n'auraient aucun recours[267].

 FT 4.13 SOUTIEN AUX EMPLOYÉS

Les intervenants qui travaillent en protection de la jeunesse sont régulièrement confrontés à des dossiers très difficiles où de jeunes enfants peuvent être en danger. Certaines situations impliquent des aspects terribles tels des abus physiques ou sexuels majeurs. Les intervenants ont de lourdes responsabilités et se sentent souvent impuissants. Ils craignent de se tromper, tant en séparant peut-être à tort un enfant de ses parents ou de sa famille d'origine qu'en le maintenant dans un foyer où les problèmes sont importants et où il peut être en danger. Les décisions qu'ils ont à prendre sont lourdes de conséquences. Ils ressentent du stress lorsqu'ils se présentent à la Chambre de la jeunesse: impliqués dans des situations très chargées émotivement, ils craignent d'avoir mal présenté la situation et de ne pas obtenir l'ordonnance qu'ils croient nécessaire pour le bien-être de l'enfant. Enfin, ils peuvent avoir dans leur propre existence des événements ou des situations qui sont réveillés par ce que vivent leurs clients. C'est ce qu'on appelle des résonances affectives.

Dans toutes ces situations, les intervenants doivent être capables d'obtenir de l'assistance lorsque nécessaire. Cette assistance peut venir du chef de service, de consultations entre collègues et d'autres

---

267. Il n'existe pas actuellement au Québec d'adoption dite « ouverte », c'est-à-dire d'adoption où les contacts avec la famille d'origine de l'enfant sont légalement maintenus. De nouveaux types d'adoption sont actuellement à l'étude pour mieux répondre aux besoins de chaque enfant: voir le texte *Pour une adoption québécoise à la mesure de chaque enfant* du Groupe de travail sur le régime québécois de l'adoption, 2007.

formes de soutien[268]. La formation en cours d'emploi est aussi très importante, car elle permet aux intervenants de se sentir mieux outillés pour faire face aux situations qu'ils ont à affronter[269].

Pour accomplir adéquatement une tâche qui implique autant de responsabilités et de stress, l'organisation du travail est aussi importante. En ce sens, lorsque les intervenants sont responsables de trop de dossiers à la fois, cela contribue à leur sentiment d'impuissance. Leur inquiétude concernant les enfants et les parents dont ils sont responsables s'accentue de même que leur stress[270].

---

268. Le CJM–IU, comme d'autres organismes du réseau de la santé et des services sociaux, offre un programme d'aide aux employés (PAE). Des thérapeutes peuvent rencontrer les personnes qui en font la demande dans le respect de la confidentialité. Les employés ont la possibilité de les consulter pour des raisons directement liées à l'exercice de leurs fonctions, mais aussi pour des problèmes d'ordre personnel. Ces services sont gratuits.
269. Un programme de formation en cours d'emploi est offert aux employés. Certains sujets dignes de mention en lien avec l'adoption sont la formation sur la théorie de l'attachement, la formation sur la *Grille de Steinhauer* et la formation *Projet de vie*.
270. Des actions ont été prises pour réduire la charge de travail des intervenants de prise en charge.

Conclusion

La création du programme Banque-mixte est une innovation qui permet de répondre adéquatement à deux besoins différents. Le principal besoin est celui des enfants abandonnés, ou susceptibles de le devenir à court terme, d'avoir un milieu de vie stable et aimant le plus tôt possible dans leur vie. Le deuxième est celui des postulants à l'adoption désireux d'accueillir rapidement un enfant au sein de leur famille.

La difficulté de trouver une famille Banque-mixte pour certains groupes d'enfants reste par contre une préoccupation. Les enfants qui ont des antécédents de maladies mentales génétiquement transmissibles, ceux dont les parents présentent un déficit intellectuel avec la crainte, fondée ou non, que ce déficit soit génétiquement transmissible, ceux dont la mère a consommé alcool, drogues ou médicaments durant la grossesse, les enfants dits plus âgés qui ont connu très peu de stabilité dans leur vie et qui ont développé des déficits d'attachement ou des problèmes de comportement, ce sont tous là des enfants pour lesquels il est très difficile de trouver une famille.

Les enfants dits plus âgés, c'est-à-dire les enfants qui ont vécu des expériences négatives ayant eu des conséquences sur leur développement physique, cognitif, intellectuel ou émotif, ont besoin d'une attention particulière lorsque vient le temps de les orienter vers une famille du programme Banque-mixte. Il est important de bien les connaître[271]. Il arrive encore trop souvent que ces enfants soient référés alors que leur condition n'a pas été clarifiée.

---

271. À noter qu'il existe actuellement un nouvel instrument permettant d'obtenir une image objective du niveau de développement d'un enfant: la *Grille d'évaluation du développement de l'enfant* (GED) (Pomerleau et al., 2005). Le GED est un instrument facile et rapide à utiliser qui ne demande pas de formation spécialisée. Il ne pose pas de diagnostic, mais permet de dépister d'éventuels retards de développement et de décider de l'opportunité de demander une évaluation plus poussée. Trois échelles sont utilisées: l'échelle cognitive et langagière, l'échelle motrice et l'échelle socioaffective. Un programme de formation (sept heures) est actuellement déployé au CJM–IU afin que les intervenants impliqués auprès de la clientèle 0-5 ans apprennent à l'utiliser.

Un psychologue ne rencontre pas automatiquement tous les enfants plus âgés avant qu'ils soient référés au programme. Cela permettrait pourtant d'avoir une meilleure idée des dommages psychologiques qu'ils ont subis, de vérifier à quel point ils sont encore capables d'attachement et, le cas échéant, de connaître leur style d'attachement.

Enfin, certains tests et examens médicaux sont difficiles à obtenir à cause des listes d'attente. Durant ce temps, l'enfant est souvent placé dans une famille d'accueil. Lorsque ce séjour se prolonge, il s'attache aux personnes qui prennent soin de lui et, quand vient le temps de faire le jumelage avec une famille Banque-mixte, il vit un deuil qui s'ajoute à tout ce qu'il a déjà vécu auparavant.

Parallèlement à ce problème, certaines régions du Québec n'ont pas de programme Banque-mixte. Certaines ont à peine un intervenant responsable à plein temps de l'adoption. Dans ces régions, très peu d'enfants sont identifiés comme pouvant bénéficier d'un tel programme. Par contre, les personnes qui désirent adopter doivent se tourner vers l'adoption internationale.

Depuis quelques années, une collaboration commence à s'établir entre le Centre jeunesse de Montréal et quelques autres centres jeunesse, mais il s'agit d'actions centrées sur des enfants précis et non pas d'une action concertée. Un programme de recrutement provincial devrait être mis sur pied afin de favoriser la recherche de ressources pour les enfants difficiles à placer et, peut-être même, pour le recrutement de toutes les familles Banque-mixte.

Malgré ces difficultés, le taux de succès du programme Banque-mixte témoigne de la qualité de l'expertise accumulée par les intervenants de prise en charge. Cette expertise leur permet d'établir un pronostic très souvent juste concernant un éventuel retour dans la famille d'origine, d'apporter aux parents d'origine une aide tout à fait adéquate et de sensibiliser ceux-ci à se mobiliser rapidement.

Par ailleurs, la réussite du programme repose également sur l'expertise continuellement renouvelée des intervenants du Service adoption qui s'occupent du recrutement et de l'évaluation des postulants, du jumelage et du suivi adapté à ce type de projet. Les jumelages réussis apportent de grandes satisfactions à toutes les personnes impliquées, alors que chaque échec permet de tirer humblement des leçons afin de parfaire la pratique.

Références bibliographiques

Ainsworth, Mary D.S. (1984). Patterns of Infant-Mother Attachment as Related to Maternal Care, dans *Human Development: An Inter-actional Perspective,* sous la direction de D. Magnusson et V. Allen. New York, Academic Press, p. 35-55.

Ainsworth, Mary, D.S.; Mary C. Blehar; E. Waters et Sally Wall. (1978). *Patterns of Attachment: A Psychological Study of the Strange Situation.* Hillsdale, New Jersey, Lawrence Erlbaum Associates, 391 p.

Association des centres jeunesse du Québec. (2007). *L'entrée en vigueur de la Loi sur la protection de la jeunesse.* Communiqué de presse du 7 juin, Montréal.

Bakermans-Kranenburg, Marian J. et Marinus H. van Ijzendoorn. (1993). A Psychometric Study of the Adult Attachment Interview: Reliability and Discriminant Validity. *Developmental Psychology,* vol. 29, no 5, p. 870-879.

Berger, Maurice. (1992). *Les séparations à but thérapeutique.* Toulouse, Privat, 224 p.

Berger, Maurice. (1997). *L'enfant et la souffrance de la séparation: divorce, adoption, placement.* Paris, Dunod Éditeur, 170 p.

Berger, Maurice. (1999). *Le placement de l'enfant et les effets de la séparation: causes et traitement, conférence de Maurice Berger.* Conférencier: Maurice Berger; animatrice: Louisiane Gauthier. Montréal, Les Centres jeunesse de Montréal.

Berger, Maurice. (2004). *L'Échec de la protection de l'enfance.* Paris, Dunod Éditeur, 2004, XIV, 254 p.

Berger, Maurice. (2005). *Ces enfants qu'on sacrifie... au nom de la protection de l'enfance.* Dunod, 168 p.

Berger, M. et C. Rigaud. (2001). Les visites médiatisées. *Neuro-psychiatrie de l'enfance et de l'adolescence,* vol. 49, no 3, p. 159-170.

Boisclair, Sonia et Michelle Dionne. (2005). *Libellé des recommanda-tions à la Chambre de la jeunesse.* Montréal, CJM–IU, 20 p.

Bouchard, Camil et Groupe de travail pour les jeunes. (1991). *Un Québec fou de ses enfants: rapport du groupe de travail pour les jeunes / Groupe de travail pour les jeunes.* Québec, ministère de la Santé et des Services sociaux, 173 p.

Bouchard, Lise; Lise de Rancourt-Pilotte; Louise Desjardins; Louisiane Gauthier; Francine Paquette et Suzanne Rainville. (2003). *Guide d'évaluation des capacités parentales: adaptation du guide de Steinhauer – 0 à 5 ans.* Montréal, CJM–IU, 36 p.

Bowlby, John. (1945). *Soins maternels et santé mentale.* Genève, Organisation mondiale de la santé, 208 p.

Bowlby, John. (1969). Attachment and Loss. In J. Bowlby, *Attachment*, vol. I, New York, Basic Books, Inc., 428 p.

Bowlby, John. (1988). *A Secure Base: Parent-Child Attachment and Healthy Human Development.* New York, Basic Books Inc., 205 p.

Centre jeunesse de Montréal–Institut universitaire. (1996), (1998), (2004). *Guide de conduite éthique.* Montréal, CJM–IU, 23 p.

Centre jeunesse de Montréal. (2002). Démarche d'agrément: portrait d'établissement/Le Centre jeunesse de Montréal. Montréal, CJM–IU, 73 p.

Centre jeunesse de Montréal–Institut universitaire. (2004). Rapport annuel 2003-2004, 16 p.

Centre jeunesse de Montréal–Institut universitaire. (2006). Rapport annuel 2005-2006, 36 p.

Centre jeunesse de Montréal–Institut universitaire. (2007). Rapport annuel 2006-2007, 32 p.

Conseil des œuvres de Montréal. (1967). *Une politique sociale pour le Québec: mémoire présenté à la Commission royale d'enquête sur la santé et le bien-être social, Commission Castonguay / Conseil des œuvres de Montréal.* Montréal, s.n., 217 p.

Cyrulnik, Boris (sous la direction de). (1998). *Ces enfants qui tiennent le coup.* Revigny-sur-Ornain, Hommes et perspectives, 120 p.

Cyrulnik, Boris. (1999). *Un merveilleux malheur.* Paris, Éditions Odile Jacob, 238 p.

Cyrulnik, Boris. (2001). *Les vilains petits canards.* Paris, Éditions Odile Jacob, 279 p.

De Rancourt, Lise et Francine Paquette; Daniel Paquette et Suzanne Rainville. (2006). *Guide d'évaluation des capacités parentales: adaptation du guide de Steinhauer – 0 à 5 ans.* Montréal, CJM–IU, 43 p.

Diorio, Geneviève; Gilles Fortin; Lucille Daigneault et Françoise Lamarre. (1999). *Croissance et développement, indices d'abus et de négligence chez l'enfant de la naissance à cinq ans.* Montréal, Hôpital Sainte-Justine, 31 p.

Duchesne, Dominique; Karine Comtois-Dubois et Ellen Moss. (2007). La théorie de l'attachement comme outil d'intervention auprès des parents d'accueil et des enfants placés. *PRISME*, no 47, p. 96-113.

Fonagy, Peter. (1999). *Transgenerational Consistencies of Attachment: A New Theory. Paper to the Developmental and Psychoanalytic Discussion Group.* Washington DC, American Psychoanalytic Association Meeting. [http://www.dspp.com/papers/fonagy2.htm] (Date de consultation: 2007-12-16).

Gauthier, Yvon. (2004). La Clinique d'attachement, un modèle de consultation en petite enfance. *PRISME*, no 44, p. 136-151.

Gordon, Thomas. (1976). *Parents efficaces: une méthode de formation à des relations humaines sans perdant.* Montréal, Éditions Le Jour, 445 p.

Gouvernement du Québec. (2007). *Loi sur le protection de la jeunesse.* Québec, gouvernement du Québec.

Groupe de travail chargé d'étudier l'application de la *Loi sur les jeunes contrevenants.* (1995). *Au nom... et au-delà de la Loi: les jeunes contrevenants: rapport du Groupe de travail chargé d'étudier l'application de la* Loi sur les jeunes contrevenants au Québec. Québec, ministère de la Justice, ministère de la Santé et des Services sociaux, 275 p.

Groupe de travail sur l'application des mesures de protection de la jeunesse. (1991). *La protection sur mesure: un projet collectif: les points saillants du rapport* / Rapport du Groupe de travail sur l'application des mesures de protection de la jeunesse. Québec, MSSS, Direction générale de la prévention et des services communautaires, 27 p.

Groupe de travail sur le régime québécois de l'adoption sous la présidence de Carmen Lavallée. (30 mars 2007). *Pour une adoption québécoise à la mesure de chaque enfant. Rapport du groupe de travail sur le régime québécois de l'adoption.* Québec, 135 p.

Gyger, Suzanne. (1992). *Grossesse, allaitement et consommation.* Montréal, CLSC St-Louis du Parc.

Harvey, Jean. (1991). *La protection sur mesure: un projet collectif: rapport.* Québec, ministère de la Santé et des Services sociaux, 164 p.

Harvey, Jean. (1991). *La protection sur mesure: un projet collectif: les points saillants du Rapport.* Québec, MSSS, Direction générale de la prévention et des services communautaires, 27 p.

Harvey, Jean. (1991). *La protection sur mesure: un projet collectif, annexe 1: les critères de décision du processus d'application des mesures de protection de la jeunesse.* Québec, ministère de la Santé et des Services sociaux, 43 p.

Harvey, Jean. (1991). *La protection sur mesure: un projet collectif, annexe 2: protocole relatif à l'application des mesures de protection de la jeunesse à l'intention de la personne autorisée; protocole relatif aux activités entourant le placement d'un enfant; la révision de la situation d'un enfant faisant l'objet de mesures de protection.* Québec, ministère de la Santé et des Services sociaux, 42 p.

Harvey, Jean. (1991). *La protection sur mesure: un projet collectif, annexe 3: guides d'intervention psychosociale: auprès des enfants en situation d'abandon, auprès des enfants présentant des troubles de comportement sérieux, auprès des enfants victimes de négligence grave.* Québec, ministère de la Santé et des Services sociaux, 64 p.

Jasmin, Michel. (1992). *La Protection de la jeunesse, plus qu'une loi: rapport du groupe de travail sur l'évaluation de la Loi sur la protection de la jeunesse.* Québec, ministère de la Santé et des Services sociaux: ministère de la Justice, 191 p.

Lavoie, Léonard; Louise Noël et Gisèle Rochon. (1996). Le programme Banque-mixte: nouvelle réalité de l'adoption québécoise. *Défi jeunesse,* vol. II, no 2, p. 10-14.

Lecompte, Jocelyne; Élaine Perreault; Marielle Venne et Karine-Alexandra Lavandier. (2002). *Impact de la toxicomanie maternelle sur le développement de l'enfant et portrait des services existants au Québec.* Québec, Comité permanent de lutte à la toxicomanie, 79 p.

Lemay, Michel. (1993). *J'ai mal à ma mère: approche thérapeutique du carencé relationnel.* Montréal, Éditions Sciences et Culture, 384 p.

Loi sur la protection de la jeunesse, L.R.Q., chapitre P-34.1 à jour au 9 juillet 2007. Québec, Éditeur officiel du Québec, 70 p.

Loubier-Morin, Louise. (2004). *Enfants de l'alcool.* Québec, Safera, 302 p.

Main, Mary et Judith Solomon. (1990). Procedures for Identifying Infants as Disorganized/Disoriented during the Ainsworth Strange Situation, dans *Attachment in the Preschool Years,* sous la direction de Mark T. Greenberg, Dante Cicchetti et E. Mark Cummings. Chicago, The University of Chicago Press, p. 121-160.

Malo, Luc; Jacques Perreault et Yves Sylvain. (2000). *20 ans de protection de la jeunesse: un projet social toujours d'actualité:* Résumé des présentations faites lors de la conférence midi sur plus de 20 ans d'application de la *Loi sur la protection de la jeunesse.* Montréal, Les Centres jeunesse de Montréal, pag. mult.

Michaud, Andrée E. (2000). *Le français en santé: guide linguistique.* Québec, ministère de la Santé et des Services sociaux, Direction des communications, 270 p.

Moss, Ellen; Georges Tarabulsy; Diane St-Laurent; Annie Bernier et Chantal Cyr. (2006). *L'intervention auprès des familles maltraitantes fondée sur les principes de l'attachement. Des enfants à protéger, des adultes à aider: deux univers à rapprocher.* Québec, Presses de l'Université du Québec.

Noël, Louise. (1997). Différents types d'adoption ouverte aux Centres jeunesse de Montréal. *Défi jeunesse*, vol. IV, no 2, p. 3-7.

Noël, Louise. (2001). Quelques pièges de la parentalité Banque-mixte. *Défi jeunesse*, vol. VII, no 2, p. 19-20.

Noël, Louise; Denis Dupuis; Léonard Lavoie; Gisèle Rochon et Marie Carbonneau. (2001). La réalité des postulants et des parents impliqués dans un projet d'adoption de type Banque-mixte. *Défi jeunesse*, vol. VII, no 2, p. 14-18.

Noël, Louise. (2003). *Je m'attache, nous nous attachons: le lien entre un enfant et ses parents.* Montréal, Éditions Sciences et Culture, collection CJM–IU, 270 p.

Noël, Louise. (2007). De Michel à François... Pour briser le cercle vicieux du déficit d'attachement. *PRISME*, no 47, p. 296-309.

Paquette, Daniel; Michelle St-Antoine et Nicole Provost. (2000). *Formation sur l'attachement, guide à l'usage des formateurs.* Montréal, Institut de recherche pour le développement social des jeunes, CJM–IU, 84 p.

Paquette, Francine. (2004). *À chaque enfant son projet de vie permanent: un programme d'intervention – 0 à 5 ans.* Montréal, CJM–IU, 137 p.

Paquette, Francine. (2007). *Le Centre d'expertise pour les tout-petits et leurs parents.* Montréal, CJM–IU, 28 p.

Park, Alice. (2003). Postcard from the Brain. *TIME Magazine*, Canadian Edition, 20 janvier, p. 62-65.

Pomerleau, Andrée; Nathalie Vézina; Jacques Moreau; Gérard Malcuit et Renée Séguin. (2005). *Grille d'utilisation de la grille d'évaluation du développement de l'enfant de 0 à 5 ans: GED.* Montréal, Centre de liaison sur l'intervention et la prévention psychosociales, 184 p.

Programme national de formation. (2007). *Document accompagnateur d'une formation sur la Loi sur la protection de la jeunesse telle que modifiée par le Projet de loi 125: tableau comparatif avec commentaires.* Cahier du participant, document no 1, 105 p.

Québec, Direction de l'adaptation sociale. (1994). *L'adoption, un projet de vie: cadre de référence en matière d'adoption au Québec.* Québec, 87 p.

Santé Canada. (2001). *Déclaration conjointe sur le syndrome du bébé secoué.* Ottawa, ministère des Travaux publics et des Services gouvernementaux.

Sauriol, Sylvie. (2005). *Et puis, elle m'a dessiné... une fleur, un cœur et un soleil!* Montréal, Les Éditions Francine Breton, 211 p.

Shonkoff, Jack P. et Doborah A. Phillips (sous la direction de). (2000). *From Neurons to Neighborhoods: The Science of Early Childhood Development.* Washington, Board on Children, Youth, and Families, National Research Council and Institute of Medicine, National Academy Press, 588 p.

St-Antoine, Michèle. En collaboration avec Alain Dalpé, France Desrosiers, Luce Halley et Suzanne Rainville. (2006). *Ressources pour enfants en troubles d'attachement.* Montréal, CJM–IU, 100 p.

Steinhauer, Paul D. (1995). *Guide d'évaluation de la compétence parentale.* Paul Steinhauer et *al.*, Groupe de recherche du Toronto Parenting Capacity Assessment Project. Toronto, Institut pour la prévention de l'enfance maltraitée, 165 p.

Steinhauer, Paul D. (1996). *Le moindre mal.* Montréal, Les Presses de l'Université de Montréal, 463 p.

Thomassin, André et Pierre Poupart. (2004). *L'offre de service du Centre jeunesse de Montréal–Institut universitaire.* Montréal, CJM–IU, 74 p.

van Ijzendoorn, M. H. (1995). Adult Attachment Representations, Parental Responsiveness, and Infant Attachment: a Meta-Analysis on the Predictive Validity of the Adult Attachment Interview. *Psychological Bulletin*, no 117, p. 387-403.

Vézina, Nathalie. (2005). *Élaboration et validation de la grille d'évaluation du développement de l'enfant 0-5 ans (GED)*, thèse présentée comme exigence partielle du doctorat en psychologie. Montréal, Université du Québec à Montréal.

Viorst, Judith. (1988). *Les renoncements nécessaires: tout ce qu'il faut abandonner en route pour devenir adulte.* Paris, Laffont, 399 p.

ANNEXES

ANNEXE I

Parler d'adoption avec son enfant

Beaucoup de parents adoptifs éprouvent à juste titre des craintes lorsqu'ils envisagent de parler avec leur enfant de son adoption. Ils ne veulent pas lui causer de choc par une annonce tardive, ils ne veulent pas non plus qu'il ait l'impression qu'on lui a caché sa situation. En fait, parler d'adoption[272] soulève beaucoup d'émotions.

Le plus simple, c'est que les parents adoptifs commencent à parler de son adoption à leur enfant dès son arrivée dans la famille, même si celui-ci n'est âgé que de quelques mois. Tout simplement lui raconter son histoire et la leur: les circonstances qui les ont amenés à faire la démarche d'adoption, le fait qu'une autre maman l'a porté dans son ventre, mais que cette maman ne pouvait pas s'en occuper...

Parler à un enfant encore tout petit permet aux parents de s'exercer, de devenir de plus en plus à l'aise avec le message qu'ils désirent transmettre à l'enfant. Cela permet aussi aux deux conjoints de s'entendre l'un l'autre raconter cette histoire et de la mettre au point: les éléments dont ils veulent parler, ceux qu'ils préfèrent omettre et la manière de dire les choses.

En informant l'enfant très tôt, celui-ci grandit avec cette idée. Le mot « adoption » fait partie de son vocabulaire. Si ce mot évoque pour les parents des images positives, l'enfant le décode lui aussi comme un mot positif. Il est ainsi mieux armé pour faire face à sa différence

---

272. Ce document est remis aux postulants par l'intervenant du Service adoption du CJM–IU après l'évaluation et l'acceptation de leur projet d'adoption.

et aux éventuels commentaires négatifs qu'il pourrait entendre à l'extérieur de la famille.

Comme il est au courant de son adoption, il n'a pas à vivre le choc de la révélation. Cela ne veut pas dire que l'enfant comprend dès le départ toutes les composantes de sa situation. Sa compréhension évolue avec l'âge. Comme pour tous les autres sujets de discussion, il faudra répondre à de nombreuses questions, répéter et reformuler selon les demandes de l'enfant, son âge et sa capacité de compréhension.

Parler ouvertement d'adoption avec son enfant ne le protège pas nécessairement de tout sentiment négatif en rapport avec cette adoption. Cela lui permet cependant d'appréhender sa situation à petites doses au lieu d'avoir à y faire face d'un seul coup. Si, avec la maturité, certaines prises de conscience pourront être douloureuses pour l'enfant, le lien de confiance qu'il aura tricoté avec ses parents sera un soutien pour surmonter ces étapes.

C'est pourquoi il est important que les parents adoptifs soient capables de faire sentir à l'enfant qu'ils sont à l'aise de parler de son adoption avec lui. L'enfant ne doit pas sentir que cela leur fait de la peine ou les inquiète. Un enfant qui sentirait une réserve de la part de ses parents en viendrait à éviter de leur en parler pour les protéger. Cet enfant devrait alors composer seul, sans l'aide de ses parents, avec les questions, les émotions et peut-être même les commentaires négatifs de l'entourage (amis à l'école, voisins...) relatifs à son adoption.

Par contre, il est important de ne pas pousser continuellement l'enfant à penser à son adoption. Il n'a pas besoin de se faire continuellement rappeler sa différence. Il faut cependant en parler lorsque cela se présente naturellement, selon les événements de la vie, ou lorsqu'il en parle lui-même.

Une façon de comprendre l'évolution de la pensée de l'enfant en rapport avec son adoption est de lui demander ce qu'il en pense. Par exemple, à la question « Est-ce que c'est parce que ma première maman ne m'aimait pas qu'elle m'a abandonné? », demandez-lui: « Toi, qu'est-ce que tu en penses? » Les parents peuvent ainsi avoir accès au processus de raisonnement de leur enfant. Ils peuvent rectifier ou compléter au besoin ce qu'il connaît ou croit connaître de son histoire.

Une fillette de sept ans a dit un jour: « J'ai été adoptée parce que je pleurais trop! » Or, elle a été adoptée à l'âge de cinq jours. Comment en est-elle venue à penser qu'elle était un mauvais bébé, un bébé qui « pleurait trop »? Si les parents ne savent pas ce que pense l'enfant, qu'elle a une mauvaise opinion d'elle-même en tant que bébé, ils ne peuvent lui dire: « Tous les bébés pleurent, est-ce que toi, tu penses que tu pleurais plus que les autres bébés? » Réfléchir avec l'enfant, l'informer, corriger les faits, influencer ses perceptions, recevoir ses commentaires sans juger sont des moyens à utiliser pour l'aider, qu'il soit adopté ou non, à faire face aux difficultés de la vie.

Que faut-il lui dire sur ses parents d'origine? Prostitution, consommation de substances illicites, criminalité, itinérance, avortements… sont parfois des comportements ou des événements qui font partie de l'histoire des parents. Il n'est cependant pas souhaitable que l'enfant en connaisse les détails. En fait, ces comportements sont généralement des symptômes d'un grave « mal d'être » chez les parents d'origine, qui provient souvent de leur propre enfance. Dire à l'enfant que ses parents connaissaient de grandes difficultés, qu'ils étaient à peine capables de s'occuper d'eux-mêmes est suffisant.

Dans une lettre, une mère d'origine dit à son fils: « Je t'aime du plus fort amour que je connaisse. » La capacité d'aimer n'est pas innée. Elle se développe par le contact entre l'enfant et la personne qui lui dispense les soins dans le quotidien. Cette mère n'a pas eu la chance d'avoir auprès d'elle, dans les trois premières années de sa vie, une personne stable et chaleureuse auprès de laquelle elle aurait pu apprendre le vrai sens de l'amour. Elle aime son fils à sa manière. Malheureusement, cette manière ne convient pas aux besoins de ce dernier. Faire comprendre à l'enfant que ses parents d'origine n'ont peut-être pas eu de parents qualifiés pour s'occuper d'eux lorsqu'ils étaient petits, pour les aider à grandir et à devenir parents à leur tour.

Lorsque le parent adoptif parle à l'enfant de ses parents d'origine, ou qu'il en parle à une autre personne, il est important de le faire dans le respect. Se rappeler que les parents d'origine de l'enfant font partie de lui et que son image de lui-même est en partie basée sur l'image qu'il a d'eux.

La discrétion est aussi importante: ne pas tout dire à tout le monde. S'il peut être utile pour le médecin ou le professeur de savoir que l'enfant est adopté afin d'être en mesure de mieux répondre à ses besoins, il n'est peut-être pas nécessaire que le voisin le sache. S'il ne s'agit pas de faire de l'adoption un secret, il est important cependant de respecter l'intimité de l'enfant, de sa famille d'origine et de sa famille actuelle.

LOUISE NOËL, M.S.S., T.S.

# Suggestion de livres[273]

Parler d'adoption avec son enfant

— *En attendant Timoun*

Geneviève CASTERMAN, 1999, éditions Pastel

POUR LES 6 À 9 ANS

« Timoun veut dire enfant en créole. Adopter un enfant, c'est toujours une aventure. Plein d'espoir, ce livre rappelle combien l'adoption est une rencontre, rencontre entre un enfant sans parents et des adultes, rencontre de deux attentes. »

— *Nam, enfant adopté*

Ann DE BODE et Rien BROERE, 1997, éditions Hatier,
collection Éclats de vie

À PARTIR DE 4 ANS

« L'institutrice de la classe demande aux élèves d'apporter une photo de l'époque où ils étaient petits. Tous les enfants sont ravis sauf Nam. Nam a été adopté, ses parents sont allés le chercher dans un autre pays et il ne possède aucune photo du temps où il était tout petit. Alors la maman de Nam se présente à l'école pour raconter aux autres enfants le voyage qu'elle a fait avec son mari pour aller chercher Nam. »

— *Notre petit lapin*

Kes GRAY et Mary MCQUILLAN, 2003,
éditions Gautier Languereau

À PARTIR DE 4 ANS

« Le jour où le petit Timothée apprend qu'il a été adopté, il ne comprend pas. Il aime tellement son papa et sa maman qu'il n'a jamais remarqué qu'il était différent d'eux! Grâce à l'affection de ses parents adoptifs, il apprend que se ressembler importe peu pour former une famille... »

Aussi disponible en anglais sous le titre *Our Twitchy*.

---

273. Cette liste a été initiée par Louise Pellerin, intervenante au Service adoption du CJM–IU, à partir de livres suggérés par ses clients. D'autres intervenants et parents du programme Banque-mixte contribuent continuellement à l'enrichir.

— ***Pas de bébé pour Babette***

Dominique JOLIN, 1995, éditions Les 400 coups

POUR LES 4 À 9 ANS

« Quel désarroi pour cette pauvre petite poule qui désire ardemment un bébé. Tous les animaux de la basse-cour y vont de leurs petits trucs, plus farfelus les uns que les autres. Les résultats seront étonnants... Cet album rigolo et attachant ravira les tout-petits comme les plus grands. »

— ***Pastel a été adopté***

Domitille DE PRESSENSÉ, 1999, éditions Actes Sud Junior, collection Les Histoires de la vie

À PARTIR DE 7 ANS

« Adopté en bas âge, Pastel s'interroge sur sa place dans sa famille. Car, d'un aspect physique, il est différent de ses parents: il n'a ni griffes ni peau rugueuse. Il tente en vain d'être un monstre comme les autres et devient méchant pour tout le monde. Le petit Pastel doute de l'amour de ses parents, mais il réalisera aussi sa chance d'être dans une telle famille et, à son tour, adoptera ses parents. On notera une préface destinée aux parents adoptifs, ainsi qu'en fin d'ouvrage une liste des organismes habilités à l'adoption. »

— ***Un pavot parmi les marguerites***

Lucie BOURASSA, 2003, éditions Charles et Alexandre

POUR LES 4 À 8 ANS

Cette histoire remplie d'analogies a été écrite et illustrée de manière à favoriser la discussion avec l'enfant et ainsi l'aider à mieux comprendre son cheminement de vie.

NOTE DE LUCIE BOURASSA:

« Beaucoup d'enfants, qu'ils soient adoptés ou non, ont besoin de se faire expliquer positivement pourquoi ils ne vivent plus avec leurs parents biologiques.

« Le conte *Un pavot parmi les marguerites* nous aide à ouvrir des portes afin de créer des liens avec la propre histoire de l'enfant. Ce livre s'adresse non seulement aux parents adoptants, mais aussi aux familles d'accueil qui doivent, un jour, raconter le cheminement de vie à ces enfants. »

— **Les deux mamans de Petirou**

Jean-Vital DE MONLÉON et Rébecca DAUTREMER, 2001,
éditions Hachette et Gautier Languereau

À PARTIR DE 6 ANS

« Je m'appelle Petirou, j'habite au pays des kangourous. Au pays
des kangourous, il y a beaucoup de kangourous. Il y en a des tout
roux comme moi. Il y en a aussi des tout bruns, comme Petibrun.
Il y a même quelques kangourous blancs, comme Petiblanc. »

Les deux mamans de Petitrou est un livre plein de tendresse
pour expliquer simplement l'adoption aux tout-petits. L'auteur
Jean-Vital de Monléon est un pédiatre spécialisé dans le suivi
médical d'enfants adoptés à Dijon, France.

— **Horace**

Holly KELLER, éditions Kaléidoscope

À PARTIR DE 4 ANS

« L'origine de l'enfant, les étapes de l'adoption, la question de la
ressemblance, le sentiment d'abandon, ce qui le pousse à rechercher ses congénères (et non ses parents), la filiation. L'ambiance
est chaleureuse. L'album souligne les questions relatives aux différences physiques d'une façon très tendre. »

Aussi disponible en anglais.

— **Elle s'appelle Élodie**

Marthe PELLETIER, 2002, éditions La Courte Échelle,
collection Romans jeunesse

POUR LES 9 À 12 ANS

À partir du point de vue du frère aîné de l'enfant adoptée, ce livre
traite de l'adoption multiculturelle; il aborde les difficultés
d'adaptation de l'enfant et les difficultés dans la création du lien
fraternel.

— **Nina a été adoptée**

Dominique DE SAINT-MARS et Serge BLOCH, 1996,
éditions Alligram

POUR LES 4 À 9 ANS

« Charmant, humoristique, sous la forme de bandes dessinées.
Deux enfants s'imaginent avoir été adoptés. Ils sont inquiets et
posent des questions à une amie qui a été adoptée. »

— ***On s'est adoptés***

Catherine DOLTO-TOLITCH, 2004, éditions Gallimard Jeunesse

POUR LES 3 À 5 ANS

Charmant petit livre qui explique l'adoption internationale.

— ***Jean a deux mamans***

Ophélie TEXIER, 2004, éditions L'École des loisirs,
collection Loulou & Cie

À PARTIR DE 4 ANS

« Jean a deux mamans (il s'agit d'un couple homosexuel). Une
maman ou deux mamans, est-ce vraiment si différent? Oui, sûrement. Mais qu'en pense Jean? »

— ***Une famille pour Duvet***

Anne-Marie CHAPOUTON et Penny YVES, 2003,
éditions Bayard Poche

POUR LES 3 À 7 ANS

« Denise la lapine est triste. Sa maison est vide. Elle qui voudrait
tant un bébé n'arrive pas à en avoir. Mais un jour, Pistache, son
mari, a une idée formidable: "Si on allait chercher un de ces
bébés dont les parents ne peuvent pas s'occuper?" Ce sera Duvet.
Quel beau cadeau dans la vie de Pistache et Denise. »

— ***Mon livre de vie***

Hélène DUCHESNEAU, Domenica LABASI et le CLSC St-Louis-
du-Parc, 2004, éditions Le Dauphin blanc

POUR LES 6 À 12 ANS

Cahier d'exercices sur les étapes de la vie et de l'adoption. Conçu
pour les adoptions internationales mais adaptables pour les
adoptions nationales.

— ***Pourquoi j'ai pas les yeux bleus?***

Anne VANDAL et Jean-François MARTIN, 2003,
éditions Actes Sud Junior, collection Les Premiers Romans

POUR LES 8 ET 9 ANS

« J'en ai vraiment assez des yeux bleus de Maman, pas du tout
comme les miens. Je suis plutôt petite pour mon âge, j'ai la peau
très brune, je bronze rien qu'à regarder le soleil, j'ai des cheveux
très noirs et très bouclés, et j'ai des yeux complètement noirs. Pas
marrons, ou bruns, ou ocre: noirs. Je vais essayer de savoir si
vraiment, vraiment, il n'y a rien à faire pour changer leur
couleur. »

— *Badésirédudou*

Marie-Claude BÉROT et Daphné COLLIGNON, 2004,
éditions Flammarion

POUR LES 8 ET 9 ANS

« L'histoire d'une famille qui adopte une petite fille. Ils ont un fils
qui n'est pas content du tout, alors il essaie de la perdre dans la
forêt. Et puis il se rend compte qu'il l'aime. »

— *Le chant de l'hirondelle*

Marie-Claire LABALESTRA et Marcellino TRUONG, 2000,
éditions Casterman junior

POUR LES 8 ET 9 ANS

« Varouni a douze ans. Elle a quitté la Thaïlande pour rejoindre
un nouveau foyer dans le sud de la France. Depuis l'arrivée de la
fillette, Agathe et Vincent se montrent des parents adoptifs
aimants. De son côté, Varouni est docile. Mais, graduellement,
Varouni s'éloigne et délaisse de plus en plus sa famille. Après des
semaines de tension, la crise éclate enfin, qui mènera à un amour
plus profond. »

— *Barnabé a été adopté*

Ophélie TEXIER, 2005, éditions L'École des loisirs,
collection Loulou & Cie

À PARTIR DE 2 ANS

« Barnabé ne ressemble pas à ses parents. Barnabé le jeune cro-
codile, dont les parents adoptifs sont des chiens, mène une vie de
famille heureuse. Ils ne lui ressemblent pas beaucoup mais l'ado-
rent et lui fournissent un foyer plein d'amour. »

— *Moun*

Sophie RASCAL, 1994, éditions Pastel

À PARTIR DE 6 ANS

« Un récit initiatique plein de poésie. Moun vient d'un pays où il
y a la guerre. Pour échapper aux combats, les parents de Moun la
mettent dans une petite boîte et la confient à la mer. L'enfant
échoue sur un rivage de l'autre côté de l'océan. Elle est très vite
recueillie et adoptée. Moun sera l'aînée de quatre frères et sœurs.
Cependant, Moun n'oublie pas ses origines et pense à ceux qu'elle
a aimés "au-delà de l'horizon". »

Parler d'adoption avec son adolescent

— *L'adoption, des ados en parlent*

Anne LACHON, 2004, éditions La Martinière, collection Oxygène

Très intéressant pour un ado adopté, langage adapté, sensibilité. Fait en France, les adresses à la fin ne sont pas adaptées au public québécois et les lois sont différentes, mais 80 % du livre convient à tous les adoptés. Les parents aussi peuvent bénéficier de la lecture de ce livre. L'auteur est elle-même mère adoptive et aujourd'hui grand-mère. Elle a réalisé un travail d'enquête auprès de parents adoptifs et d'enfants adoptés pour savoir comment était vécue l'adoption de part et d'autre. Elle tente de comprendre les séquelles laissées en chacun par une histoire difficile, un passé douloureux.

— *Pour rallumer les étoiles*

Dominique DEMERS, 2006, Québec Amérique

« Depuis seize ans, depuis qu'elle a donné son fils en adoption, Marie-Lune ressent toujours la même brûlure: elle ne sait pas ce qu'il est devenu et ce vide la consume. Car ce garçon qu'elle n'a pas vu grandir, elle est persuadée qu'il a besoin d'elle. Maintenant. Comme elle-même a besoin de lui. Désespérément.

« Malgré la peur de faire fausse route, de blesser son amoureux, Jean, et les membres de la famille adoptive de Gabriel, malgré sa peur du rejet, il perce chez Marie-Lune un incontrôlable désir de foncer à sa rencontre, coûte que coûte. Le désir d'en finir avec les regrets et les non-dits, d'aller de l'avant, et de tourner la page... pour rallumer les étoiles. »

Parler de l'angoisse de séparation avec son enfant

— *Bébés chouettes*

Martin WADDELL et Patrick BENSON, 1993, éditions Kaléidoscope

À PARTIR DE 3 ANS

« Une histoire de séparation: 3 bébés chouettes se réveillent la nuit et leur mère a disparu. L'angoisse du tout-petit va peu à peu gagner les plus grands qui se voulaient raisonnables, jusqu'au retour de maman chouette. »

Parler d'attachement avec son enfant

— *Je t'aimerai toujours*
Robert MUNSCH, éditions Firefly Books Ltd.

À PARTIR DE 2 ANS

L'histoire d'un petit garçon qui passe par les différentes étapes pour devenir un homme et de la persistance de l'amour parental à travers les changements de la vie. Très touchant, pour les enfants et pour les parents, pour toutes les familles : celles où il y a une adoption et les autres.

Aussi disponible en anglais.

Parler d'autres sujets délicats avec son enfant

— *Camille et ses amis (Camille et son drôle de nounours, Camille amoureuse, Camille ne veut pas prêter ses jouets)*
Aline DE PÉTIGNY et Nancy DELVAUX, 2003, éditions Hemma

À PARTIR DE 3 ANS

« Camille apprend à accepter les différences au contact de ses amis de toutes origines. »

— *Un nouveau départ pour Pirouette*
Sylvie BEAULIEU et Nadia BERGHELLA, 2001,
éditions Impact jeunesse

POUR LES 4 À 8 ANS

« Pirouette, le bernard-l'hermite, doit quitter sa confortable maison malgré toute la peur et la peine qu'il éprouve. Heureusement, son ami Arc-en-ciel, le papillon, l'aidera à traverser en paix et avec détermination cette difficulté. Ce livre enseigne au jeune lecteur à mieux faire face aux changements qu'il rencontre. »

— *Le sac à dos invisible*
Danielle PERREAULT et Nadia BERGHELLA, 2003,
éditions Impact jeunesse

POUR LES 4 À 8 ANS

« Cédric a été la victime d'un très grand malheur. Celui-ci était si gros qu'il décida de l'enfermer dans un sac à dos dont le plus grand avantage, croyait-il, était son invisibilité. Toutefois, le malheur devint si lourd à porter qu'il fit trébucher Cédric et finit par se transformer en cauchemar. Heureusement pour lui, le bonhomme Sanspeine, un chasseur de malheurs, se présenta à son école. Ce livre enseigne au lecteur à partager ses peines et ses secrets de façon à se sentir mieux avec lui-même comme avec les autres. »

— **L'arc-en-ciel de Simon Soleil**

René LAFLEUR et Nadia BERGHELLA, 2002,
éditions Impact jeunesse

POUR LES 4 À 8 ANS

« Sur la drôle de planète de Simon Soleil, ce sont les enfants qui choisissent les membres de leur famille dans un magasin-entrepôt: le Club Famille. Mais, que se passe-t-il quand certains personnages ne sont plus disponibles? Ou encore, lorsqu'ils ne fonctionnent pas comme on le voudrait? Simon Soleil découvrira comment être heureux malgré l'absence de son père, en cultivant des relations avec d'autres personnes significatives de son entourage. Ce livre enseigne au lecteur à exprimer ce qu'il ressent à l'égard de sa situation familiale (divorce, séparation, famille recomposée...). »

— **Le pays des sentiments**

Sophie GIRARD et Nadia BERGHELLA, 2002,
éditions Impact jeunesse

POUR LES 4 À 8 ANS

« Série d'histoires métaphoriques dont l'objectif est d'aborder une problématique psychologique et d'amener le lecteur accompagné d'un adulte à dialoguer sur le sujet. Des questions parsemées à travers le récit ou regroupées à la fin de l'ouvrage permettent d'entamer ces échanges. Textes et illustrations simples. Dans celui-ci: l'importance d'aller au fond de ses émotions pour mieux les comprendre et les maîtriser et ainsi avoir de bonnes relations avec les autres et avec soi-même. »

— **La trop parfaite Ophélie**

Sophie GIRARD et Nadia BERGHELLA, 2002,
éditions Impact jeunesse

POUR LES 4 À 8 ANS

« Ophélie commence tout juste l'école que, déjà, elle décide de ne plus jamais y retourner. Elle s'est imaginée que pour se faire des amis et réussir à l'école, il fallait savoir tout faire parfaitement, même les choses que l'on fait pour la première fois! Voici comment elle a découvert que la persévérance est un trésor inestimable. Ce livre enseigne au lecteur que l'apprentissage est une démarche qui comporte plusieurs étapes et qu'il n'est pas nécessaire d'être parfait pour devenir quelqu'un de bien et d'aimable. »

— **Mélodie et les anges**

Danielle PERREAULT et Nadia BERGHELLA, 2003,
éditions Impact jeunesse

POUR LES 7 À 11 ANS

« Mélodie n'avait pas le droit de pleurer, sa maman le lui avait interdit. De plus, elle avait vraiment peur que sa mère ne l'aime pas. Le simple fait d'y penser la rendait si triste... qu'elle se mettait à pleurer. Heureusement, elle fit la connaissance de Lespoir, qui vint à son secours. Ce conte enseigne au lecteur à désamorcer la peur quand elle se présente et à développer ses forces. »

— **6 histoires pour mieux vivre entre frères et sœurs**

Madeleine GRENIER-LAPERRIÈRE et Hélène LAPERRIÈRE, 2005,
éditions Éducation Coup-de-fil

À PARTIR DE 3 ANS

« Pour enfants de trois à sept ans ou tant qu'ils aiment les histoires et les dessins à colorier. La jalousie entre frères et sœurs est la cause de plusieurs conflits au sein de la famille. Comment arriver à mieux s'entendre, à partager, à coopérer? Des histoires pour les enfants, à lire avec les parents pour les aider dans cette tâche. Contient un message pour les parents. »

— **Les douze manteaux de maman**

Marie SELLIER, Nathalie NOVI, 2005, Le Baron Perché

À PARTIR DE 3 ANS

« Maman a douze manteaux, un pour chaque mois de l'année, mais elle les porte quand ça lui chante... Un manteau de rosé pour la douceur, un manteau de vent pour le rêve, un manteau de pages pour les contes qu'elle lit le soir, un manteau de feu pour sa colère, un manteau arc-en-ciel quand elle est joueuse et se déguise, un manteau noir quand elle interdit tout, un super manteau où elle trouve de tout, un manteau d'ombre pour sa tristesse, un manteau de glace pour sa fatigue, un manteau sans couleur quand elle s'absente, un manteau dame tartine quand elle apporte des brioches et du chocolat, et un manteau tout bleu pour son amour. »

— **Ma maman du photomaton**

Yves NADON, Manon GAUTHIER, 2006, Éditions Les 400 coups

À PARTIR DE 6 ANS

« Une maman qui meurt, une enfant qui choisit de vivre... un grand chagrin, beaucoup de tendresse... »

— *À PARAÎTRE EN 2008: coffret de 12 à 15 contes*

Gérald LAJOIE, psychologue au CJM–IU

POUR LES 5-12 ANS

Les thèmes abordés comprendront les difficultés d'attachement, les conflits de loyauté entre famille d'origine et famille substitut, les angoisses de séparation, les deuils difficiles, l'abandon, la colère, la culpabilité et ses répercussions sur l'estime de soi...

 ## JEUX INTERACTIFS

—*Invente-moi une histoire*

Sophie THIBEAULT, conception Genti Games, éditions Gladins International

À PARTIR DE 4 ANS

« Il s'agit d'inventer des histoires, peu importe qu'elles soient réelles, fictives, farfelues ou insolites, en se laissant inspirer par les illustrations des cartes du jeu. Ce jeu constitue un mode d'expression, un outil d'apprentissage, un stimulant pour l'imagination, et surtout l'occasion d'entrer en communication avec les autres tout en développant l'estime de soi (il n'y a pas de perdants ni de mauvaises histoires). Invente-moi une histoire est un jeu entièrement ouvert: il grandit avec les enfants, s'adaptant à leurs sensibilités; chaque partie est différente car l'imagination n'a pas de limite; et la durée du jeu est complètement modulable. *Contient 108 cartes dim. 8,5 cm dont 101 de différentes catégories et 7 représentant des émotions + 1 tapis de jeu + un guide d'utilisation.* »

— *Parle-moi d'adoption*

(complément de *Invente-moi une histoire*)

Sophie THIBEAULT, inspiration d'Hélène DANSEREAU et de Dominica LABASI et le CLSC St-Louis-du-Parc, conception Genti Games, éditions Gladins International

À PARTIR DE 4 ANS

« À la demande d'Hélène Dansereau et de Dominica Labasi, du Service d'adoption internationale du CLSC St-Louis-du-Parc, à Montréal, Sophie Thibeault créait *Parle-moi d'adoption*, le complément à son premier jeu. Les deux intervenantes faisaient face à beaucoup de questions de la part des parents adoptifs. Elles cherchaient un outil qui aiderait ces parents à aborder le sujet de l'adoption et à briser la glace avec leurs enfants pour que tous verbalisent leurs émotions. »

— *Nomme-moi*

Sophie THIBEAULT, conception Genti Games,
éditions Gladins International

À PARTIR DE 4 ANS

« On jette le dé, on tire une carte et il faut nommer selon le dé et
la carte: 4 légumes, 3 choses qui puent, 2 choses que tu aimes
recommencer, 4 choses que tu fais en cachette... L'intérêt du jeu
réside essentiellement dans la qualité des catégories proposées. »

 ## SUGGESTIONS DE LIVRES POUR LES PARENTS

— *FA'A'AMU: L'enfant adoptif* suivi de *Lettre à l'enfant*

Roger LOMBARTOT, 2006, éditions Les Cahiers de l'Égaré

« Face à sa révolte, une mère révèle à son fils les circonstances de
son adoption et lui livre ses pensées les plus intimes, élargissant
son propos à la relation qui unit chaque mère, chaque père... à
son enfant. »

— *Parents de cœur*

Sherrie ELDRIDGE, 2003, éditions Albin Michel,
collection Questions de parents

« L'enfant adopté est un enfant qui a été avant tout abandonné.
L'auteur aborde dans ce livre les non-dits liés à la souffrance de
l'adoption et tente de répondre aux questions des parents concernant la culpabilité, la colère, la perte, la famille biologique, la
peur d'être encore abandonné, la différence, l'identité, etc. »

— *Je m'attache, nous nous attachons:*
le lien entre un enfant et ses parents

Louise NOËL, 2003, éditions Sciences et Culture,
collection Centre jeunesse de Montréal–Institut universitaire

« L'objectif de ce livre est de faire connaître la théorie de l'attachement à ceux qui s'occupent de jeunes enfants dans le quotidien. L'attachement est un processus d'apprentissage dont le
siège est situé au cerveau. Le processus par lequel le jeune
enfant apprend à se faire une image de lui-même et du monde
extérieur, les étapes et la manière dont la relation d'attachement
se construit entre le jeune enfant et chacun de ses parents ainsi
que les différents styles d'attachement sont exposés. Le dernier
chapitre donne une brève description des conséquences d'un déficit d'attachement et des séparations pouvant en résulter. »

— *Le complexe de Moïse: Regards croisés sur l'adoption*
Diane DRORY et Colette FRÈRE, 2006, éditions Albin Michel
« Douze adultes adoptés racontent leur expérience d'adoption et l'impact sur leur vie. Les auteures commentent chaque récit dans l'esprit de la psychanalyse. »

— *Les miracles de l'adoption, 30 histoires merveilleuses*
Marie-Chantal MARTINEAU, 2000, éditions Le Dauphin blanc
« Des histoires vécues d'adoption qui sauront inspirer les parents adoptifs ou en voie d'adoption. »

— *Frères et sœurs, une maladie d'amour*
Marcel RUFO, avec la collaboration de Christine SCHILTE, 2002, éditions Fayard
« Une réflexion sur les relations fraternelles que les auteurs qualifient de "maladie d'amour, avec ses instants de complicité, ses bonheurs partagés, ses souvenirs communs, mais aussi ses moments de crise, ses rivalités et ses jalousies". Sans oublier les rancœurs lors de l'ouverture du testament des parents. Un essai qui fait ressortir la force et la richesse du lien fraternel sans mentir sur les difficultés de la cohabitation. Car tout n'est pas idyllique dans la fratrie, loin de là. »

— *Les premières années durent toute la vie: livret pour les parents*
INSTITUT CANADIEN DE SANTÉ INFANTILE, 1998, titre no 16, [http://cich.ca/French/index-f.html]
(Date de consultation: 2007-12-16.)
« Il ressort des nouvelles recherches sur le cerveau que les trois premières années de la vie revêtent une importance critique pour le développement de l'enfant. Ce livret présente 10 lignes directrices qu'on peut suivre pour promouvoir le développement des jeunes enfants en santé et pour s'assurer qu'ils soient bien préparés aux années scolaires. »

 SITES INTERNET

– Association Croqu'livre: lutte contre l'exclusion et l'illettrisme par des actions permettant l'accès à la lecture pour tous. Sélection de livres sur l'adoption. [http://boomerangs.net/croqulivre]. (Date de consultation: 2007-08-07.)

- Espace adoption: site français sur l'adoption. Sélection de livres sur l'adoption. [http://www.espace-adoption.ch/f/index.php?idp=44]. (Date de consultation: 2007-08-07.)

- Hôpital Sainte-Justine: [http://www.chu-sainte-justine.org/accueil/default.aspx]. (Date de consultation: 2007-08-07.)

  • Centre d'information sur la santé de l'enfant: riche sélection de livres et de sites Internet sur plusieurs sujets dont l'adoption et s'adressant autant aux parents qu'aux enfants et aux adolescents.

  • La Collection de l'Hôpital Sainte-Justine pour les parents.

- MEAnomadis: portail québécois concernant l'adoption internationale. Sélection de livres sur l'adoption. [http://www.meanomadis.com/content/index.asp]. (Date de consultation: 2007-08-07.)

- PetitMonde: site spécialisé pour les femmes, la famille et l'enfance. Sélection de livres sur l'adoption: [http://www.petitmonde.com/gw]. (Date de consultation: 2007-08-07.)

- Portail européen sur la littérature jeunesse: site européen. Sélection de livres sur l'adoption. [http://www.ricochet-jeunes.org]. (Date de consultation: 2007-08-07.)

Annexe 2

Conditions pouvant affecter les enfants adoptés

Cette annexe donne de l'information sur quelques problèmes pouvant parfois affecter des enfants adoptés[274]. La plupart des enfants n'ont aucun de ces problèmes et certains ont été inclus ici uniquement parce qu'un des enfants dont il a été question dans ce livre en était affecté.

Cinq problèmes sont mentionnés:

- déficit intellectuel;

- hépatites B, hépatite C et VIH: transmission mère-enfant;

- maladies mentales avec connotation héréditaire;

- substances tératogènes;

- syndrome du bébé secoué.

Les renseignements partiels donnés ici ont été glanés auprès de professionnels de la santé au fur et à mesure des interventions faites auprès des enfants orientés vers une ressource du programme Banque-mixte. Ils sont inclus afin de donner aux postulants à l'adoption un matériel et des références de base leur permettant de poursuivre leur réflexion. Les postulants eux-mêmes doivent vérifier et compléter, à la lumière des nouvelles études qui sont faites régulièrement, l'information apportée dans cette annexe, selon leurs besoins.

---

274. Ces problèmes peuvent affecter tous les enfants adoptés, que ce soit au Québec ou à l'étranger.

2.1 DÉFICIT INTELLECTUEL

Certains parents d'origine des enfants orientés vers une ressource de type Banque-mixte souffrent d'un déficit intellectuel connu et diagnostiqué. D'autres semblent présenter des comportements indiquant une limite intellectuelle bien qu'aucun diagnostic n'ait été posé.

Dans le premier cas, ce déficit pourrait être génétiquement transmissible à l'enfant. Autant que possible, des renseignements sur la présence ou l'absence de ce type de déficit chez d'autres membres de la famille sont recueillis. Si plusieurs membres de la famille sont atteints d'un tel déficit, l'enfant a lui aussi plus de risques d'être atteint, mais ce n'est pas toujours le cas: certains enfants ont un développement intellectuel tout à fait normal [275].

Dans le second cas, il est possible que la limite intellectuelle qui semble avoir été observée chez le parent soit le résultat d'un manque de stimulation durant l'enfance de ce dernier ou de grandes difficultés éprouvées durant sa jeunesse. Cette limite intellectuelle n'est alors pas génétiquement transmissible à l'enfant. Dans ces situations, il est souvent très difficile de déterminer l'origine de la limite, et les parents Banque-mixte qui s'engagent auprès de l'enfant doivent accepter ce risque.

Voici quelques éléments d'information sur cette problématique[276]:

275. C'est le cas d'Anthony dans le cinquième récit.

276. Information transmise en février 2002 par Gail Ouellette, Ph.D., généticienne et conseillère en génétique, Service de génétique, CHUS – Fleurimont, Sherbrooke, (Québec), à partir des références suivantes:
   • Harper, P.S. *Practical Genetic Counselling,* Butterworth & Heinemann, Oxford, 1998.
   • Daily, D.K., Ardinger, H.H., Holmes, G.E. « Identification and Evaluation of Mental Retardation », *American Family Physician,* 2000, vol. 61, no 4, 1059-1067.
   • Croen, L.A., Grether, J.K., Selvin, S. « The Epidemiology of Mental Retardation of Unknown Cause », *Pediatrics,* 2001, vol. 107, no 6.
   • Castellvi-Bel, S., Milà, M. « Genes Responsible for Nonspecific Mental Retardation », *Molecular Genetics and Metabolism,* 2001, vol. 72, 104-108.
   • Beauvais, P., Houdayer, C. « Syndrome de l'X fragile. Épidémiologie, génétique, diagnostic », *La revue du praticien,* 2001, no 51, 1477-1480.

- Le déficit intellectuel est traditionnellement défini comme étant:
  - modéré ou sévère si le QI ≤ 50: environ 0,3 % de la population;
  - léger si le QI = 50-70: environ 2 % à 3 % de la population;
  - un QI > 70 est considéré comme une intelligence normale.

- Le QI d'un individu est considéré comme un trait multifactoriel: il est influencé par des facteurs environnementaux et par des facteurs génétiques.

- Un retard intellectuel léger se situe dans la partie inférieure de la courbe de distribution normale de l'intelligence et est donc aussi influencé par plusieurs facteurs (environnementaux et génétiques).

- En général, l'intelligence d'un enfant sera probablement d'un niveau médian entre celle de chacun de ses parents, mais il se peut aussi qu'elle soit supérieure ou inférieure selon les facteurs génétiques et environnementaux qui entrent en jeu.

- La majorité des enfants ayant un retard mental sévère sont nés de parents qui ont une intelligence normale. S'il y a plusieurs cas dans une famille, en général, ils seront tous sévères et il n'y aura pas de gradation entre l'intelligence normale et le retard sévère.

- Il y a plus de chances de trouver une cause précise à un retard mental sévère (la cause principale serait génétique dans ~50 % des cas, alors qu'elle le serait dans ~15 % des cas pour le retard mental léger).

- Les causes du retard intellectuel sont donc variées et demeurent inconnues dans environ la moitié des cas.

- Deux à trois pour cent de la population souffrirait d'un déficit intellectuel.

- Certaines des causes génétiques ou héréditaires sont connues depuis peu et il y a constamment de nouvelles découvertes ou de nouveaux tests. Il pourrait donc être important de réévaluer un individu qui n'a pas eu une investigation médicale récente et de consulter un service de conseil génétique.

- Dans le cas où l'un ou les deux parents ont un déficit intellectuel léger, de façon générale, l'enfant aura une intelligence se situant dans la moyenne de ses deux parents. Cependant, il pourrait aussi être différent (plus intelligent ou moins intelligent), car il y a des interactions entre les facteurs génétiques et environnementaux. Donc, la combinaison de l'ensemble des gènes reçus des deux parents, le déroulement de la grossesse, le milieu et les conditions de vie, le niveau de stimulation, etc. peuvent aussi influencer.

- Aussi, il ne faut pas oublier qu'un enfant qui a des parents ayant une intelligence qui se situe dans la distribution normale pourrait avoir un déficit intellectuel dont les causes peuvent être génétiques, mais aussi environnementales (par exemple, milieu socio-économique, drogues, alcool[277], etc.). En fait, la majorité des individus ayant un déficit intellectuel sont nés de parents normaux.

- De façon générale, on peut dire à tout couple qui attend un enfant qu'il y a une probabilité d'environ 3 % qu'il ait un enfant avec une malformation ou un problème de santé quelconque à la naissance.

 ## 2.2 HÉPATITE C, HÉPATITE B ET VIH : TRANSMISSION MÈRE-ENFANT[278]

Les hépatites B et C et le VIH sont des virus pouvant se transmettre de la mère à l'enfant. Les personnes qui consomment des drogues par intraveineuses, qui ont des partenaires sexuels multiples et qui n'utilisent pas de méthodes efficaces de protection risquent davantage d'être atteintes. C'est souvent le cas des parents d'origine des enfants orientés vers une ressource de type Banque-mixte. Il existe des protocoles médicaux pour réduire les risques de transmission de la mère à l'enfant. Par contre, les mères qui ne bénéficient pas de ces protocoles risquent davantage de transmettre ce virus à leur enfant. Il est à noter qu'à ce jour, dans le cadre du programme Banque-mixte du CJM–IU, un très petit nombre d'enfants se sont révélés porteurs de ces virus. Dans ces cas, la condition de l'enfant était connue au moment du jumelage, et les parents Banque-mixte se sont engagés en toute connaissance de cause.

---

277. C'est le cas de Bruno dans le troisième récit.
278. L'auteure désire remercier Denis Blais (date de consultation: 2006-03-20), infirmier clinicien, Clinique des maladies infectieuses, CHU Sainte-Justine, qui lui a transmis ces renseignements à partir des références suivantes:
    - American Academy of Pediatrics. (2003). *Red Book: Report of the Committee on Infectious Diseases,* 26e édition, Illinois, 927 p.
    - MSSS. (2002). *Comité de prévention des infections dans les centres de la petite enfance. Prévention et contrôle des infections dans les centres de la petite enfance: guide d'intervention,* Gouvernement du Québec, 473 p.
    - MSSS. (2004). *Comité sur l'immunisation du Québec.* Protocole d'immunisation du Québec, 4e édition, 471 p.

Hépatite C

L'hépatite C est une infection du foie causée par le virus de l'hépatite C (VHC). Elle se transmet principalement par voie sanguine, par transfusion de sang de la mère à l'enfant. Ce type de transmission est estimé entre 5 % et 6 %. L'allaitement n'a pas été démontré comme un facteur de transmission. Environ 85 % des personnes infectées évolueront vers une infection chronique du foie.

Lorsque la femme enceinte est porteuse du VHC, elle devrait s'assurer d'avoir un suivi médical pour déterminer la charge virale du virus, le niveau de ses enzymes hépatiques et autres symptômes (fatigue, ictère, douleur abdominale, anorexie). Un traitement avec l'interféron ou la ribavirine sera discuté avec son médecin.

Le suivi du nouveau-né:

• Il n'y a pas de vaccin contre le VHC actuellement.

• Un test sanguin sera fait sur le bébé entre le premier et le troisième mois de vie pour déterminer l'absence du virus de l'hépatite C (VHC-PCR). Un dosage des anticorps sera fait (anti-HCV) et sera probablement positif puisque l'enfant sera porteur des anticorps maternels. Ceux-ci s'élimineront au cours des dix-huit premiers mois de vie. D'autres tests sanguins seront répétés pour s'assurer qu'il s'agit bien des anticorps maternels. Si ces tests restent positifs, cela signifiera que l'enfant est porteur du virus.

Hépatite B

L'hépatite B est une infection du foie causée par le virus de l'hépatite B (VHB). Le mode de transmission est par relations sexuelles, par voie sanguine ou de la mère à l'enfant. La majeure partie des gens qui sont en contact avec le VHB développeront une immunité permanente par la production d'anticorps et ne seront pas porteurs du virus. Une personne sur dix aura une infection chronique du foie. Un traitement à l'interféron ou à la lamivudine est possible pour certains porteurs chroniques symptomatiques. La transmission mère-enfant sans mesure prise chez le bébé est de 70 % à 90 % si le facteur de virulence est présent chez la mère (AgHBs et AgHBe positifs).

Le suivi du nouveau-né:

• La gammaglobuline hyperimmune contre l'hépatite B (HBIG) ainsi que la première dose de vaccin contre le VHB (Recombivax) doivent être administrés au bébé dans les douze heures suivant la naissance.

- La deuxième (à l'âge de un mois) et la troisième (à l'âge de six mois) doses de vaccin contre le VHB devront être administrées par un professionnel de la santé (CLSC, visite au pédiatre, hôpital).

- Une sérologie (prise de sang) de contrôle (AgHBs et anti-HBs) un à deux mois après la troisième dose de vaccin devra être faite chez le bébé pour s'assurer de l'absence du virus et de l'immunité conférée par la vaccination.

VIH

L'infection au virus de l'immunodéficience humaine (VIH) est causée par un rétrovirus qui peut donner une variété de manifestations cliniques allant de l'infection asymptomatique au sida (syndrome d'immunodéficience acquise). Le mode de transmission est par relations sexuelles, par voie sanguine ou de la mère à l'enfant durant la grossesse, l'accouchement ou par l'allaitement. La prise en charge de la femme enceinte séropositive par une équipe médicale multidisciplinaire est essentielle. L'équipe déterminera la charge virale maternelle, le taux de lymphocytes CD4 (défense immunitaire), la prise de plusieurs antirétroviraux selon la résistance du virus et la tolérance générale (effets secondaires). Le risque de transmission mère-enfant du VIH, en l'absence d'antirétroviraux, peut aller jusqu'à 39 %.

Un protocole médical rigoureux avant, durant et après la grossesse sera appliqué afin de prévenir la transmission au nouveau-né:

- La prise d'antirétroviraux par la mère enceinte par voie orale durant la grossesse à partir de la quatorzième semaine de gestation.

- L'administration de zidovudine par voie intraveineuse durant le travail et l'accouchement.

- Un accouchement par césarienne est envisagé selon la charge virale de la mère.

- Un suivi médical du nouveau-né: administration orale d'antirétroviraux (trithérapie) au nouveau-né pour quatre à six semaines et une recherche de l'antigène du VIH (PCR) par des tests sanguins jusqu'à l'âge de douze mois.

- La mère ne pourra pas allaiter son enfant.

L'expérience de l'équipe VIH du CHU Sainte-Justine depuis plus de quinze ans a permis, avec la mise en place de ce protocole rigoureux, d'éviter la transmission du VIH chez tous les enfants de leur cohorte.

 ## 2.3 MALADIES MENTALES[279]

Certaines maladies mentales peuvent être génétiquement transmissibles à l'enfant. Les maladies les plus sévères sont la schizophrénie et la maladie bipolaire, autrefois appelée maniacodépression. Dans ces deux cas, il est extrêmement rare que la maladie se déclare durant l'enfance: elle apparaît généralement à l'adolescence ou au début de l'âge adulte, et l'environnement et les agents stressants joueraient un rôle dans le déclenchement de ces maladies.

Schizophrénie

- Si les deux parents d'origine de l'enfant sont atteints, l'enfant a 40 % de risques d'être atteint de cette maladie durant sa vie.

- Si un seul des parents d'origine de l'enfant est atteint, l'enfant a 10 % de risques d'être atteint de cette maladie durant sa vie.

- Si un parent au deuxième degré de l'enfant (grand-parent, oncle, tante d'origine) est atteint, l'enfant a 5 % de risques d'être atteint de cette maladie durant sa vie.

- Le risque d'être atteint de schizophrénie dans la population en général est de 1 %.

Maladie bipolaire

- Si les deux parents d'origine de l'enfant sont atteints, l'enfant a de 50 % à 75 % de risques d'être atteint de cette maladie durant sa vie.

---

279. Ces renseignements ont été transmis par le Dr Sylvain Palardy, pédopsychiatre au CHU Sainte-Justine. Date de consultation: 2006-10-05. Le Dr Palardy suggère aux personnes intéressées le livre *Psychiatrie clinique: une approche bio-psycho-sociale, tome 2: spécialités, traitements, sciences fondamentales et sujets d'intérêt,* sous la direction de Pierre Lalonde, Jocelyn Aubut et Frédéric Grunberg. Boucherville, Gaëtan Morin, 2001, 835 p.

- Si un seul des parents d'origine de l'enfant est atteint, l'enfant a de 12 % à 25 % de risques d'être atteint de cette maladie durant sa vie.

- Si un parent au deuxième degré de l'enfant (grand-parent, oncle, tante d'origine) est atteint, les risques de l'enfant d'être atteint de cette maladie durant sa vie sont accrus, mais cependant moindres que s'il s'agissait d'un parent au premier degré.

- Le risque d'être atteint de maladie bipolaire dans la population en général est de 1,3 %.

D'autres problèmes sont de plus en plus reconnus comme ayant une connotation génétique: les troubles de l'attention avec ou sans hyperactivité, les troubles anxieux et la dépression majeure. Dans ce dernier cas, les spécialistes s'entendent pour dire que de 15 % à 25 % de la population aura au moins un épisode de dépression majeure dans sa vie. Par épisode de dépression majeure, on entend un épisode où la personne ressentira une tristesse profonde et presque continue avec perte d'intérêt ou de plaisir pouvant être accompagnée de troubles de l'appétit, de perte de poids, de troubles du sommeil, de problèmes de concentration, de fatigabilité, d'idées ou de gestes suicidaires, de désespoir...

 ## 2.4 SUBSTANCES TÉRATOGÈNES[280]

Le mot tératogène vient du grec *teras, teratos* signifiant « monstre ». C'est un qualificatif s'adressant au groupe de substances qui, par leur action sur l'embryon, peuvent l'endommager. Les neurotoxines sont de ces substances. Dans ce groupe, on retrouve l'alcool, les drogues, le tabac et certains médicaments dont on connaît aujourd'hui les effets délétères sur le fœtus.

---

280. Cette section sur les substances tératogènes a été publiée initialement dans le premier livre de l'auteure (Noël, 2003, p. 117-123). Des ajouts et corrections ont été faits.

Les neurotoxines pendant la grossesse[281]

* **L'alcool** consommé par la mère durant la grossesse est pour le fœtus une toxine puissante qui peut causer le syndrome de l'alcoolisation fœtale (SAF) ou les effets de l'alcoolisation fœtale (EAF). Ces syndromes sont aujourd'hui regroupés sous l'appellation « Ensemble des troubles causés par l'alcoolisation fœtale » (ETCAF). Actuellement, la quantité exacte d'alcool et la fréquence de consommation nécessaires pour causer le syndrome ou les effets de l'alcoolisation fœtale ne sont pas connues. Pour cette raison, il est recommandé de s'abstenir de consommer durant la grossesse.

  Le syndrome est la forme la plus sévère des séquelles. On observe des déformations faciales: les oreilles sont plus basses que la moyenne, le sillon vertical entre le nez et la lèvre supérieure (*philtrum*) est plus court et moins prononcé, on observe des malformations du palais et de la lèvre supérieure. Il peut aussi entraîner une perte de neurones, une altération sévère du développement neurocomportemental et du fonctionnement cognitif, des retards de croissance intra-utérine et extra-utérine. Le cerveau des enfants touchés par l'alcoolisation fœtale est plus petit que la normale. Les conséquences se font sentir toute la vie (Shonkoff et Phillips, 2000).

---

281. Pour plus d'information sur les neurotoxines: le Comité permanent de lutte à la toxicomanie (CPLT) du ministère de la Santé et des Services sociaux du gouvernement du Québec a publié, en septembre 2002, un document intitulé *Impacts de la toxicomanie maternelle sur le développement de l'enfant et portrait des services existants.* [http://dependances.gouv.qc.ca/index.php?archives_cplt]. (Date de consultation: 2007-08-07.)
    Pour les personnes désirant plus d'information sur le syndrome d'alcoolisation fœtale, voici quelques sites Internet d'intérêt:
    * L'excellent dossier sur l'alcoolisation fœtale de l'émission « Découverte » de Radio-Canada diffusé en avril 2001: [http://www.radio-canada.ca/actualite/v2/decouverte]. (Date de consultation: 2007-08-07.)
    * SAFERA, organisme québécois à but non lucratif fondé en 1998, dont la mission est de sensibiliser la population aux effets de l'exposition prénatale à l'alcool et de fournir des renseignements sur le SAF/EAF: [http://www.safera.qc.ca]. (Date de consultation: 2007-08-07.) À noter aussi l'excellent livre *Enfants de l'alcool* de Louise Loubier-Morin, publié par le même organisme en 2004.
    * Le syndrome d'alcoolisation fœtale se traduit en anglais par *Fetal Alcohol Syndrome (FAS)/Fetal Alcohol Effect (FAE).* Une recherche sur le moteur de recherche Google avec les mots-clés FAS ou FAS/FAE fournira plusieurs sites.

Le niveau moins sévère, qu'on appelle les effets de l'alcoolisation fœtale, amène les mêmes conséquences sauf les déformations faciales. Étant donné l'absence de ces déformations, ce niveau est plus difficile à diagnostiquer. Les effets de l'alcoolisation fœtale, s'ils sont à première vue moins apparents, peuvent être aussi sévères en ce qui concerne les dysfonctions cérébrales. Le diagnostic étant plus difficile, l'intervention est souvent plus tardive et, de là, moins efficace.

Chez ces enfants, les problèmes observés sont divers: problèmes d'attention et de mémoire, difficultés à résoudre des problèmes et à appréhender les concepts abstraits, coordination pauvre, sensibilité excessive aux lumières vives et aux bruits, hyperactivité. Environ la moitié des enfants atteints du syndrome ont un déficit intellectuel[282]. Plus les enfants vieillissent, plus les problèmes intellectuels deviennent visibles (Shonkoff et Phillips, 2000).

Les difficultés de ces enfants peuvent les amener à avoir des problèmes avec la justice. Ne comprenant pas les concepts abstraits, tel celui de propriété, ils ne peuvent avoir le sentiment de commettre un vol lorsqu'ils prennent quelque chose qui ne leur appartient pas. Certains n'intègrent pas les relations de cause à effet: « C'est parce que j'ai donné un coup à mon frère (cause) qu'il pleure (effet) et que je dois rester dans ma chambre (punition). »

Le fœtus est très vulnérable à l'alcool, car cette substance traverse la barrière placentaire: le taux d'alcoolémie du fœtus est donc approximativement le même que celui de la mère. Les effets sont différents à chaque trimestre de la grossesse. La forme d'alcoolisme se caractérisant par des accès de forte consommation alternant avec de longues périodes d'abstinence ou de modération (« cuite » ou *binge drinking*) entraîne un plus grand risque de retard de croissance intra-utérine. Par contre, une consommation plus réduite (0,10 à 0,25 once par jour)[283] est aussi associée à un retard de croissance intra-utérine. La bière serait la substance qui réduit le plus le poids à la naissance et augmente le risque de problèmes non spécifiques. Ce niveau de consommation est aussi associé à une augmentation du nombre d'avortements spontanés. Même une consommation très légère (0,10 once par jour) augmente significativement, pendant le septième mois de grossesse, le risque d'accouchement spontané. Enfin, la consommation dite « sociale » pendant la grossesse peut causer des effets neuro-

---

282. Quotient intellectuel de moins de 70.
283. Une once d'alcool pur (environ 30 ml) équivaut à deux consommations.

comportementaux subtils (Lecompte, Perreault, Venne, Lavandier, 2002).

« Les mères plus âgées, qui consomment de façon modérée à importante, sont plus à risque d'avoir un enfant atteint » (Institute of Medicine, 1996, cité par Shonkoff et Phillips, 2000, p. 203). Cela peut être dû au fait que « les femmes ayant bu de façon importante durant plusieurs années ont une capacité réduite de métaboliser l'alcool » (Jacobson et al., 1993, 1994, cités par Shonkoff et Phillips, 2000, p. 203).

- **La cocaïne** entraîne une vasoconstriction qui diminue de 40 % le flux sanguin utérin et, de ce fait, affecte l'apport en oxygène, ralentit la croissance du fœtus et augmente son stress. Il s'ensuit une augmentation du métabolisme et de la dépense énergétique qui affecte les systèmes cardiorespiratoire, endocrinien et nerveux central du fœtus. Les risques d'accouchements prématurés sont augmentés à 40 % (22 % pour les femmes non consommatrices). Les risques de malformations fœtales, de décollement placentaire, d'avortements spontanés et de naissances d'enfants mort-nés sont augmentés. La consommation de cocaïne serait le meilleur prédicteur de prématurité et de petit poids à la naissance chez les enfants qui y sont exposés. Malgré les connaissances limitées concernant les effets de cette substance, il apparaît déjà clair qu'elle est associée à un nombre important de malformations diverses chez les enfants et à des complications postaccouchement chez les mères (Lecompte, Perreault, Venne, Lavandier, 2002).

- **Les opiacés,** dont l'héroïne et les autres narcotiques, sont difficiles à évaluer quant à leurs effets sur le fœtus. Plusieurs facteurs sont à considérer: la pureté du produit, l'importance de la dose, la fréquence de consommation, le métabolisme maternel... On sait que les opiacés traversent facilement la barrière placentaire, qu'ils augmentent « les risques d'accouchement prématuré, de rupture des membranes, de présentation du bébé par le siège, d'hémorragie, de toxémie, d'anémie, d'irritabilité utérine et d'infections » (Lecompte, Perreault, Venne, Lavandier, 2002, p. 17).

- **La méthadone,** par contre, souvent prescrite pour faciliter le sevrage, « semble réduire les risques de complications obstétricales »: elle a été associée à de meilleures conditions de vie pour la mère, à un suivi régulier et à de meilleurs soins prénataux, à une diminution des naissances d'enfants mort-nés, à une réduction du retard de croissance intra-utérine. Jusqu'ici, « aucune malformation n'a été spécifiquement associée à la méthadone » (Lecompte, Perreault, Venne, Lavandier, 2002, p. 17).

- **Les benzodiazépines** (diazépam, lorazépam) prescrites pour des pathologies psychiatriques (anxiété), mais aussi consommées de façon abusive par certaines personnes, augmentent le risque d'avortement spontané. Elles « traversent rapidement le placenta et s'accumulent dans les tissus adipeux du fœtus », qui a des capacités réduites à les métaboliser, et amplifient ainsi les « risques d'intoxication ou de dépendance passive à la naissance ». Elles pourraient accroître le risque de fissure palatine (malformation congénitale du palais à laquelle est souvent associé un bec de lièvre) et de malformations chez les nouveau-nés exposés surtout si les mères abusent de cette médication ou se la procurent sur le marché noir (Lecompte, Perreault, Venne, Lavandier, 2002, p. 18-19).

- **Le cannabis,** une substance « considérée comme douce aux yeux de la société, affecterait le fœtus », car il « traverse rapidement la barrière placentaire et prend trente jours à se métaboliser », à s'éliminer. Il augmente le monoxyde de carbone dans le sang de la mère, réduisant de ce fait l'apport en oxygène et entravant la croissance du fœtus. L'usage de cette substance serait associé à la prématurité, à un petit poids à la naissance, à une augmentation des naissances d'enfants mort-nés. Il pourrait aussi avoir « des effets neurocomportementaux sur le développement des enfants » (Lecompte, Perreault, Venne, Lavandier, 2002, p. 20).

- **Le tabac** rétrécit les vaisseaux sanguins et diminue l'apport de nourriture et d'oxygène au fœtus. Cela entraîne des retards de croissance intra-utérine dans 50 % à 100 % des cas et une augmentation du rythme cardiaque chez le fœtus. On observe une augmentation du nombre d'avortements spontanés, de naissances d'enfants mort-nés, de prématurité et d'enfants qui viennent au monde avec un petit poids de naissance (plus de 50 % des cas). Son usage augmente le risque du syndrome de mort subite du nourrisson et des infections multiples des voies respiratoires supérieures. Il ralentit la croissance et pourrait amener des problèmes d'irritabilité chez l'enfant ainsi que des difficultés d'apprentissage (Gyger, 1992).

- **Les consommations mixtes**: il est important de noter que dans les cas où ces substances sont utilisées de façon abusive, les personnes qui le font utilisent rarement une seule substance à la fois, mais mélangent plusieurs produits. Les effets sur le fœtus des consommations mixtes sont alors encore plus complexes, plus difficiles à départager et, très souvent, plus néfastes.

Effets directs des neurotoxines sur le bébé après la naissance

L'exposition aux neurotoxines après la naissance a un effet sur la santé et le développement de l'enfant. Certains éléments peuvent se retrouver dans le lait maternel, et les fumées secondaires produites par les personnes partageant régulièrement l'environnement de l'enfant peuvent aussi être néfastes.

Effets indirects des neurotoxines sur le bébé après la naissance

Dans le cas des substances causant une altération des facultés, le comportement des personnes les plus proches de l'enfant (mère, père ou autre...) varie selon qu'elles ont consommé ou non. De plus, des excès de violence (cris, pertes de contrôle, coups...) peuvent causer une peur excessive à l'enfant, des blessures et même entraîner la mort.

À sa naissance, un jeune bébé ne sait pas comment entrer en relation : il apprend par l'imitation des personnes les plus proches de lui. Si ces personnes ont un comportement changeant, selon qu'elles ont consommé ou non, leur réponse aux besoins de l'enfant sera inégale et non congruente. À certains moments, l'enfant verra ses besoins satisfaits à peu près adéquatement. À d'autres, ils seront ignorés ou mal interprétés. L'enfant ne sachant jamais à quoi s'attendre, il n'apprendra pas quels sont les messages efficaces et ceux qui ne le sont pas puisque les réponses à ses messages lui parviendront d'une façon qui lui paraîtra aléatoire.

L'enfant aura ainsi plus de difficultés à développer une estime de lui-même positive, car celle-ci, à cet âge, est en grande partie fondée sur l'efficacité avec laquelle l'enfant établit une communication fonctionnelle avec la ou les personnes qui l'entourent et qui lui fournissent les soins nécessaires.

Son attachement à ces personnes sera perturbé ou menacé. Un attachement désorganisé (Noël, 2003, p. 159-161 ; 163), où l'enfant oscille entre différents modes de réponse, risque de s'établir. Cette forme d'attachement amène généralement chez l'enfant des problèmes importants qui risquent de se maintenir à l'âge adulte.

2.5 SYNDROME DU BÉBÉ SECOUÉ[284], [285]

Le syndrome du bébé secoué est l'une des conséquences de maltraitance infantile les plus graves[286]. Il est causé par le fait de secouer violemment le bébé ou le jeune enfant en le tenant par les bras ou par le corps. Il entraîne un nombre important de décès et de lésions permanentes ou d'incapacité chez les enfants qui en sont victimes. On peut diagnostiquer qu'un enfant est touché par le syndrome du bébé secoué lorsqu'il présente:

- « une hémorragie intracrânienne (saignements à l'intérieur et autour du cerveau),

- une hémorragie rétinienne (saignements dans la rétine de l'œil),

- des fractures des côtes et de l'extrémité des os longs » (Santé Canada, 2001, p. 2).

Ces lésions ne doivent pas toutes être présentes pour qu'un diagnostic soit posé.

Il est difficile d'évaluer combien d'enfants sont touchés par ce syndrome. En effet, rares sont ceux qui admettent avoir secoué un enfant, et certains symptômes prennent du temps à se déclarer. Les bébés secoués sont souvent des garçons de moins de six mois. Les personnes qui commettent cet acte sont généralement des adultes, parents ou gardien de l'enfant. Bien qu'il arrive à des femmes de secouer un enfant, ce sont généralement les pères biologiques, les beaux-pères et les conjoints des mères biologiques qui sont plus susceptibles de le faire (Santé Canada, 2001).

Ce comportement s'observe dans tous les groupes socio-économiques. Il semble qu'il s'agisse d'une « réaction causée, en partie, par le stress ressenti par la personne » qui pose l'acte: « les pleurs d'un bébé peuvent en exaspérer ou en épuiser certains, qui réagissent alors violemment et secouent l'enfant ». Les facteurs de risque les plus associés sont: « l'isolement social, la violence familiale, l'abus d'intoxicants, les troubles psychiatriques, la présence d'un adulte ayant lui-même été victime de violence durant son enfance ou son adolescence, des liens d'attachement fragiles ou inexistants entre le

---

284. L'auteure désire remercier Sylvie Fortin, infirmière au CHU Sainte-Justine, pour les références concernant le syndrome du bébé secoué.

285. Cette section sur le syndrome du bébé secoué a été publiée initialement dans le premier livre de l'auteure (Noël, 2003, p. 127-128).

286. C'est le cas de Steven, dans le cinquième récit.

parent et l'enfant et une méconnaissance du développement des enfants » (Santé Canada, 2001, p. 5).

Le fait de secouer un enfant entraîne des mouvements de la tête semblables à ceux qui se produisent lorsqu'une personne assise dans une voiture est soumise à un arrêt brusque (coup de fouet cervical ou *whip-lash*) : « les nourrissons sont particulièrement vulnérables à cause de la taille relative de leur tête, du poids de leur cerveau et de la faiblesse des muscles du cou, et parce qu'ils sont secoués par des personnes beaucoup plus grandes et plus fortes qu'eux » (Santé Canada, 2001, p. 2).

Ces mouvements peuvent provoquer une déchirure des vaisseaux sanguins du cerveau pouvant entraîner une hémorragie. Le cerveau lui-même peut être atteint, car il frappe violemment la boîte crânienne d'avant en arrière pendant que l'enfant est secoué. Des neurones peuvent être abîmés ou détruits. Ces lésions peuvent aussi provoquer un œdème, ou enflure du cerveau. Cela aura pour résultat de le priver de sang et d'oxygène et d'amener d'autres complications (Santé Canada, 2001).

Au Canada, parmi les enfants hospitalisés relativement à ce syndrome, « 19 % sont morts, 59 % accusent un déficit neurologique ou visuel ou d'autres troubles de santé et seulement 22 % semblent bien guéris au moment de leur congé. Selon certaines données récentes, ces bébés qui semblent bien guéris peuvent présenter des troubles comportementaux ou cognitifs plus tard, peut-être à l'âge scolaire. » (Santé Canada, 2001, p. 4.)

Même s'ils ont subi des lésions, certains enfants ne présenteront aucun trouble apparent. D'autres souffriront d'une invalidité permanente telle qu'un retard de développement, des convulsions, une paralysie, la cécité... et « auront besoin de services spéciaux tout au long de leur vie ». Au Canada cette forme d'agression est considérée comme un acte criminel (Santé Canada, 2001, p. 4).

ANNEXE 3

L'évaluation psychosociale

Les adoptants sont souvent préoccupés par l'évaluation psycho-sociale[287], ne sachant pas sur quoi exactement porte cette évaluation, comment elle est faite, quels sont les critères communs à tous les professionnels.

Le présent document vous explique sommairement les critères servant de base à l'étude de votre projet, ceux élaborés afin de répondre au mandat d'évaluation inscrit dans la *Loi sur la protection de la jeunesse*.

Le professionnel qui accepte la responsabilité d'évaluer votre projet d'adoption devra aborder avec vous divers aspects de votre situation professionnelle et familiale. Il est utile de préciser que chaque professionnel procède à l'évaluation selon l'expertise qu'il a développée lui-même. En substance, il discutera avec vous des dimensions qui lui semblent les plus pertinentes, en tenant compte de votre situation personnelle.

Le professionnel peut aussi se rendre à votre domicile pour mieux connaître l'environnement dans lequel vous vivez et, s'il y a lieu, faire connaissance avec les membres de votre famille.

Voici donc l'énumération et l'explication des aspects de votre situation qui feront l'objet de vos rencontres avec le professionnel.

---

287. Document distribué aux postulants à l'adoption par le Service adoption du CJM–IU. À noter que les postulants à un projet de type Banque-mixte doivent aussi être évalués comme parents d'accueil.

1. *Description de votre projet d'adoption et démarches accomplies à ce jour*

   Le professionnel s'informera de certains détails concernant votre projet d'adoption : enfant souhaité, son âge, son état de santé, ... Il vous demandera également d'expliquer les démarches que vous avez accomplies depuis le début de votre projet.

2. *Motivation au projet*

   Le professionnel vous demandera de parler de votre désir, comme individu et comme couple, d'adopter un enfant et de vos attentes à l'égard de cet enfant.

3. *Histoire personnelle de chacun des adoptants*

   Le professionnel demandera à chacun des postulants de parler de son passé, de ses relations avec ses parents et autres membres de sa famille, de l'éducation qu'il a reçue, des difficultés qu'il a eu à résoudre, de ses réalisations.

4. *Relation conjugale*

   Le professionnel vous invitera à décrire votre vie de couple, votre relation et votre degré de satisfaction, votre capacité à communiquer, ainsi que l'histoire de votre fécondité ou de votre stérilité et son impact sur votre vie affective et sexuelle.

   Si vous vivez seul ou seule, le professionnel vous invitera à décrire votre façon de répondre à vos besoins affectifs ainsi que votre réseau de soutien.

5. *Relations parents-enfants (s'il y a lieu)*

   Si vous avez des enfants biologiques ou adoptés, le professionnel vous demandera votre perception du fonctionnement de votre famille, de vos liens parents-enfants, des attitudes et comportements de vos enfants et de leur degré de participation au projet d'adoption.

6. *Aptitudes parentales et aptitudes pour adopter*

   Le professionnel s'intéressera à vos aptitudes face à l'adoption, c'est-à-dire votre capacité d'attachement à un enfant né d'autres parents et votre capacité de respecter ses origines. Il vous demandera également comment vous vous percevez comme futurs parents en regard des besoins physiques, affectifs, sociaux et intellectuels d'un enfant, et des exigences des rôles parentaux.

Le professionnel vous demandera d'élaborer sur vos capacités particulières, capacités de faire face à la « différence » et à ses conséquences.

7. *Impact de l'actualisation du projet d'adoption*

Le professionnel discutera avec vous de votre perception des conséquences qu'aura l'arrivée de votre enfant sur votre famille, vos amis, vos collègues, vos voisins, votre capacité de faire face aux difficultés prévisibles et non prévisibles, de vous adapter à la visibilité de votre statut d'adoptants.

8. *Situation socio-économique et culturelle*

Le professionnel fera avec vous un tour d'horizon de vos conditions matérielles (logis, emploi, revenus…), vos plans de carrière, vos activités de loisir…

9. *Recommandation*

Le professionnel fera en conclusion une recommandation relative à votre projet d'adoption et vous fera part de son opinion professionnelle.

L'abandon d'enfant

Dépister, accepter, accompagner

SUZANNE RAINVILLE
et collaborateurs

Ce document vise à aider les intervenants à rapidement identifier ce genre de situation et à mettre des mots sur ce qui se passe dans la réalité, avec les enfants et avec les parents. Des étapes d'accompagnement de toute la famille sont proposées afin de soutenir les membres impliqués, mais également les intervenants qui sentent le désespoir de l'enfant au quotidien et veulent lui venir en aide.

978-2-89092-276-1– 288 pages

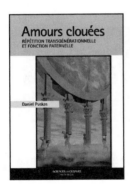

Amours clouées

Répétition transgénérationnelle
et fonction parentale

DANIEL PUSKAS

Ces amours qui font souffrir, qui nous gardent prisonniers sur les sentiers familiaux des terres ancestrales, où nous tournons en rond, répétant en aveugle, avec des chaînes aux pieds, les échecs et les enjeux subjectifs inconscients des générations passées.

Toute la question de la répétition et de ses variantes sera analysée afin de procéder à une étude descriptive des mécanismes qui opèrent dans la compulsion de répétition transgénérationnelle. Ainsi seront approfondies, à l'aide d'exemples cliniques, les notions de trauma, de trouble d'attachement, de discours familial, de secret et de non-dit, de loyauté, de mandat transgénérationnel et de résilience.

De plus, le transfert individuel et familial, l'utilisation du génogramme, l'importance de la construction d'une histoire sur trois générations et l'instauration d'une fonction paternelle opératoire seront décrits et définis afin de servir de points d'appui indispensables à l'évaluation et l'intervention.

978-2-89092-309-6 – 202 pages

Le professionnel en intervention

Un tuteur sur le parcours des jeunes
en difficulté

MICHÈLE CARON

Ce volume apporte une synthèse des différents
concepts cliniques utilisés en psychoéducation.

Il apporte également un aperçu de quelques
approches cliniques utilisées dans l'évaluation
et l'intervention auprès des jeunes en difficulté: les approches béhaviorale, cognitive,
psychodynamique et systémique. L'auteure
considère qu'une vision polyvalente et une disposition éclectique permettent de mieux cibler l'intervention appropriée pour un sujet en
particulier.

Enfin, quatre études de cas mettent en relief la qualité et la valeur
d'une évaluation clinique spécifique à la réadaptation.

978-2-89092-299-0 – 352 pages

Un enfant entre deux familles

Le placement familial:
du rêve à la réalité

JEAN-GUY GERMAIN
et collaborateurs

Retirer un enfant de son milieu familial et le
placer dans un milieu d'accueil substitut est
une décision qui, parfois, s'impose de soi pour
protéger un enfant; dans d'autres cas, la
décision repose sur les limites parentales et
l'impossibilité d'une réelle reprise en main des
parents. Dans tous les cas, le placement a des
répercussions importantes sur l'enfant et sa famille.

Les auteurs décrivent chacune des phases du placement familial
ainsi que les enjeux affectifs présents chez les différents acteurs. Ils
explicitent les différents types d'intervention auprès de chacun
depuis la préparation au placement jusqu'à sa conclusion.

978-2-89092-265-5 – 174 pages